Xavier

Bonne lecture !

[signature]

Page couverture

DESIGN : François-Akio Côté

PHOTO MARIO DUMONT : Sophie Grenier

PHOTO DU PARLEMENT : Luc Delisle

Couverture arrière

DESIGN : Normand Forest

PHOTO MARIO DUMONT : Caroline Bergeron

INFOGRAPHIE : Julie Lapalme

Distribution Messageries de presse Benjamin

DÉPÔT LÉGAL : 3e trimestre 2005

ISBN : 2-9809151-0-6

Mario Dumont

Avoir le courage de ses convictions

18 ans d'engagement pour le Québec

Éditions Les Sociétaires

AVOIR LE COURAGE DE SES CONVICTIONS

Ironie du sort, exactement vingt-cinq ans après le départ de René Lévesque, nous étions des dizaines à quitter le Parti libéral parce que ce parti incohérent était revenu sur une position qu'il avait lui-même défendue et adoptée dans son programme.

Nous nous sommes tenus debout. J'en suis fier. Cela n'a pas été facile, bien au contraire. Mais nous sommes passés au travers, fidèles à ce que nous répétait souvent Jean Allaire : « Il faut avoir le courage de ses convictions. »

TABLE DES MATIÈRES

TABLE DES MATIÈRES

L'ÉMERGENCE DE L'ADQ

Mes convictions

Le Québec que je veux pour mes enfants

Épilogue

Une nouvelle génération d'idées

MERCI !

Nous avons été des centaines à affirmer nos convictions sur la place publique afin de mobiliser des millions de nos compatriotes québécois. Dans toutes les batailles, nous avons été solidaires. Cette solidarité nous a donné du courage. Quant à moi, je n'aurais pas tenu le coup sans le soutien de tous ces gens, hommes et femmes, qui ont partagé avec moi leurs convictions, leur exaspération, leurs rêves et leur désir de changement au cours de toutes ces années. Je veux les remercier publiquement, ici même. Je suis reconnaissant à tous et toutes, même si nos chemins, dans certains cas, se sont séparés. Nous avons évolué tranquillement vers une nouvelle étape au sein de notre Québec plutôt que de rester passifs et immobiles, et pour moi, c'est ce qui compte le plus.

Je n'ai voulu ni quantifier ni qualifier les contributions de qui que ce soit puisque chacun a su, à sa façon, m'apporter le soutien nécessaire au moment où j'en avais besoin pour poursuivre notre combat commun. Encore une fois, merci à chacun de vous.

Sue Abidi	Luc Arvisais	Christian Barrette
Alladin Abou Sharbin	Frédéric Asselin	Florent Barrette
Jean Allaire	Stéphan Asselin	Martin Barrette
Jeannine Allaire	Sandra Attaman	Réal Barrette
Johanne Allaire	Patrice Attanasio	Martin Beaudin-Lecours
Michelle Allaire	Benoit Aubé	Caroline Beaudoin
Sylvie Allaire	Jean-Pierre Aubin	Jean-François Beaudoin
Patrick Allan	Serge Auclair	Jacques Beaudry
Serge Allard	Jean-Claude Ayotte	André Beaulieu
Sylvain Allie	Michel Ayotte	Marie-France Beaulieu
Serge Amyot	Andrée Bard	Nathalie Beaupré
Josée Anello	Frédéric Baril	Aurel Bélanger
Maurice Anglehart	Alexandre Barnes	Patrick Bélanger
Alain Arbour	Bernard Barré	Fernand Belisle
Jean-Pierre Arcoragi	Sylvain Barré	Marie-France Béliveau

1

Michel Belleau
Diane Bellemare
Nicole Bellemare
André Belzile
Paul Benevides
Samira Bennouna
Jean-Luc Benoit
Martin Bergeron
Jean-Yves Bernard
André Bernier
Joël Bernier
Raynald Bernier
Sylvie Berthiaume
Bernard Bérubé
Micaël Bérubé
Nicole Bérubé
Jean-François Bertrand
Michael Betts
Manon Bezeau
Victor Bilodeau
Serge Bizier
Louise Blackburn
Marc Blais
Mylène Blanchet
Nathalie Blanchet
Lise Blanchette
René Blanchette
Steven Blaney
Sophie Blouin
Éric Boisselle
Alain Boisvert
Daniel Boisvert
Suzanne Bolduc
Marie-Ève Bonneville
Chantal Bouchard
Daniel Bouchard
Isabelle Bouchard
Jean Bouchard
Simon Bouchard
Luc Boucher

Jocelyne Boudreault
Francis Bouffard
Louis Boulais
Alain Boulanger
Michèle Boulianne
Steve Bourassa
Mélanie Bourassa-Forcier
Gaétane Bourque
Pierre Bourque
Jacques Bousquet
Luc Bouthillier
Sylvain-James Bowes
Jean-Luc Brassard
Pierre Brassard
Jean-Sébastien Brault
Ghassan Brax
Monique Breton
Pierre Brien
Christianne Brisson
Norman Brisson
Annick Brousseau
Vincent Brousseau
Gilles Brunelle
Martin Brunet
Jacques Buissière
Gilles Bureau
Mark Buzan
Patrick Bydal
Kénila Cadet
Pierre Cadieu
Éric Caire
Martin Camirand
Marie-Ève Campéano
Mathieu Campion
Chrystian Carbonneau
Serge Carbonneau
Sophie Cardinal
Claude Carignan
Diane Caron
Claudette Carrier

Éric Castonguay-Ouellet
Serge Cazelais
Nathalie Chabot
Valérie Chabot
Jean-Pierre Chamoun
Serge Charrette
Virsna Chau
Cristina Cistellini
Yvan Cliche
Julie Clouâtre
Bruno Cloutier
Guy Cloutier
Enrique Colindres
André Cordeau
François Corriveau
Fernand Cossette
Ritha Cossette
Véronique Côté
François Côté
Gilberte Côté
Mario Cotton
Léon Courville
Stéphane Couture
Philippe Croteau
Daniel Croze
Stéphane D'Amours
Vicken Darakdjian
Pascal De Bellefeuille
Luc De la Sablonnière
Brigitte De Laroche
Christian De Serres
Diane Decoste
Marie-Odile Demay
Jean-Marc Demers
Sylvain Demers
Stéphane Deschînes
Daniel Desjardins
Stéphanie Deslandes
Dominic Desrochers
Louise Desroches

Sébastien Dhavernas
Simon-Pierre Diamond
Jean Dion
Pierrette Dion
Denis Dionne
France Dionne-Frenette
Mario Dolan
Richard Domm
Brian Doody
Jean-Louis Dorval
Marie-Hélène Dorval
Sophie Doucet
Peter Downey
Martin Duchesne
Claude Dugas
Doris Duguay
Sabrina Duguay
Éric Duhaime
Germain Dumas
Dollard Dumont
Jean-Charles Dumont
Martin Dumont
Catherine Dumouchel
Jean-Maurice Duplessis
Marcel Dutil
Caroline Émond
Christian Émond
Céline Falardeau
Daniel Falardeau
Sébastien Fassier
Robert Fauteux
Judy Fay
Gilles Ferland
Yves-André Ferland
Nathalie Filion
Roger Filion
Ginette Fontaine
Isabelle Fontaine
Sylvie Fontaine
Normand Forest

René Forget
Annie Fortier
Claude Fortin
André Fournier
Martin Fournier
Jocelyn Fradette
Béatrix Franco
Lucille Francoeur
Sylvain Frenette
Paulin Koffi Gaba
Nicolas Gaboury
Frédéric Gagné
Jean-Nicolas Gagné
Alain Gagnon
Jean-Claude Gagnon
André Garant
Louise-Andrée Garant
François Gaudreau
Claude Gauthier
Jacques Gauthier
Maxime Gauthier
Patrick Gauthier
Pierre Gauthier
Yves Gélinas
Jacques Gélineau
Vincent Geloso
Arsène Gendron
François Gendron
Bernard Généreux
Michel Gervais
Philippe Gervais
Elias Ghadban
Brian Gibb
Dominique Gibeau
Mélanie Gilbert
Élodie Girardin-Lajoie
François Girouard
Carole Giroux
Geatano Giumento
Jean-Guy Godbout

Jean Godin
Lise Gosselin
Michel Gouin
Viviane Goulder
Jacques Gourde
Marc-André Gravel
Marie Grégoire
Michel Grimard
Janvier Grondin
Cindy Guay
Marcelle Guay
Sébastien Guérin
Daniel Guertin
Gilles Guibord
Roger Guillemette
Moncef Guitouni
Olivier Hamel
Lyne Hart
Pierre Harvey
François Hébert
Jacques Hébert
Pierre Hébert
François Hogue
Elias Hondronicolas
Michel R Houle
Norman Houle
Léo Housakos
Cathy Howe
Clémont Hudon
Gheorghe Irimia
Daniel Jacques
Sébastien Jacques
Monique Jalbert
Martin Janson
Stéphane Jasmin
Lucie Jobin
Éric Jolander
Jozsef Juhasz
Denis Julien
Jonathan Julien

Stéphanie Kennan
Vahan Kupeyan
Gerry La Rocca
Corrine Labbé
Éric Labelle
André Labonté
Michel Labonté
Daniel Labrecque
Marie-France Lachaîne
Gérard Lachance
Claude Lachapelle
Jacques Lacombe
Guy Laforest
Réjean Laforest
Stéphane Laforest
Géralda Lafrance
Yvon Lafrance
Bruno Lajeunesse
Frédéric Lajoie
Jean-Louis Lalonde
Michel Lalonde
Guy-Luc Lamarche
Richard Lamarche
Francine Lambert
Marie-Hélène Lambert
Julie Lamer
Gaétanne Lamontagne
Daniel Lamothe
Robert Landreville
Jean Landry
Bruno Langelier
Audrey Langlois
Isabelle Langlois
Marc Langlois
Simon Langlois
Julie Lapalme
Jean-Eudes Lapierre
Mario Lapointe
Marc Laporte
Sylvain Laporte

Éric Larivière
Réginald Larivière
Simone Larivière
André Larocque
Jean Larose
Denise Larouche
Suzie Larouche
Jean-François Larue
Philippe Laurin
André Lauzon
Richard Lavallée
Rock Laviolette
Denis Lavoie
Gaëtan Lavoie
Michel Lavoie
Nelson Lavoie
Stéphane Le Bouyonnec
Nathalie Lebel
Gaston Leblanc
Patrick Leblanc
Catherine Leboeuf
Luc Leclerc
Yves Leclerc
Jean Lecours
Josée Lécuyer
Philippe Leduc
Daniel Lefebvre
Sylvain Légaré
Marc-André Legault
Claude Lemieux
Jean-Guy Lemieux
Deny Lépine
Sylvain Lépine
Guy Leroux
Guy-M. Leroux
Joëlle Lescop
Sylvie Lespérance
Clément Lévesque
Pierre Lévesque
Simon Lindenbaum

François Lizotte
Richard Lizotte
Évé Longépée
Alain Magnan
Armand Maltais
Isabelle Maranda
Louis Maranda
Roxane Marchand
Jean Marcil
Joanne Marcotte
Philippe Marcoux
Monyque Marier
Chantal Marin
Isabelle Marquis
Michel Marquis
Serge Martel
Benoit Martin
Michel Martin
Claudette Marullo
Jean-Martin Masse
Denis Massé
Etienne Massé
Daniel Massicotte
Giulio Maturi
Hubert Meilleur
Michelle Melançon
André Ménard
Luc Ménard
Olivier Ménard
Idola Mercier
Lucille Méthé
Nelson Michaud
Pierre Michaud
Patrick Minotti
Pierre Miquelon
Berthe Miron
Réjean Monette
Éric Montigny
Yves Montigny
Éric Morasse

Bertrand Morel
Caroline Morgan
Lawrence Morgan
Stephen Morgan
Claude Morin
Normand Morin
Patrick Morin
Pierre Morin
Stéphane Morin
André Morneau
Ghislain Morrissette
Paul D. Muller
Daniel Murray
Patricia Murray
Serge Nadeau
Hélène Napert
Jean Nobert
Antoine Normand
Hajibi Nour-Eddine
Jean-Claude Ouellet
Julie Ouellet
Martin Ouellet
Nicole Ouellet
Yvan Ouellet
Caroline Pageau
Marie-Claude Pageau
Luce Papineau
Chantale Paquet
Jean-François Paquet
Rose Paquet-Cyr
Luce Paquette
Steve Paquette
Denis Paradis
Danielle Paré
Éric Parent
Andréa Parrot
Jean-Pierre Parrot
Lucie Patoine
Michel Paulette
Cédrick Pautel

Annie Pellerin
Pierre Pellerin
Claude Pelletier
Éric Pelletier
Isabelle Pelletier
Jean-François Pelletier
Marie-Chantal Pelletier
Michel Pelletier
Jeffrey Penney
Tom Pentefountas
Pascale Perron
Marc Picard
Gaétanne Piché
Michèle Piché
Yvon Picotte
Marie-Germanie Pierrispil
Michel Pigeon
Pierre Pilon
Guy Pilon jr
Mario Pilote jr
Alain Pineault
Marie-Ève Pion
Katherine Pirozzi
Joseph-Émile Plante
Pierre Plante
Yan Plante
Karine Plourde
Luc Pomminville
Alex Poulin
François Pratte
Marc Primeau
Luc Proulx
Marie-Christine Proulx
Nathalie Proulx
Sébastien Proulx
Louis-Martin Provençal
Luc Provost
Lyne Quenneville
Diane Racine
Alain Rayes

Carl Raymond
Arthur Rhéaume
Alain Riendeau
Nathalie Rivard
Yvon Robert
Michel Robillard
Charles Robitaille
Ginette Robitaille
Patrick Robitaille
Robert Robitaille
Marie-Hélène Rochefort
Gail Rollo
Eugénia Romain
Patrick C. Rouillard
François Rousseau
Tanya Rousselle
Gabrielle Roy
Jasmin Roy
Mélanie Roy
Michel Roy
Nancy Roy
Sylvie Roy
Tristan Roy
Jean-François Ruest
Grégory Sabourin
Sylvain Saillant
Patricia Saint-Jacques
France Saint-Jean
Valérie Saint-Jean
Lucie Saint-Laurent
Maude Saint-Laurent
Sébastien Saint-Laurent
Manon Saint-Louis
Raymond Saint-Louis
Hélène Saintonge
Pierre Saint-Onge
Roger Saint-Pierre
Michel-André Samson
Alain Sans Cartier
Mathieu Santerre

Carl Savard
Marie-Ève Savard
Gérard Sénécal
Robert Sévigny
Éric Sigouin
Jean-François Simard
Karine Simard
Lorraine Simard
Thérèse Simard
André Simoneau
Horace A. Sirois
Marc Snyder
Patrick Soucy
Léo Soulière
Mario Spina
Jean-François Sylvestre
Dominique Talbot
Pierre-Éloi Talbot
Paulo Tamburello
Jacques Tanguay
Myriam Taschereau
Pierre Tellier
Jean-François Tétreault
Claude Théberge
Sophie Théoharopoulos

Manon Thériault
Guy Therrien
Christian Thibeault
Lise Thibeault
Marie-Claude Thiffeault
Luc Tison
Yvonne Tourigny
Geneviève Tousignant
Christian Toussaint
Albert Tremblay
Danielle Tremblay
Jacques jr Tremblay
Kevin Tremblay
Lyne Tremblay
Mélissa Tremblay
Pauline Tremblay
Valérie Tremblay
Yolaine Tremblay
Frédéric Trépanier
Yvon Trottier
Benoit Trudeau
Gilles Trudeau
Gloria Trudeau
Jean Trudel
Louise Trudel

Steeve Trudel
Bruno Trudelle
Benoit Turcotte
Isabelle Turcotte
Lise Turcotte
Michel Turcotte
Sylvain Turcotte
Micheline Ulrich
Éric Vachon
René Vachon
Martin Valois
Jean-Simon Venne
François A. Vermette
Claire Verreault
André Verrette
Stéphan Viau
Benoit Viel
Hélène Vigneault
Jean-Charles Vigneault
Nathalie Vincent
Judith Vir
Sean Walker
Paul Zaidan

J'aimerais remercier d'une façon toute particulière ceux qui, au cours des dix-huit derniers mois, m'ont aidé à assembler toutes les pièces de l'exigeant casse-tête que représente la réalisation d'un ouvrage comme celui-ci.

D'abord, pour leur soutien tout au long de la démarche, mes plus proches collaborateurs dans ce projet, Normand Forest, François Pratte et Michel Lalonde.

Ensuite, pour leurs lumières, commentaires et suggestions, Jean-Charles Dumont, Jacques Gauthier, Stéphane Le Bouyonnec, Philippe Leduc, Jean Nobert et Alain Sans Cartier.

Enfin, je veux rendre hommage à Marie-Claude, ma compagne de vie, pour ses précieux conseils et pour la patience dont elle a su faire preuve pendant tous ces mois d'écriture. Sans oublier Angela, Charles et Juliette, nos trois enfants dont la présence énergisante a su me motiver et m'inspirer tout au long de ma réflexion.

À vous, donc, un merci tout spécial et bien senti.

À NOS MILITANTS, PARTISANS
ET SYMPATISANTS

ET À TOUS LES ADÉQUISTES QUI S'IGNORENT

AVANT-PROPOS

Parce que le temps était venu...

Regard sur 18 années d'engagement pour le Québec

La température était magnifique sur cette plage qui s'étendait à perte de vue. Angela et Charles s'amusaient à me recouvrir les jambes de sable chaud. Juliette, notre petite dernière, dormait paisiblement dans la poussette, juste à côté, à l'ombre du parasol. Marie-Claude, ma compagne, venait d'interrompre sa lecture lorsqu'elle me dit, de but en blanc : « Mario... As-tu pensé qu'à la prochaine élection générale, tu vas avoir vingt ans de politique dans le corps ? »

Marie-Claude avait raison. Bientôt vingt ans. Déjà.

À ce moment-là, l'idée de faire un bilan m'a effleuré l'esprit. Et le projet d'en tirer un livre venait de germer. J'avais tout d'un coup envie de dire d'où je viens, où je vais, et de porter un témoignage sur le long combat que je mène avec des milliers d'adéquistes, cette bataille que nous livrons pour que le Québec sorte enfin de l'ornière et prépare l'avenir autrement qu'en fonction d'engagements irresponsables concoctés pour gagner à tout prix le prochain scrutin.

SCÈNES DE LA VIE QUOTIDIENNE

Un homme politique a-t-il une vie ? Drôle de question, mais elle se pose.

En ce qui me concerne, je me déplace beaucoup et je passe de longues périodes en ville, soit à Québec ou à Montréal. Je vis maintenant à la campagne, où je me sens tout aussi à l'aise que sur le béton. À l'été 1997, j'ai déménagé, avec ma famille, dans notre maison ancestrale, emportant un peu de la Petite Patrie et du Plateau Mont-Royal à Cacouna. Sauf que les légumes biologiques, ce n'est pas au marché Jean-Talon qu'on les cueille, mais bien dans notre cour... entre deux appels qui entrent sur le cellulaire ! Les recettes du terroir, c'est dans notre cuisine qu'on les crée pour nos amis qui se relaient chaque fin de semaine du mois d'août pour faire leur petit pèlerinage annuel dans le bas du fleuve. Oui : j'adore cuisiner, et il m'arrive souvent de trouver des recettes sur l'internet, une source de renseignements intarissable, surtout lorsqu'on cherche une bonne bouteille pour accompagner nos créations culinaires.

Nous aimons également les voyages. Nous avons visité l'Europe à quelques reprises, les États-Unis très souvent, ainsi que plusieurs villes ou régions du Canada qui m'ont toutes confirmé, même si elles étaient la plupart du temps charmantes et accueillantes, à quel point le Québec est différent.

De son côté, Marie-Claude dirige une école de musique. Elle est engagée dans de multiples activités et organismes du milieu, en plus de participer à plusieurs tables de concertation de la région de Rivière-du-Loup. Marie-Claude Barrette est une femme occupée ! Une réunion n'attend pas l'autre. Elle a toujours été comme ça. C'est d'ailleurs dans l'action politique que nous avons fait connaissance, à Montréal, au printemps 1990. Nous travaillions ensemble à l'organisation d'un événement de la Commission-Jeunesse du Parti libéral du Québec.

Et les enfants dans tout ça ? L'aînée, Angela, est en troisième année du primaire. Charles, le deuxième, est entré à la maternelle de la même école en septembre dernier. Quant à Juliette, la petite dernière, née le lendemain du congrès de l'ADQ d'octobre 2002 (difficile de l'oublier), elle fera bientôt son entrée à la garderie.

On sait tous, à lire les journaux, que la vie professionnelle d'un homme ou d'une femme politique n'a rien à voir avec celle de qui travaille de neuf à cinq. Le député doit demeurer disponible sept jours sur sept... même quand il peut compter sur l'appui d'un bras droit aussi présent que Gilberte Côté, ma dévouée responsable de comté. Il s'engage, littéralement, pour toute la durée de son mandat. Pour ma part, malgré cet aspect contraignant de la vie politique, j'essaie de préserver mon quotidien et d'être le plus souvent possible auprès de mes enfants. Mes obligations, partout au Québec, ne m'empêchent pas, en général, d'être présent dans ma circonscription de Rivière-du-Loup les fins de semaine et le lundi, une journée consacrée à mes activités de comté. Je peux donc me retrouver, en principe, avec ma famille presque la moitié du temps, sans compter le mois de vacances annuelles que nous passons ensemble.

Voilà l'équilibre que je recherche. Mais les tâches d'un chef de parti l'entraînent aux quatre coins du Québec. Il y a donc immanquablement, de temps à autre, des entorses à l'horaire de la vie de famille... des écarts que je parviens tout de même à compenser.

MON COMBAT POUR L'AVENIR DU QUÉBEC

Nous habitons notre terre depuis plus de 400 ans. Nous avons une culture forte, et je veux faire en sorte que mes enfants et mes petits-enfants puissent l'enrichir et la perpétuer.

Angela, Charles et Juliette sont nés avec ce siècle. Et je suis leur père avant d'être un homme politique. Mon combat pour la destinée du Québec est devenu un combat pour la famille. Car si, collectivement, nous ne mettons pas tout en œuvre pour faciliter la vie aux ménages, pour donner à nos enfants, nos adolescents et nos jeunes adultes l'envie de s'épanouir au Québec plutôt qu'ailleurs, notre avenir demeurera une vision de l'esprit.

Le Québec ne se construira pas sans les hommes et les femmes qui l'habitent. Mais pour qu'il y en ait, il faut d'abord qu'ils naissent et qu'on les éduque, qu'on les soutienne. Devenus adultes, pour qu'ils aient le goût de bâtir le Québec, il faudra d'abord qu'ils aient l'intention d'y rester. Par amour. Par conviction. Par attachement. On ne retient pas de force des citoyens.

J'ai la conviction profonde que nous vivons une situation que le reste de la planète pourrait nous envier : vivre si peu nombreux – sept millions – sur un territoire aussi vaste et d'une telle richesse, pouvoir nous exprimer quotidiennement dans une langue différente au milieu d'une fourmilière nord-américaine qui compte 40 fois plus d'anglophones, cela tient du prodige.

Depuis plusieurs décennies, notre Québec a été fragilisé par de graves erreurs de parcours. Il a besoin de reprendre de la vigueur. Je ne suis pas le seul à y croire. Ça se lit, ça s'entend, ça se voit à la télévision : je sens les Québécois franchement tannés. Certains de nos compatriotes n'ont pas encore été sevrés de la Révolution tranquille : ils la traînent avec eux comme une preuve de fidélité et s'y réfèrent comme à un mode d'emploi. Cette « révolution » appartient à un passé noble, j'en conviens, mais révolu. Ce que les défenseurs de la paralysie collective appellent pompeusement le « modèle québécois » est dépassé. Je ne parle pas ici de la solidarité que nos programmes sociaux semblent vouloir favoriser, mais du « modèle » qu'on s'entête à présenter comme une icône intouchable alors qu'il nous entraîne inexorablement dans une spirale descendante de pauvreté collective. Une situation où une poignée de privilégiés réussissent à tirer leur épingle du jeu aux dépens d'une classe moyenne toujours plus étranglée.

BILAN PROVISOIRE

En rédigeant cet ouvrage, j'ai voulu poser un regard sur mes dix-huit années d'expérience politique, faire un bilan provisoire de mon parcours. Je suis un économiste qu'un concours de circonstances a entraîné dans la vie publique. Mon destin m'a conduit là où je ne m'y attendais pas. Il m'a fait vivre des moments intenses.

J'ai eu le privilège de croiser le fer directement avec six premiers ministres différents. Chacun avec sa personnalité, chacun avec ses façons de faire. Je les ai tous affrontés à tour de rôle. Il n'est pas toujours évident de réussir à se tenir debout quand on doit faire face à un discours officiel, orchestré par un chef de gouvernement appuyé par toute sa machine de communication. Mais à travers tout cela, je crois avoir réussi à rester fidèle à mes convictions, notamment à l'égard de la place du Québec.

Ça n'a pas toujours été facile. Par moments, j'ai dû puiser au fond de mes ressources pour surmonter les écueils inhérents à la vie politique. Mais tout cela est normal. C'est ce qu'on appelle l'expérience.

Au fil des années, j'ai appris, entre autres, que la politique active suit des règles non écrites. Que les médias ont joué un rôle croissant dans les campagnes électorales, et que cette réalité n'est pas près de changer. Que bien des règlements de l'Assemblée nationale favorisent le bipartisme, souvent au détriment de la démocratie. J'ai aussi appris que la politique est désormais perçue par plusieurs comme une machine à produire des mensonges, au point d'avoir perdu toute crédibilité auprès de centaines de milliers de citoyens bafoués.

Je crois que les Québécois méritent mieux.

À mi-chemin dans ma vie politique, je veux apporter ma contribution pour que nous nous construisions un avenir meilleur. Je souhaite que nous reprenions collectivement notre élan afin de mettre en place de meilleures conditions sociales, économiques et culturelles pour que le Québec en vienne à ressembler à celui que je voudrais pour nos enfants.

Je propose cet essai comme le témoignage d'un homme qui, dépassant la mi-trentaine, livre bataille depuis maintenant presque vingt ans pour défendre des valeurs et des principes universels, dans le dessein de faire du Québec un État plus responsable et plus fort, à l'image des citoyens qui le bâtiront en toute liberté.

Des citoyens plus autonomes dans un État plus autonome.

MES RACINES

1

Cacouna

J'ai eu le bonheur de vivre une enfance heureuse, au sein d'une famille québécoise comme tant d'autres. C'est ma réalité toute simple mais authentique.

J'ai grandi dans un environnement familial remarquablement sain, où régnaient amour, stabilité et sécurité : Paul-Aimé, mon père, producteur laitier fortement impliqué dans l'organisation régionale de l'Union des producteurs agricoles ; Marielle, ma mère, enseignante au primaire et au secondaire, une fervente gardienne de la cause des femmes ; sans oublier Alain, mon frère, de cinq ans mon cadet, d'un tempérament vif et actif, grand sportif à ses heures.

Le décor : une petite communauté du Bas-Saint-Laurent, Cacouna, située entre Rivière-du-Loup et Trois-Pistoles ; une ferme dans un rang où se dressent ici et là quelques bâtiments, une grande maison plus que centenaire dans laquelle ont vécu avant nous mes grands-parents et leurs 15 enfants. Aujourd'hui, la maison abrite la petite famille que j'ai fondée avec ma compagne, Marie-Claude, et qui compte trois enfants : Angela, Charles et Juliette.

L'environnement est dominé par les grands espaces : un paysage aux vastes horizons caractérisé par la présence du fleuve Saint-Laurent, qu'on appelle la mer parfois, qui, bien qu'on ne le voie pas de la maison, fait sentir à coups de rafales du sud-ouest ses 20 kilomètres de largeur et sa proximité. Notre cour arrière est si vaste qu'elle peut devenir un terrain de baseball ou de soccer en été et une patinoire en hiver. Une patinoire que je déblayais jour après jour quand j'étais jeune, le vent y ramenant la neige comme un rituel quotidien. Pas étonnant qu'on songe à installer massivement des éoliennes dans le Bas-Saint-Laurent !

Une nature à la fois dure et généreuse : un immense verger où les pommiers présentent une inclinaison de 25 degrés, ayant grandi sous la poussée de ce même vent qui soufflait la neige sur la patinoire. Des pommes et des prunes à volonté pour consommer immédiatement, pour cuisiner, pour donner. Et un immense jardin potager que toute la maisonnée voyait à entretenir. Le verger et le jardin sont toujours là et occupent une partie de mes temps libres aujourd'hui ; ils constituent pour moi un refuge privilégié.

QUÉBÉCOIS DE LA TERRE

On dit que l'avenir appartient à ceux qui se lèvent tôt. Si l'adage est vrai, on peut sans crainte affirmer que les agriculteurs ont tout l'avenir pour eux ! Cela pour dire que, dans mon enfance, et plus particulièrement pendant les vacances d'été, je devais sortir du lit au petit matin. À la ferme, il va de soi qu'on participe aux travaux sitôt qu'on le peut. C'est ainsi qu'à l'âge de sept ans j'aidais à « faire le train », c'est-à-dire à prodiguer aux animaux les soins quotidiens, y compris, bien entendu, traire les vaches. Impossible pour moi d'imaginer que, 20 ans plus tard, en pleine campagne électorale, cette activité quotidienne et combien banale prendrait des allures « d'exploit » devant un million de spectateurs à une émission animée par Julie Snyder ! (L'animatrice, pour tester mon expérience de la ferme, avait fait venir une vache dans le studio et m'avait demandé de la traire devant les caméras).

D'aussi loin que je m'en souvienne, j'aimais beaucoup les animaux et le travail de la terre, prélude au goût particulier que j'éprouve encore pour le jardinage. Mais contrairement aux autres jeunes fascinés par les tracteurs et engins agricoles tout en puissance et en vrombissements, je n'éprouvais aucun intérêt pour la machinerie. C'est toujours le cas. Peu m'importe sa puissance ou sa performance, pour moi, une mécanique doit faire le travail pour lequel elle a été conçue, sans complications, sans caprices.

Très jeune, à six ou sept ans, je me suis retrouvé au volant du tracteur. Les semis, les foins, les récoltes, chaque saison amenait sa part de besognes. Très tôt, j'ai appris à donner un coup de main à la ferme, à assister mon père. J'étais fier d'assumer ces responsabilités. Je soignais les veaux, je veillais à l'entretien de l'énorme réservoir de lait en acier inoxydable, j'allais chercher le troupeau dans les champs pour la traite... Parfois même, je passais la journée aux champs pour enlever les roches ou à faire les foins avec « les grands » : mon père, bien sûr, mais aussi mon oncle Dollard et mon grand-père Charles. J'étais dans le concret. C'est sûrement là que j'ai pris conscience de la valeur du travail. Et quand je dis « valeur », je choisis bien le mot. On gagne plus que de l'argent quand on travaille. On gagne de la fierté et la satisfaction d'avoir réalisé quelque chose. On s'accomplit. On fait partie d'une communauté en action qui construit quelque chose. Bref, on est « dans la vie ». Félix Leclerc avait bien raison quand il chantait que « la meilleure façon de tuer un homme, c'est de le payer à ne rien faire ».

Oh, juste un petit ennui : j'avais le rhume des foins d'avril à septembre. Pas idéal !

UNE FAMILLE QUÉBÉCOISE ENRACINÉE

J'éprouve une certaine fierté à l'idée que mes enfants habitent la maison érigée sur le sol défriché par nos ancêtres. Sept générations de notre famille ont occupé cette terre depuis les années 30. Oui : je dis bien 1830. Depuis 175 ans ! Comment ont-ils tous vécu ? La plupart, j'imagine, envieraient notre confort d'aujourd'hui : l'eau courante, l'électricité, la machinerie agricole moderne qui facilite tellement le travail de la terre et toutes ces choses que le progrès technique nous a apportées.

Quel est mon héritage ? Je crois que mon père agriculteur m'a transmis sa ténacité et sa détermination. On dit parfois que je suis un peu entêté. Bien... si on estime que c'est un défaut, qu'on blâme mon père, et si on pense que c'est une qualité, je le remercie ! De mon point de vue, il n'y a rien de compliqué : quand on veut obtenir un résultat, on s'attelle à la tâche et on fonce jusqu'à ce qu'on ait réussi. Un point c'est tout. Volontaire et persévérant, ce sont là des caractéristiques que plusieurs m'ont attribuées et qui tiennent leurs origines de l'influence paternelle.

Aujourd'hui à la retraite, ma mère était une enseignante dévouée, à la fois exigeante, disciplinée et très engagée dans son milieu. Sa carrière dans l'enseignement au primaire et au secondaire s'est déroulée sur fond de Révolution tranquille. Elle a connu l'avant et l'après, ce qui en a fait un témoin privilégié des pas de géant accomplis par la société québécoise en matière d'éducation, et une critique sévère de ses faux pas. Je ne peux pas compter les occasions où elle m'a fait connaître les classiques en m'emmenant à des concerts, les fois où elle m'a soutenu et encouragé à persévérer dans mon apprentissage du piano. C'est encore elle qui m'a initié aux voyages et à la découverte des autres cultures à travers les films des *Grands Explorateurs*, lorsqu'ils étaient présentés à Rivière-du-Loup. Je m'en souviens. Le procédé était toujours le même : un homme ou une femme, au micro sur la scène, partageait avec le public une aventure extraordinaire vécue dans une contrée lointaine. Avec passion, l'explorateur nous racontait son périple et les découvertes qu'il avait faites au milieu de la jungle, aux abords d'un volcan, dans une ville surpeuplée ou ailleurs. Puis, la lumière s'éteignait et, sur le grand écran, l'aventure devenait réelle. C'est ainsi que je suis devenu un véritable accro de la géographie !

Ma mère a su éveiller en moi une immense soif d'apprendre : je lis tout ce qui me tombe sous les yeux, qu'il s'agisse de journaux, de magazines ou de livres. Dans une bibliothèque, je me sens comme un poisson dans l'eau. Il faut dire que, chez mes parents, les ouvrages de référence ne manquaient pas. Si nous avions eu l'internet à cette époque, j'aurais probablement développé une dépendance. Chacun son temps, j'ai plutôt été un adepte de Tintin, un autre qui m'a fait voyager autour du monde.

Quant à Alain, mon frère cadet, sa présence m'a obligé, comme pour tous les premiers de famille, à acquérir le sens des responsabilités. C'est normal quand on a un frère plus jeune dont on doit s'occuper et qu'il faut inévitablement, un jour ou l'autre, voir à protéger. Il s'est avéré aussi un fabuleux complice dans la découverte de mon sport préféré : le golf.

À LA DÉCOUVERTE DE LA MUSIQUE

De huit à quinze ans, à l'instigation de ma mère, j'ai pris des leçons de piano. D'abord tous les samedis après-midi pendant mes années au primaire, puis une fois la semaine, pendant l'heure du dîner au secondaire. M. Girard, professeur de musique remarquable, habitait à deux pas de l'école. Une heure et quart pour le lunch, une heure de cours... Heureusement qu'on apprend à manger et à marcher vite à la ferme !

Je suis d'ailleurs resté marqué par la précision de l'oreille sans faille de M. Girard. Je n'oublierai jamais cette fois où, parti prendre une bouchée dans la pièce d'à côté pendant que je m'exerçais à jouer une sonate, il avait poussé des « oh ! oh ! » parce que je venais de rater une seule petite note dans une descente en doubles croches. Même en train de manger un sandwich, rien ne lui échappait !

Avec le temps, j'ai réalisé que j'étais loin de posséder un talent naturel. À quinze ans, l'heure des exercices quotidiens me pesant de plus en plus, j'ai tout arrêté et je n'ai plus touché au piano depuis, au point de me sentir maintenant tout à fait démuni devant un clavier. Moi qui adore la musique ! Peut-être un jour...

Je l'ai toujours cru et j'en suis encore plus convaincu aujourd'hui, alors que je vois grandir mes enfants : l'enfance détermine notre manière de vivre, notre façon d'aborder la réalité quotidienne une fois que nous sommes devenus adultes. La mienne a été remplie de jeux, d'histoires, de musique, de grands espaces, de belles valeurs et d'une approche positive et constructive de la vie.

Je n'en remercierai jamais assez mes parents, Paul-Aimé et Marielle, et tous ceux qui ont enrichi mon enfance à Cacouna.

1

2

À L'ÉCOLE DE L'HUMANISME

Toute mon enfance passée dans le Bas-Saint-Laurent a constitué pour moi un apprentissage, par immersion, du bon sens, de la solidarité et de la compassion.

LE BON SENS

La ferme fournit naturellement des bases incomparables en matière d'éthique du travail. La façon de penser est simple : lorsque la terre est prête et qu'il fait beau, il faut semer. Lorsque le grain est mûr, il faut le récolter. Lorsque le foin est sec, il faut le mettre à l'abri au cas où une pluie arriverait. Pas besoin d'attendre les ordres de qui que ce soit. Quand il y a du travail, il faut le faire. Et dans ces périodes intensives de travaux agricoles, l'idée ne nous effleure jamais de nous arrêter une heure pour dîner, de faire sa pause-café ou de quitter soudainement parce qu'il est cinq heures pile. Les diplômés de l'école de la terre appliquent des règles naturelles : quand l'ouvrage est à faire, on s'y met. On s'arrête seulement lorsque c'est fini ou que la noirceur, la rosée ou la température nous y oblige. Et le soir, on dort très bien, avec la satisfaction du travail accompli.

Dans ma famille, le revenu familial dépendait largement de l'agriculture. Avec le climat pas toujours facile du Bas-Saint-Laurent, j'ai appris qu'il fallait respecter les forces de la nature et composer avec l'état des choses. On ne peut pas tout contrôler. Quoi qu'on fasse, une sécheresse ponctuelle peut réduire sinon anéantir la récolte. Ça m'a permis d'apprendre combien on doit savoir faire preuve d'humilité et reconnaître ses propres limites. Quand ça va mal, rien ne sert de se lamenter ou de blâmer qui que ce soit ; on se retrousse les manches et on se remet au travail. Au contact de cette réalité, on en arrive à acquérir ce qui est nécessaire à la survie de toute communauté : la solidarité et la compassion.

SOLIDARITÉ ET COMPASSION

Mon père a toujours été actif dans le syndicalisme agricole. Il a participé à plusieurs grandes batailles de l'UPA du Bas-Saint-Laurent en vue d'améliorer le sort des agriculteurs de la région. Il était convaincu qu'en leur assurant des conditions de vie respectables, on leur permettrait d'apporter plus, en retour, à l'ensemble de la communauté. Les batailles de mon père et de l'UPA ont fait avancer leur cause dans l'est du Québec et j'en suis très fier.

Mais rien n'est jamais acquis. Les régions, comme on les appelle, se vident de leurs meilleurs éléments au profit des grandes villes. Plus que jamais, la solidarité entre les gens est indispensable. L'entraide et la coopération sont les ingrédients essentiels de la recette pour préserver la qualité de vie de la communauté, quelle qu'elle soit.

Mes parents ont toujours participé activement à la vie sociale de notre région. En plus de son action au sein de l'UPA, mon père a été président de la Caisse populaire et conseiller municipal pendant je ne sais plus combien d'années. Ma mère, de son côté, a été, entre autres, dirigeante de l'Association féminine d'éducation et d'action sociale (AFEAS) du Bas-Saint-Laurent et membre du conseil d'administration du centre hospitalier régional.

Dans ma famille, c'était normal de sortir après le souper pour participer à des rencontres de comités d'action communautaire. Si on savait le nombre de fois que j'ai assisté à des réunions dans le salon familial ! Je m'amusais à prendre des notes et à rédiger mon propre procès-verbal. D'ailleurs, si j'avais eu une idée du nombre de réunions qui m'attendaient dans ma vie adulte, je me serais sans doute passé de celles-là ! Bref, j'ai grandi dans un contexte où l'engagement social était omniprésent.

> *Dans ma famille, c'était normal de sortir après le souper pour participer à des rencontres de comités d'action communautaire. J'ai grandi dans un contexte où l'engagement social était omniprésent.*

S'enracinant dans la vie quotidienne de la classe moyenne, toutes ces expériences m'ont également fait comprendre à quel point la majorité des familles québécoises doivent travailler d'arrache-pied pour donner à leurs enfants le nécessaire afin de leur offrir une qualité de vie digne de notre époque et de notre continent. Une classe moyenne dont on oublie trop souvent la dure réalité dans les tours à bureaux du gouvernement. Mais je m'écarte. J'y reviendrai.

La solidarité et la compassion, je ne les ai pas observées seulement à l'échelle de l'action collective. Je les ai aussi vues à l'œuvre tout près de moi, dans mon milieu familial, quand mes grands-parents malades ont été l'objet de soins et d'un soutien remarquables. Je réalise aujourd'hui que les années que mes parents ont consacrées à prendre soin de leurs propres parents comptent parmi les plus belles de leur vie. Une compassion gratuite et sans attente. Hébergements temporaires dans notre maison pour des convalescences, visites quasi quotidiennes à leur domicile ou accompagnement suivi à l'hôpital... C'est grâce à un soutien exigeant une incroyable abnégation que mes grands-parents, des personnes âgées et malades, ont pu éviter des placements prolongés en établissement et finir leurs jours plus sereinement, riches d'une proximité précieuse avec leur famille.

Au début de l'adolescence, pris entre des parents occupés à soutenir leurs propres parents et un jeune frère au premier cycle du primaire, j'ai appris plus que des valeurs humaines : j'ai dû commencer à « popoter » seul, j'ai dû acquérir des connaissances pour me débrouiller avec les chaudrons. Aujourd'hui, faire la cuisine est devenu pour moi un de mes passe-temps préférés. Preuve que des contraintes liées à la compassion peuvent en arriver à engendrer une passion !

2

3

LE GOÛT DE ME DÉPASSER AVEC *GÉNIES EN HERBE*

P endant toute mon adolescence, j'étais un boulimique de la connaissance. Mon frère Alain, lui, grandissait en se passionnant pour les sports. Il s'est même distingué à l'échelle régionale en évoluant dans une équipe collégiale de basket-ball et en remportant un championnat de golf pour l'est du Québec.

J'ai fait mes études secondaires à l'école Notre-Dame, à Rivière-du-Loup, à une quinzaine de kilomètres de chez nous. Ça représentait une heure d'autobus scolaire par jour. J'étais maintenant loin de la vie que j'avais menée au primaire. J'étais plus autonome et les défis étaient nombreux. Les profs étaient compétents, dévoués, et l'environnement absolument stimulant ! C'est là, à Notre-Dame, que je me suis intéressé aux matchs inter-écoles de *Génies en herbe*. Le concours mettait en présence des élèves d'écoles secondaires des quatre coins du Québec. Dans un premier temps, il fallait participer à des compétitions régionales. Les équipes gagnantes étaient ensuite admises aux éliminatoires dans le cadre du jeu télévisé diffusé au réseau français de Radio-Canada partout au pays. Il y avait aussi des tournois panquébécois, non diffusés à la télé.

Si je disais que je m'intéressais aux compétitions de *Génies en herbe*, je mentirais. C'était beaucoup plus encore : c'était ma passion, ma drogue. En fait, du Secondaire II au Secondaire V, la plus grande partie de mes loisirs y sont passés : cinq midis sur cinq, cinq soirs sur cinq et parfois même les fins de semaine ! Je m'entraînais comme l'aurait fait un athlète olympique. Je relevais des défis de plus en plus difficiles. Je ne lâchais jamais. Je voulais gagner.

Chaque jour, je prenais un peu plus conscience de la soif de dépassement qui nous habite tous. J'étais continuellement à la recherche d'un truc, d'une nouvelle façon de mettre plus de chances de mon côté. J'avais ainsi appris à maîtriser une technique d'anticipation dans laquelle je lisais sur les lèvres du présentateur, ce qui me permettait de prendre mes adversaires de vitesse pour répondre. Et j'avais développé une théorie : si je parvenais à assimiler tout ce que je pouvais dans les champs de connaissances embrassés par le jeu-questionnaire, j'arriverais peut-être premier. En géographie, par exemple, j'en étais venu à connaître sur le bout des doigts les noms des mers, des cours d'eau d'importance, des pays, des capitales, des métropoles, des monnaies...

J'avais trois comparses, aussi avides que moi de tout connaître : François Lizotte était le spécialiste des lettres, du cinéma et des autres sphères de la culture. Il est aujourd'hui professeur de littérature, et nous sommes toujours demeurés proches. Steve Fortin, notre expert en sports, se passionnait également pour l'histoire. Il impressionnait notamment par sa connaissance encyclopédique des personnages, des dates et des lieux qui ont marqué les grandes guerres. Il possède aujourd'hui un doctorat en comptabilité. Quant à Daniel Bourgoin, le troisième larron, un cérébral puissant et méticuleux à la personnalité calme et discrète, il était surtout versé dans les sciences et la langue française. Il est aujourd'hui docteur en physique.

Nous nous entraînions à fond de train, chacun s'assurant de couvrir systématiquement tous les angles imaginables de ses disciplines de prédilection. C'est à Gilles Ouellet, un de nos professeurs de mathématiques, qu'on doit reconnaître le mérite d'avoir su canaliser nos débordements d'énergie d'adolescents pour nous conduire à un niveau aussi élevé de performance... et d'avoir enduré nos frasques d'étudiants, notamment dans les dortoirs pendant les tournois ! Nous formions un groupe de joyeux complices qui aimaient bien s'amuser et jouer des tours, mais nous avions par-dessus tout une volonté de fer. C'est grâce à cette ténacité que nous avons franchi avec succès toutes les étapes pour atteindre le sommet. L'équipe de l'école secondaire Notre-Dame de Rivière-du-Loup, la nôtre, a réussi à se qualifier pour la finale provinciale de *Génies en herbe*. Une aventure mémorable.

Pour moi, cette expérience a été une grande victoire. C'était la preuve qu'il est possible pour toute personne, moyennant un travail intense et acharné, d'atteindre des sommets, qu'elle soit de Montréal, de Québec ou de Rivière-du-Loup.

Oui, *Génies en herbe* a marqué mon cours secondaire. Des années extrêmement denses et particulièrement importantes dans mon développement personnel.

À bien y penser, je crois que mon engouement pour *Génies en herbe* a été un soulagement pour mes professeurs. En effet, lorsque j'avais fini mes travaux, ils aimaient certainement mieux me voir me plonger dans quelque livre à étudier les peintres, les fleuves ou les lieux de naissance des compositeurs que d'avoir à gérer mon côté légèrement hyperactif qui aurait pu... dégénérer ! Certaines « mauvaises langues » disaient que, sans cet exutoire, j'aurais pu facilement devenir un élément perturbateur dans le groupe.

Elles ne se doutaient pas que je me reprendrais un jour à l'Assemblée nationale.

3

4

PLONGER POUR APPRENDRE : DU MASSACHUSETTS À CONCORDIA

O n le sait : quand on sort du Québec pour aller étudier à l'étranger ou simplement pour voyager dans le monde, il vaut mieux connaître l'anglais. Dans le comté de Rivière-du-Loup, les occasions de parfaire son anglais sont plutôt rares, on s'en doute. En 1987, grâce à une relation de Sébastien Rioux, un camarade de classe en secondaire V, j'ai eu l'occasion de plonger dans un univers totalement anglophone lorsque je me suis retrouvé, tout un été, aux États-Unis, dans le Massachusetts, moniteur bénévole dans un camp de vacances pour jeunes et pour handicapés mentaux. Je venais tout juste d'avoir 17 ans.

Quelle expérience inoubliable ! On donnait un coup de main aux cuisines, à l'entretien, à l'organisation des ateliers. On encadrait aussi des groupes, on participait à des activités sportives et, le soir venu, on voyait à la logistique entourant les feux de camp. Outre une centaine d'enfants de six à douze ans, il y avait toujours de 60 à 80 adultes handicapés mentaux, souvent des cas assez lourds, qui passaient une ou deux semaines dans ce camp pour accorder un peu de répit à leurs familles.

En fait d'immersion, je dois dire que j'ai été particulièrement bien servi. Le lundi matin, quand on a commencé, je m'attendais à une sorte de mise en route. Un *briefing*. Quelque chose. Mais tout ce à quoi j'ai eu droit, ce fut un laconique : « Toi, tu vas avec lui et tu t'occupes du tir à l'arc pour ce groupe, là-bas ! ». En anglais, évidemment. Je n'avais ni la formation pour travailler avec des handicapés mentaux ni la connaissance du tir à l'arc. Et mon anglais plutôt moyen n'avait rien pour me sécuriser. Je ne savais pas trop quoi faire, mais j'ai essayé et ça a marché. À ma grande surprise, tout s'est placé assez rapidement.

J'ai ainsi compris que la meilleure manière d'apprendre, c'est de sauter dans le bain. Oui, décidément, j'ai beaucoup appris sur le plan humain au camp du Massachusetts. Pas seulement l'anglais.

Vingt ans se sont écoulés depuis, et des images me remontent encore à la mémoire. C'est vrai que j'ai vécu là une expérience fantastique qui m'a changé pour la vie. J'ai vu ce qu'on pouvait ressentir face aux êtres humains une fois franchie la barrière perceptuelle. J'ai dû creuser en moi et puiser dans mes ressources intérieures. Vivre et travailler dans l'univers des personnes déficientes ont fait jaillir en moi patience, souplesse et dévouement, des aptitudes que je ne me connaissais pas étant donné que je n'avais jamais eu l'occasion, jusque-là, d'y recourir dans des situations aussi exigeantes.

Vivre pareille expérience à l'adolescence, ça marque. Pas surprenant qu'à mon retour je me sois senti fin prêt pour entreprendre mes études collégiales, prochaine étape de ma formation scolaire. J'ai passé deux ans au cégep de Rivière-du-Loup, en sciences pures, question de me garder toutes les portes ouvertes pour mes études universitaires.

Ce fut sans contredit une période charnière de ma vie, au cours de laquelle j'ai eu mes premiers contacts avec le milieu associatif, notamment lorsque j'ai siégé au conseil d'administration du cégep. Je reviendrai là-dessus. Mais, jamais je n'oublierai les partys du jeudi soir... et les lendemains difficiles au cours de chimie du vendredi matin ! Ceux qui ont vécu cette époque avec moi s'en souviennent encore aujourd'hui !

DIRECTION : UNIVERSITÉ CONCORDIA, À MONTRÉAL

L'heure des choix était arrivée. Je venais d'obtenir mon diplôme d'études collégiales. En quoi allais-je étudier à l'université ? En biologie, en économie, en médecine vétérinaire ou en sciences politiques ? J'avais des champs d'intérêt diversifiés. Pendant que je soupesais ma décision, chaque fois que je croyais mon idée faite, je sentais curieusement un élan irrépressible de fascination pour les disciplines que je venais justement d'écarter, si bien que je remettais mon choix en question. Indécision ? Je sais maintenant qu'il s'agissait alors d'une manifestation de ma soif d'apprendre et d'en savoir toujours plus. Enfin, accompagné dans mes réflexions par Yvon Trottier, mon conseiller en orientation devenu depuis un ami de la famille et le parrain de Juliette, j'ai su au bout de quelques mois que l'économie était le bon choix. Un joyeux mélange de mathématiques et d'enjeux de société, assaisonné de chiffres... Un cocktail sur mesure pour moi qui suis attiré par les grands ensembles.

Une fois ma décision prise, je ne l'ai plus jamais remise en question. L'économie avait gagné. Dans la perspective de découvrir la diversité culturelle de Montréal et de m'ouvrir à un monde en effervescence, j'ai choisi de faire mon bac à l'Université Concordia.

C'est ainsi que je suis devenu un Montréalais d'adoption. En effet, dès le jour où j'y ai mis les pieds, j'ai aimé Montréal. Installé au cœur du quartier de la Petite Patrie, je me suis rapidement senti chez moi. J'étais séduit. Fort de mon bagage de fils de région et avec ma curiosité insatiable de découvrir les autres cultures, je comprenais que ma ville d'adoption constituait à la fois le cœur économique du Québec et sa porte d'accès au reste du monde. Je réalisais tout son potentiel de développement, un potentiel qui, à mon avis, était quasi illimité.

En passant, je crois qu'on mesure mal, au Québec, la réputation de Montréal à l'échelle internationale. Bien sûr, Montréal n'est pas une ville historique comme Paris, Rome ou Moscou. Elle n'offre pas non plus l'atmosphère particulière des villes millénaires. Mais avec ses quelques millions d'habitants, elle est la plus grande ville francophone du continent nord-américain. Elle constitue un creuset où se côtoient, dans une harmonie que bien d'autres villes lui envient, des hommes et des femmes d'une grande diversité d'origines.

À sa façon, elle est incontestablement unique.

C'est cette ville exceptionnelle que j'ai découverte pendant mes années d'université. Et c'est là que j'ai noué le lien le plus important de ma vie : Marie-Claude Barrette, mon amie, ma femme, la mère de nos trois enfants.

5

PREMIERS CONTACTS AVEC LA POLITIQUE...

J e crois que mon premier souvenir de la politique date d'avril 1978. J'étais en deuxième année du primaire. J'avais sept ans, presque huit. Mon père était collé à son téléviseur pour suivre la course à la direction du Parti libéral du Québec, comme si c'était la finale de la coupe Stanley. Ça avait l'air si intéressant, mon père semblait à ce point captivé, que je me suis assis à côté de lui et que j'ai regardé l'émission, moi aussi.

La bataille se jouait entre Claude Ryan et Raymond Garneau. L'intensité était palpable. J'étais fasciné à la fois par ce que je voyais à la télé et par l'effet qu'exerçait le débat sur mon père. Pour la petite histoire, c'est Claude Ryan qui a gagné. Je ne me doutais pas, à ce moment-là, que je me frotterais à ce personnage redoutable, plus tard, dans les débats du Parti libéral sur l'éducation ou sur l'avenir du Québec.

Au secondaire, quand la cloche sonnait pour la récréation de dix heures, plutôt que de me précipiter dans la grande salle pour flâner et tourner en rond avec les autres, je me dirigeais illico vers le bureau de Mario

Chouinard, un prof d'histoire passionné de politique. Avec lui, je parcourais les journaux du matin. Puis, nous écoutions les nouvelles ensemble et nous causions, la plupart du temps... de politique, bien sûr ! Étudiant au cégep de Rivière-du-Loup, mon besoin irrépressible de faire bouger les choses m'a poussé à m'engager dans l'association étudiante. C'est ainsi qu'avec plusieurs autres, j'ai participé à la relance de la radio et du journal, ainsi qu'à l'organisation de nombreuses activités. J'étais vraiment dans le bain. Puis, devenu membre du conseil d'administration du cégep, j'en ai beaucoup appris sur la dynamique du leadership, sur la négociation et sur le développement organisationnel. Déjà, je l'ai compris plus tard, je n'étais pas très loin de la réalité politique.

Parallèlement à ces activités militantes, j'ai commencé à m'intéresser à la Commission-Jeunesse du PLQ, là où, me disais-je, je pourrais proposer mes idées, les partager, les comparer avec d'autres. Cela s'est amorcé un peu par hasard, en 1987, lorsque j'ai assisté à un congrès annuel qui se tenait à La Pocatière. J'y allais d'abord et avant tout par curiosité, intéressé de voir un congrès politique de l'intérieur. À vrai dire, j'abordais ce rassemblement partisan habité de plusieurs préjugés : pour moi, la politique officielle débattait d'enjeux déconnectés, trop éloignés de la réalité des gens ordinaires. Je considérais les gens impliqués en politique comme des « penseurs pensifs », comme des « grands parleurs » abordant des thèmes d'ordre général, mais peu capables de trouver des solutions concrètes aux problèmes vécus sur le terrain. Bref, je voyais mal ce qu'on pouvait apporter de constructif dans ce contexte de palabres s'apparentant plus à du « pelletage de nuages » qu'à autre chose.

Mais j'ai été surpris. Agréablement. Contrairement à mes craintes, les objets de discussion se sont révélés très pratico-pratiques. Je me souviens de deux sujets en particulier : la pénurie de médecins en région et les clauses de disparité de traitement touchant les jeunes, celles qu'on appelle clauses « orphelin ». On était en 1987. On est aujourd'hui en 2005. Est-ce que je me trompe ou ces deux thèmes sont toujours d'actualité ? Il y a de quoi perdre ses illusions et devenir cynique, pourrait-on conclure. Je comprends maintenant que la société évolue, mais beaucoup plus lentement que les gens qui la composent. Et je réalise chaque jour un peu plus qu'il ne sert à rien de nous plaindre face à une situation qui nous révolte : il faut trouver les moyens de faire bouger les choses. Je sais aujourd'hui que l'action politique peut effectivement favoriser le changement et apporter des solutions à des problèmes de société spécifiques bien enracinés dans le réel.

Le niveau des échanges de vues à ce congrès de la Commission-Jeunesse m'a impressionné. Quant aux discussions elles-mêmes, elles m'ont captivé. Elles étaient animées, intelligentes. Ce que j'entendais se concrétisait déjà dans ma tête : un jour prochain, les idées avancées et débattues deviendraient réalité. Ça m'emballait de savoir qu'il était possible de changer les choses, et surtout de hâter l'émergence de ces mutations.

À ce moment, j'ai commencé à croire que ma participation ne se limiterait pas à écouter les autres et à émettre mon opinion pendant une seule fin de semaine. Je voulais qu'il y ait une suite.

6

MON VRAI SAUT EN POLITIQUE

P eu de temps après le congrès de La Pocatière, la politique m'a
fait un autre clin d'œil. Le poste de conseiller « jeune » s'est ouvert
pour la circonscription de Rivière-du-Loup. Puis, les événements se
sont enchaînés, alors que j'ai été élu représentant au comité exécutif
des jeunes libéraux pour la région Bas-Saint-Laurent – Gaspésie –
Les-Îles-de-la-Madeleine. C'est à ce titre que, pour la première fois,
j'ai réellement participé à l'organisation d'un congrès politique, celui
de la Commission-Jeunesse du PLQ qui s'est tenu à Sherbrooke,
en 1989.

J'ai ainsi rempli toute une série de mandats régionaux et nationaux,
jusqu'à devenir coordonnateur aux affaires politiques, puis président
de la Commission-Jeunesse. Nous étions maintenant en 1991. J'étais
actif en politique depuis déjà quatre ans. J'avais vingt et un ans. Je
vivais à Montréal, où j'étudiais en économie.

Le Parti libéral de Robert Bourassa était au pouvoir au Québec et le
Parti conservateur de Brian Mulroney dirigeait le gouvernement fédéral.

Depuis un an, ça jouait vraiment dur sur le plan constitutionnel. Rappelons-nous l'été 90 : le 22 juin, après des années de négociations entre le Québec et le reste du Canada, les efforts devant mener à la ratification de l'accord du lac Meech sont anéantis par un député autochtone du Manitoba, Elijah Harper, et par le premier ministre de Terre-Neuve, Clyde Wells. Le lendemain, le grand adversaire de cet accord, Jean Chrétien, devient le chef du Parti libéral du Canada. Trois semaines plus tard, comme si on n'en avait pas eu assez, éclate la crise d'Oka, un affrontement qui durera 78 jours.

À l'échelle internationale, les problèmes du Québec pouvaient sembler relativement anodins à côté de l'invasion du Koweït par l'Irak, en août 1990, et de la guerre du Golfe qui s'ensuivit, au cours de l'hiver 1991.

Quoi qu'il en soit, en cette année qui a suivi l'échec de Meech, tout le monde s'intéressait à la politique au Québec.

LE RAPPORT ALLAIRE ET LES JEUNES LIBÉRAUX

En fait, sans le vouloir, je me suis retrouvé catapulté au cœur de l'action politique à une époque charnière de l'histoire du Québec.

L'enjeu était capital ; on assistait à un débat de fond sur l'avenir du Québec. L'accord du lac Meech avait été un échec retentissant. Le rejet de la notion de société distincte par le reste du Canada avait engendré une effervescence extrême dans la population québécoise. La montée prodigieuse et incessante du nationalisme était palpable. Le *timing* ne pouvait être plus propice pour l'adoption du rapport Allaire, intitulé *Un Québec libre de ses choix*, qui préconisait un nouveau partenariat avec le reste du Canada. Cette position allait juste un peu moins loin que la souveraineté-association qu'avait proposée le père du Parti québécois, René Lévesque, un autre ancien libéral, une génération plus tôt.

Comme bien d'autres, je sentais que les Québécois étaient enfin solidaires et se préparaient à opposer une force unie au reste du Canada.

Le rapport Allaire a été adopté le jour même de mon élection à la présidence de la Commission-Jeunesse, au congrès de mars 1991. Puis, pendant presque deux ans, les discussions sur l'avenir du Québec ont gravité autour de la commission Bélanger-Campeau et du rapport Allaire, de son auteur, Jean Allaire, et de la Commission-Jeunesse qui le soutenait, et que je présidais.

Les événements m'appelaient à prendre conscience, un peu plus chaque jour, de l'importance du poste névralgique que j'occupais. Les médias parlaient de la moindre prise de position de la Commission-Jeunesse. Dans ce contexte, on doit apprendre rapidement à naviguer, au risque d'aller grossir les rangs de tous ceux et celles qui ont été victimes de l'avidité parfois inhumaine de la presse et de l'actualité.

Tout mon mandat de président des jeunes libéraux s'est donc déroulé sous l'œil inquisiteur des médias. Ça a été ma véritable initiation au quatrième pouvoir. Les journalistes scrutaient la guerre intestine opposant les partisans d'un fédéralisme à tout prix et les nationalistes autonomistes du PLQ, conflit qui allait bientôt aboutir au schisme le plus important qu'ait connu ce parti depuis le départ fracassant de René Lévesque. Les gens ont tendance à l'oublier, mais René Lévesque a démissionné du Parti libéral pour des raisons de la même nature que celles qui nous ont motivés à le quitter, Jean Allaire et moi. Au cours de l'été 1967, René Lévesque avait défini sa position constitutionnelle en ce qui concerne le Québec et il avait tenté de faire entériner son manifeste sur la souveraineté-association au congrès du PLQ. Les dirigeants du parti de Jean Lesage avaient alors carrément refusé de discuter de son option. Acculé au pied du mur, Lévesque n'avait pas eu le choix : il a quitté le parti, suivi d'un groupe de partisans. Comme il l'a déclaré en sortant du congrès libéral ce jour-là, il ne pouvait pas continuer à se soumettre à « l'incohérence du Parti libéral ».

Ironie du sort, exactement 25 ans après le départ de René Lévesque, nous étions des dizaines à quitter le Parti libéral parce que ce parti incohérent était revenu sur une position qu'il avait lui-même défendue et adoptée dans son programme.

Nous nous sommes tenus debout. Cela n'était pas la voie facile, mais nous sommes passés au travers, fidèles à ce que nous répétait souvent Jean Allaire : « Il faut avoir le courage de ses convictions. »

Mes convictions, je ne les ai jamais reniées et elles constituent, encore aujourd'hui, des années plus tard, les fondements mêmes de mon engagement.

Pour ce qui est du courage, je dois dire qu'il m'en a fallu bien plus que je ne l'aurais cru...

La suite fut une succession d'événements dont je parlerai plus loin : la mise sur pied du Réseau des libéraux pour le NON, qui s'est opposé à l'entente de Charlottetown, la création du groupe Réflexion-Québec et du Forum Option-jeunesse, la fondation de l'Action démocratique du Québec et mon accession à sa direction, à la place de Jean Allaire, aux prises avec un grave problème de santé.

Le 12 septembre 1994, six mois après la fondation de l'ADQ, j'étais élu député de Rivière-du-Loup, avec 54 % du suffrage exprimé, l'une des plus fortes majorités au Québec. Même si certains n'y ont vu qu'un simple accident de parcours, une troisième voie politique assurait maintenant sa présence à l'Assemblée nationale, grâce à un nouveau parti dont j'étais le chef.

Cette élection de 1994 a orienté le cours de ma vie comme je ne l'aurais jamais imaginé.

Voilà.

S'AFFRANCHIR DU CUL-DE-SAC DES VIEUX PARTIS

C'est donc un peu accidentellement que je suis entré en politique, que je me suis retrouvé dans une période politiquement critique et que je suis devenu le chef d'un parti politique naissant.

À l'époque, je n'avais pas pleinement conscience de l'ampleur de la tâche qui m'attendait. Heureusement, car je sais maintenant qu'il m'aurait été impossible d'accepter, en connaissance de cause, toutes ces années de traversée du désert.

Aujourd'hui, bien des années plus tard, je suis fier de mener le combat des adéquistes pour changer les choses qui paralysent l'évolution de notre peuple et que les forces de l'inertie et du *statu quo* veulent maintenir parce qu'elles les servent bien.

Nous devons sortir du cul-de-sac créé par des décennies dominées par les vieux partis et leurs querelles stériles.

Nous avions besoin d'un parti neuf et sans attaches pour mener à bien cette bataille. Avec l'ADQ, nous avons le véhicule qu'il nous faut.

6

MON ENGAGEMENT

CP PHOTO - B.BRAULT

CP PHOTO

CP PHOTO - P.CHIASSON

CP PHOTO - J.BOISSINOT

7

LE RAPPORT ALLAIRE, UN GRAND RÊVE D'AUTONOMIE POUR LE QUÉBEC

Quoi qu'on dise et quoi qu'on fasse, le Québec est, aujourd'hui et pour toujours, une société distincte, libre et capable d'assumer son destin et son développement.

— Robert Bourassa, 22 juin 1990

Nous sommes à l'été 1990, à Montréal. Depuis quelques jours, je suis enfermé dans mon appartement d'un deuxième étage de la rue St-Hubert avec des tonnes de documents de référence pour coucher sur papier le texte final qui servira de base au congrès des jeunes libéraux de La Pocatière, en août 1990. Je m'en souviens comme si c'était hier – et pourtant, cela fait plus de 15 ans –, car ce fut l'un des premiers textes politiques importants que j'ai rédigés. Intitulé *Le nouveau défi national des Québécois*, il était le fruit de consultations menées dans plusieurs régions, comme la Commission-Jeunesse le faisait toujours avant un congrès.

C'était un an avant que j'accède à la présidence de la Commission des jeunes libéraux. Prélude à toutes mes prises de positions constitutionnelles depuis, ce plaidoyer défendait la légitimité de l'autonomie politique du Québec et fut adopté par une forte majorité à un congrès qui influencerait de façon marquante le rapport Allaire. À cette occasion, la Commission-Jeunesse prenait, la première au sein du Parti libéral, un virage résolument nationaliste. Ce tournant annonçait la vague de fond que plus personne ne pourrait arrêter et qui allait obliger le PLQ à adopter un programme visant à obtenir toute une série de pouvoirs exclusifs pour le Québec, à défaut de quoi l'accession à la souveraineté serait envisagée. Bref, l'essence même du fameux rapport Allaire.

Mais pour bien comprendre les enjeux, faisons un retour en arrière.

LE QUÉBEC POSTRÉFÉRENDAIRE DES ANNÉES 80

Le 20 mai 1980, je venais d'avoir dix ans. Je n'ai donc pas vécu le référendum comme ceux qui y ont participé. Mais je peux très bien imaginer et comprendre que l'échec de l'option souverainiste a eu l'effet d'un formidable rouleau compresseur sur les plus fervents nationalistes et qu'il a même écarté du simple militantisme politique bon nombre de Québécois nationalistes. Pendant des années, le moral et la fierté de la société québécoise ont rasé le plancher, je m'en doute un peu !

Pourtant, les journaux de mai 80 font largement état des déclarations solennelles de Pierre Elliott Trudeau qui « mettait les sièges des députés libéraux en jeu pour avoir du changement », qui affirmait « qu'il ne laisserait pas le reste du Canada dire au Québec qu'il n'avait pas compris son message » et qui promettait le renouveau en scandant : un « non au référendum » sera un « oui au changement » ! Fort de ces engagements de son premier ministre, on aurait pu penser que le gouvernement canadien sauterait sur cette occasion en or et procéderait à certaines modifications constitutionnelles, étant donné que quatre Québécois sur dix se disaient insatisfaits de la situation.

Mais qu'à cela ne tienne. En 1982, profitant de la position de faiblesse des forces nationalistes québécoises, Trudeau et ses députés du PLC ont rapatrié la Constitution canadienne sans la signature du Québec. Situation paradoxale s'il en est : le Québec, foyer de l'un des deux peuples fondateurs, une des quatre provinces fondatrices du Canada, décidait de ne pas signer le nouveau contrat de mariage mais il était obligé de rester partie prenante. Il ne donnait pas son consentement mais il était marié quand même. Une aberration. Rien de moins. Trudeau a bien essayé de mettre ce non-sens sur le dos de René Lévesque, sauf que les sept premiers ministres qui lui ont succédé, péquistes et libéraux, ont eux aussi refusé de signer. Ça doit vouloir dire quelque chose !

Malgré ce malheureux coup de force, après quelques années de surplace, les Québécois se sont ressaisis. En 1984, Brian Mulroney, appuyé par une équipe de nationalistes québécois, était élu premier ministre du Canada grâce à l'appui du Québec. Un soutien aux conservateurs qui ne s'était pas

L'enjeu central: la reconnaissance du Québec comme une société distincte.

manifesté de manière aussi marquée depuis 1958, année où ils avaient remporté 50 des 75 sièges du Québec grâce à la machine électorale de Maurice Duplessis. Avec l'élection d'un gouvernement conservateur à Ottawa, des conditions favorables se réunissaient pour que le Québec puisse enfin reprendre sa place « dans l'honneur et l'enthousiasme », comme l'a dit Brian Mulroney dans un discours mémorable.

De cette volonté des nationalistes québécois à Ottawa de rétablir les ponts entre le Québec et le reste du Canada, est né l'accord du lac Meech, signé en avril 1987 par Brian Mulroney, le premier ministre conservateur, et les premiers ministres des 10 provinces canadiennes qui s'engageaient à faire ratifier l'accord par leurs législatures respectives avant le 23 juin 1990.

C'est à cette époque que j'ai commencé à suivre le débat, de la fenêtre de la Commission-Jeunesse du PLQ.

LES TRIBULATIONS DE L'ACCORD DU LAC MEECH

Nous avons vécu alors trois ans d'avancées, de revirements, de reculs, bref trois années de négociations au cours desquelles les chefs de gouvernement de tout le Canada se sont tour à tour livrés à une des plus incroyables valses-hésitations de l'histoire constitutionnelle du Canada. L'enjeu central, du moins selon le discours officiel : la reconnaissance du Québec comme une société distincte. Pour moi, c'était clair : on niait une évidence au nom de calculs politiques occultes. Pire, on continuait à accepter la marginalisation du Québec, un des peuples fondateurs.

Pourtant, tout au long des négociations des premières années, j'étais demeuré confiant, convaincu que ce compromis était, tant pour le Québec que pour le reste du Canada, incontournable. Bien sûr, on négocierait jusqu'à la dernière minute de la dernière heure du dernier jour. Mais, comme il en avait été question dans une importante assemblée de la Commission-Jeunesse quelques semaines plus tôt, l'accord du lac Meech n'avait pas le droit à l'échec : les conséquences prévisibles pour l'avenir du Québec s'annonçaient trop graves.

Malgré tout, le 22 juin 1990, la législature du Manitoba, paralysée par le député Elijah Harper, ainsi que le premier ministre de Terre-Neuve, Clyde Wells, ont sonné le glas de l'accord du lac Meech en refusant de le ratifier. Ils réduisaient ainsi à néant tout espoir d'une réforme constitutionnelle en douceur à court ou moyen terme.

Contre toute attente, l'accord était donc mort de sa belle mort. Quelle bêtise ! Je ne pouvais absolument pas concevoir que nos partenaires canadiens aient pu en arriver à renier leurs signatures et à ruiner un effort de réconciliation ayant monopolisé autant d'énergie. Non seulement neuf provinces avaient-elles accepté le rapatriement de la Constitution sans la signature du Québec huit ans plus tôt, mais encore, à présent, deux provinces refusaient d'entériner les cinq conditions minimales posées par le gouvernement Bourassa pour que le Québec réintègre officiellement l'ensemble canadien.

Ironie du sort, le lendemain même de l'enterrement de l'accord du lac Meech, le 23 juin 1990, Jean Chrétien était élu à la tête du Parti libéral du Canada. Cet homme, qui avait été, en coulisses, l'un des principaux fossoyeurs de cet accord, dirigerait probablement le prochain gouvernement ! Dans mon esprit, il était clair que, s'il était élu à la prochaine élection fédérale, c'en était bel et bien fini de la réconciliation.

La gifle de Meech et tout son contexte nous plongeaient dans une dynamique explosive. Bien sûr, les péquistes se frottaient les mains devant ce qu'ils dénonçaient comme un symbole de l'impossibilité de faire du Canada un pays « fonctionnel » ou, comme disent les anglophones, *a country that works*. Mais en même temps, et la déclaration-choc de Robert Bourassa l'avait déjà mis en relief, cet échec ouvrait la porte à une autre voie, celle d'une révision en profondeur du système. Un déblocage spectaculaire et peut-être historique devenait possible, car toutes les conditions étaient réunies pour que la population québécoise donne très majoritairement à son gouvernement un mandat clair et fort pour négocier un nouveau contrat avec le reste du Canada.

Oui, à bien y penser, en ce soir du 22 juin 1990, le premier ministre Robert Bourassa avait prononcé un discours digne et énergique, affichant une position qui reflétait parfaitement mes convictions : le Québec n'avait besoin de demander la permission à personne pour exister.

Malgré les apparences, Meech avait préparé la voie pour une véritable possibilité d'en arriver à une nouvelle entente constitutionnelle respectant l'autonomie du Québec.

Retour au monde de l'après-Meech.

LE RAPPORT ALLAIRE :
UNE APPROCHE AUTONOMISTE

Jean Allaire a été, pendant plus de trente ans, un membre actif du PLQ. Il était déjà président de la Commission juridique du parti lorsqu'il a été nommé à la tête du comité constitutionnel qui allait accoucher de son fameux rapport. Choisi pour son intégrité et sa rigueur, M. Allaire portait toute une responsabilité sur ses épaules : il devait élaborer des scénarios alternatifs et les soumettre aux instances dirigeantes du parti dans la conjoncture de l'échec de l'accord du lac Meech.

Le rapport Allaire

Le comité Allaire, comme on le nommait familièrement, avait établi quatre grands critères d'analyse pour baliser sa démarche, soit :
1. L'autonomie politique nécessaire au développement de l'identité québécoise
2. La stabilité et le développement économiques
3. Le respect des droits et libertés et l'harmonie sociale
4. La stabilité des systèmes de services sociaux, de santé et de sécurité du revenu

Après une année entière de travaux, l'une des plus grandes consultations qui n'aient jamais été faites auprès des membres du Parti libéral du Québec, et après des rencontres avec nombre d'experts et de personnalités de tous les milieux, le document *Un Québec libre de ses choix*, couramment appelé « rapport Allaire », fut présenté au 25e congrès du PLQ, en mars 1991. Affirmant avec vigueur l'autonomie du Québec, cette position constitutionnelle proposait une réforme en profondeur de la Confédération canadienne et préconisait une nouvelle répartition des pouvoirs entre le gouvernement fédéral et les provinces :
– une compétence pleine et entière du Québec dans plus de 20 domaines ;
– des pouvoirs partagés avec le gouvernement fédéral dans une dizaine d'autres ;
– quatre champs de compétence exclusifs pour Ottawa : la défense, les douanes, la monnaie et la dette ainsi que la péréquation.
La proposition était assortie, notamment, de l'élimination du pouvoir de dépenser du gouvernement central dans les champs de compétence exclusifs du Québec.

Deux hommes qui ont marqué, chacun à leur façon, mon engagement politique :
Jean Allaire, à l'époque président du comité constitutionnel du PLQ et
auteur du Rapport Allaire, ainsi que le premier ministre Robert Bourassa.

Le rapport Allaire portait donc un grand rêve d'autonomie pour le Québec, rêve que je partageais avec mes compagnons d'armes de la Commission-Jeunesse. Le PLQ souscrivait lui aussi à cet idéal puisqu'il a officiellement adopté le rapport en en faisant le volet constitutionnel de son programme.

Cette vision d'avenir rassemblait de plus en plus de Québécois nationalistes. Des libéraux, mais aussi certains péquistes qui ne pouvaient plus supporter le dogmatisme des purs et durs de leur parti.

Nous assistions à une réconciliation historique des Québécois autour d'un projet de révision du pacte canadien. Une revendication du Québec aussi vieille que la Confédération elle-même ! Et j'avais le privilège de vivre ces années historiques aux premières loges puisque la position de la Commission-Jeunesse a fortement influencé la réflexion du comité Allaire.

C'est donc dans ces circonstances exceptionnelles que j'ai eu le plaisir de connaître Jean Allaire. J'ai entamé avec lui ce qui deviendrait, nous ne le savions pas à l'époque, une longue marche en vue de remettre à l'avant-plan le combat pour l'autonomie du Québec.

LES DÉRIVES DE L'ENTENTE DE CHARLOTTETOWN

Au moment où toutes les énergies de la société québécoise tendaient vers un consensus national inespéré, notamment avec les travaux de la commission Bélanger-Campeau, une chose absolument incroyable s'est passée : Robert Bourassa a tout renié pour défendre l'entente de Charlottetown. Aucune cohérence entre cette nouvelle position et le rapport Allaire. Aux oubliettes le programme du PLQ ! Désormais, le docile état-major du Parti libéral donnait toute la place à l'entente de Charlottetown, un projet d'accord constitutionnel qui, de l'avis de la plupart des experts, était d'une désolante insignifiance. Une insignifiance que même les conseillers de Robert Bourassa reconnaissaient en privé, comme l'a révélée la divulgation d'une conversation sur téléphone cellulaire entre André Tremblay et Diane Wilhelmy.

> *Avec le rapport Allaire, nous nous rapprochions de l'esprit du pacte canadien de 1867 : une confédération d'États autonomes déléguant des pouvoirs à un palier gouvernemental commun.*

Plus de société distincte, aucun gain pour l'autonomie du Québec... et des dizaines de prétendues ententes sectorielles qui n'étaient en fait que des promesses de discussions à mener sans aucune obligation de résultat. Bref, des ébauches de textes qui n'offraient aucune garantie tangible pour le Québec ; le maximum qu'on aurait pu en tirer était bien en deçà des propositions du rapport Allaire.

L'entente de Charlottetown correspondait à une abdication pure et simple de la part de Robert Bourassa.

Lorsque le Parti libéral a décidé de suivre Robert Bourassa, de renier le cheminement laborieux et consciencieux qu'avaient accompli des milliers de sympathisants au cours des années, et qu'il a piétiné allègrement les principes démocratiques les plus élémentaires en effectuant un virage à 180 degrés sans exprimer l'ombre d'un repentir... alors j'ai décroché.

C'est à ce moment que j'ai compris combien le PLQ ne respectait pas ses militants et se fichait de ce qu'ils avaient bâti de congrès en tournées de consultation.

Mon parti me décevait profondément. Il manifestait un profond mépris pour l'évolution du Québec en donnant carrément une jambette au formidable élan de changement constitutionnel qui avait permis d'obtenir l'un des plus forts consensus des dernières générations.

RENDEZ-VOUS RATÉ AVEC L'HISTOIRE

Avec le rapport Allaire, nous nous rapprochions de l'esprit du pacte canadien de 1867 : une confédération d'États autonomes déléguant des pouvoirs à un palier gouvernemental commun. Pas le fouillis des chevauchements de compétences et d'argent doublement dépensé sous l'œil de contribuables désabusés que l'on connaît aujourd'hui !

Si nous voulions avoir une chance de sauver les meubles, il fallait absolument que le peuple québécois rejette l'entente de Charlottetown. Jean Allaire, un groupe de nationalistes déçus de la tournure des événements et moi-même avons alors décidé de créer le Réseau des libéraux pour le NON en vue de battre l'entente de Charlottetown au référendum pancanadien prévu pour octobre 1992.

Nous savions bien que nos jours étaient comptés au Parti libéral du Québec.

7

8

POURQUOI J'AI QUITTÉ LE PLQ

Beaucoup se rappellent que j'ai quitté le Parti libéral du Québec avec Jean Allaire et un groupe de partisans nationalistes dans la foulée du référendum de 1992 sur l'entente de Charlottetown et de son rejet par la population. C'est le cas. Mais expliquer mon départ du Parti libéral par la honteuse volte-face du premier ministre Bourassa serait emprunter un raccourci. Alors que j'étais un jeune militant engagé dans la défense des intérêts du Québec, c'est tout le parti et ses manigances menées à la seule fin d'assurer sa mainmise sur le pouvoir – peu importe les conséquences – qui m'ont irrémédiablement déçu.

Le Parti libéral dans lequel je militais était un parti résolument nationaliste. D'ailleurs, faut-il le rappeler, le rapport Allaire s'intitulait *Un Québec libre de ses choix*, un titre à connotation on ne peut plus autonomiste. L'histoire semble l'avoir un peu oublié, mais à la fin des années 80, dans la mouvance de l'accord du lac Meech, le Parti libéral du Québec avait lancé plusieurs grands chantiers pour préciser la nature et la portée des pouvoirs nécessaires à l'épanouissement de la société distincte que consacrait l'accord. Plusieurs ministres s'étaient activés pour déterminer comment le Québec pouvait le mieux tirer parti de ces leviers de développement qu'il devait potentiellement récupérer, notamment en matière de main-d'œuvre, de culture et de développement régional. Mais pour faire émerger ces changements, le Québec devait rapatrier des pouvoirs et des ressources sous contrôle fédéral.

À la suite de l'enterrement de l'accord du lac Meech, j'en ai parlé plus haut, au lieu de battre le fer pendant qu'il était chaud, le premier ministre Bourassa a abandonné la bataille. Il a ramassé les miettes qu'on a bien voulu lui laisser et a essayé de faire croire aux Québécois qu'il s'agissait d'une bonne affaire. En soutenant l'entente inacceptable de Charlottetown, il capitulait. Purement et simplement.

À l'intérieur du Parti libéral, s'est alors engagée la plus grande partie de tordage de bras jamais vue pour que, dans un congrès à venir, le parti cautionne le virage constitutionnel à 180 degrés de Robert Bourassa. Le raisonnement était le suivant : si 2000 militants réunis convenaient que l'entente de Charlottetown était, somme toute, bonne pour le Québec, si la Commission-Jeunesse, ultranationaliste, se rangeait à cet avis et la déclarait acceptable, et si Jean Allaire consentait à dire qu'elle se rapprochait de son rapport, on pourrait alors, espéraient les stratèges de M. Bourassa, créer l'illusion, dans la population, que cette entente n'était peut-être pas la meilleure du siècle, mais qu'elle était sans aucun doute valable pour le Québec.

Bref, le chef du PLQ était prêt à demander à ses militants d'effectuer des contorsions politiques dignes des acrobates du Cirque du Soleil.

UN CIRQUE INTELLECTUEL

L'affrontement final a commencé par une réunion mémorable tenue au Château Frontenac, où Jean Allaire et Robert Bourassa en sont même venus à laisser tomber les politesses d'usage – ils se vouvoyaient toujours en public – et à se lancer dans un long face-à-face au cours duquel le premier ministre a tenté de justifier son inacceptable position de sauve-qui-peut. Malgré toute la pression qui s'exerçait sur lui,

M. Allaire est resté ferme et a maintenu sa position. Il était minuit passé lorsque l'assemblée a été enfin levée et que Jean Allaire a confirmé son désaccord à la presse.

Mais ce n'était pas fini pour moi. Je me suis retrouvé au beau milieu de la nuit dans une suite en compagnie de plusieurs conseillers du premier ministre, dont Jean-Claude Rivest et John Parisella, ainsi que de M. Bourassa lui-même, qui faisaient un dernier effort pour me convaincre de reconsidérer ma position et celle de la Commission-Jeunesse. Malgré plusieurs heures de pression intense, j'ai refusé d'envisager ce qui m'apparaissait comme une compromission. L'entente de Charlottetown faisait-elle progresser le Québec ? Non ? J'avais par conséquent le devoir de rester sur mes positions.

> *L'entente de Charlottetown faisait-elle progresser le Québec ? Non ? J'avais par conséquent le devoir de rester sur mes positions.*

Puis, quelques jours plus tard, ce fut le congrès « paqueté » du 29 août 1992. Les autobus scolaires débarquaient par vagues les délégués venus en renfort des comtés ultrafédéralistes. Même sans avoir les textes de l'accord en main, il fallait à tout prix faire passer l'entente de Charlottetown et, par la même occasion, consommer le coup de force de Robert Bourassa et de l'*establishment* du parti contre la volonté de ses propres militants. Une véritable farce... plate. Une mise en scène antidémocratique de mauvais goût qui faisait passer une aberration partisane avant les intérêts du peuple du Québec. C'est dans cette galère que nous avons refusé d'embarquer.

Avec Jean Allaire et un groupe de militants – membres de la Commission-Jeunesse pour la plupart –, j'ai quitté la salle du congrès, au nom de la cohérence politique.

On ne négocie pas à la baisse les pouvoirs du Québec.

Puis, dans les jours qui ont suivi, nous avons créé le Réseau des libéraux pour le NON, afin de combattre l'entente de Charlottetown qui, si elle était approuvée au référendum, allait faire reculer le Québec pour plusieurs générations.

Je m'en voudrais ici de ne pas souligner le courage de ces compagnons d'armes avec qui nous sommes montés aux barricades tout en sachant que cela consacrerait notre rupture avec le PLQ : Marie-Claude Barrette, ma compagne de vie, Jean-

> *Nous étions des dizaines, pour ne pas dire des centaines, à travailler pour que l'entente soit rejetée. Et nous avons réussi. Mais, pour moi, le retour au Parti libéral était maintenant impossible. Le fil était cassé.*

François Beaudoin, Jean-Luc Benoît, Jacques Gauthier, Michel Lalonde, Éric Montigny, Jean Nobert, Patrick Robitaille, Jean-Simon Venne, pour n'en nommer que quelques'uns ayant été de toutes les batailles et dont les noms reviendront tout au long de mon parcours. Nous étions des dizaines, pour ne pas dire des centaines, à travailler pour que l'entente de Charlottetown soit rejetée. Et nous avons réussi.

Mais, pour moi, le retour au Parti libéral était maintenant impossible. Le fil était cassé.

Des principes que
je ne pouvais transgresser

Alors que la population du Québec, tous partis confondus, s'était mobilisée pour répondre à une deuxième rebuffade constitutionnelle en moins de dix ans et pour bâtir un consensus unique dans l'histoire moderne du Québec, Robert Bourassa, lui, était revenu, de mois en mois, sur les engagements qu'il avait pris. Pour parvenir coûte que coûte à une entente, il s'était « écrasé », selon l'expression même d'un de ses conseillers, et avait accepté les conditions de l'entente de Charlottetown. Il en était même venu à renier sa propre loi (*Loi sur le processus de détermination de l'avenir politique et constitutionnel du Québec*) en proposant aux Québécois de se mettre à genoux avec lui pour signer.

À l'intérieur du PLQ, il régnait une atmosphère de honte. Beaucoup de militants se sentaient trahis. Dans le camp « pro-Charlottetown », on a usé de peur, acheté des gens ou tordu des bras. Certains ont tout essayé, même des manigances de bas étage, pour ramener dans leurs rangs les partisans du changement et de l'évolution qui, comme moi, avaient, de bonne foi, participé à l'avancement du Parti libéral dans le seul but de défendre les intérêts du Québec.

Question d'éthique, je ne pouvais plus endosser le manque d'intégrité de la démarche libérale telle qu'elle avait été menée. Défendre une position pendant près de deux ans et retourner voir les gens pour leur dire : « On a pensé à ça, puis, savez-vous, on va faire exactement le contraire de ce qu'on a dit », ce n'était pas du tout mon genre.

Plus fondamental encore : le PLQ avait laissé échapper l'occasion historique qui venait de se présenter, celle de faire sauter, enfin, les cadenas qui emprisonnaient la Confédération canadienne dans son dysfonctionnement et qui empêchaient le Québec de réaliser son plein potentiel.

Dernier clou dans le cercueil : en plus d'être, sur le plan constitutionnel, un retour à la case départ, le rejet de l'entente de Charlottetown, non seulement par le Québec, mais aussi par la population du reste du Canada, laissait des séquelles presque irréparables. La cassure était complète. Le pouvoir du Québec était maintenant plus faible que jamais. Robert Bourassa avait reculé sur des fronts que 21 premiers ministres québécois avaient préservés avant lui. Et quand, quelques mois plus tard, il a quitté son poste pour des raisons de santé, il laissait derrière lui un paysage politique considérablement amoché.

Le recul était plus que constitutionnel.

En 1992 donc, après le désastre référendaire de Charlottetown, il est devenu clair pour moi que tous nos rêves s'étaient évanouis, et pour longtemps.

J'AI CLAQUÉ LA PORTE D'UN PARTI MALADE ET DÉPASSÉ

Il m'a fallu un certain temps pour bien saisir la logique sous-tendant le cheminement, à première vue erratique, du parti auquel j'avais adhéré cinq ans plus tôt. Mais, avec du recul, je peux comprendre que c'est de rétablissement qu'il s'agit plutôt que d'incohérence. En effet, à la suite de la débâcle de Meech, de la déclaration de M. Bourassa à l'Assemblée nationale et des conclusions du comité Allaire et de la commission Bélanger-Campeau, les garde-fous avaient littéralement sauté sous la poussée des événements. L'*establishment* du PLQ, inconditionnellement ultrafédéraliste, avait presque perdu le contrôle du parti. Ce n'est qu'*a posteriori* que j'ai compris que la volte-face de Robert Bourassa n'était en fait que la reprise en main des commandes du parti par son état-major.

> **Sans égard pour les prises de position de ses figures de proue, et les laissant se couvrir de ridicule en affirmant un jour exactement le contraire de ce qu'ils avaient dit la veille, le PLQ a jeté le rapport Allaire par-dessus bord.**

Sans égard pour les prises de position de ses figures de proue, et les laissant se couvrir de ridicule en affirmant un jour exactement le contraire de ce qu'ils avaient dit la veille, le PLQ a jeté le rapport Allaire par-dessus bord. Il a choisi de se mettre la tête dans le sable, et il avait repris tout de go le cap fédéraliste qui avait toujours été le sien.

Je me rappellerai longtemps d'ailleurs ma dernière visite au parti, à l'occasion de la réunion qui allait confirmer l'expulsion des jeunes à la suite du rejet de l'entente de Charlottetown. Dans la vaste aire ouverte où l'on se retrouvait en sortant de l'ascenseur, une mer rouge de petits unifoliés avait complètement remplacé le bleu des fleurdelisés sur les bureaux. Éloquent symbole de la vague *all canadian* qui avait tout emporté dans ce parti.

À ce moment, le PLQ a clairement démontré qu'il avait abandonné toutes ses grandes idées porteuses d'une vision d'avenir pour le peuple du Québec et était rentré dans le rang, se contentant d'assurer l'intendance tranquille des affaires ou, comme l'ont dit certains, de « s'occuper de la gestion quotidienne de la province et de distribuer les contrats aux bonnes œuvres du parti ». La routine, la vraie nature du PLQ.

Décidément, le Parti libéral était profondément malade et, à mon avis, politiquement tout à fait dépassé !

À force d'incohérences répétées, et en raison d'un manque de perspective et de leadership politique, il en était venu à me répugner profondément. J'étais jeune, je fondais de grands espoirs dans l'avenir du Québec pour les gens de ma génération. J'étais exaspéré par les chicanes constitutionnelles. Mon parti, au lieu de trouver des solutions pour en sortir, les compliquait. Pire, il se mettait à plat ventre devant la résistance de quelques provinces au lieu de foncer pour changer les choses qui devaient l'être.

Ce n'était certainement pas pour ça que je m'étais engagé en politique. J'ai quitté sans me retourner. L'avenir de ma génération était ailleurs. Celui du Québec aussi.

J'en suis encore plus convaincu aujourd'hui.

9

ROBERT BOURASSA
A TRAHI SON MANDAT

Mieux vaut rater sa chance que de ne pas l'avoir tentée.
Proverbe chinois

En mars 2002, j'ai participé à un colloque tenu à l'Université du Québec à Montréal (UQAM) sur Robert Bourassa. Parmi les autres invités à ce colloque, il y avait notamment, l'actuel ministre des Finances du Québec, Michel Audet, la journaliste Lysiane Gagnon, l'ancien ministre péquiste Claude Morin ainsi que John Parisella, chef de cabinet de l'ancien premier ministre libéral, un fédéraliste notoire. En écoutant ce dernier témoigner de son expérience avec M. Bourassa, j'ai été estomaqué. Pourquoi ? Parce qu'il affirmait, en substance, que M. Bourassa avait géré l'après-Meech de façon magnifique et qu'au moment où la fièvre nationaliste était très élevée, voire exacerbée, il avait tenu les discours qu'il fallait et avait su apaiser la situation, dégonfler le ballon, faire revenir sur terre les Québécois qui s'enflammaient massivement pour la question constitutionnelle... et ne rien faire !

Bien que renversé par le cynisme d'une telle analyse, j'admettais volontiers le bien-fondé de ce point de vue. Mais cela allait, et va encore, tout à fait à l'encontre de ma vision du leadership politique. En effet, selon ma conception de la gouvernance éclairée d'un peuple, un chef d'État doit incarner l'évolution de ses concitoyens pour leur bénéfice collectif. Cela commande de faire passer les intérêts de la population avant ses propres aspirations.

Or, après l'échec de l'accord du lac Meech, le seul pouvoir constructif qu'on pouvait tirer de ce dégât politique résidait dans le levier que la situation offrait pour sortir de l'éternelle impasse constitutionnelle. Les autres partenaires canadiens avaient dit non au Québec en revenant sur leur engagement – et leur signature –, offrant au Québec l'occasion d'affirmer légitimement son autonomie. Forts d'un consensus rarement atteint au sein de la population québécoise,

> *La déception collective engendrée par l'échec de l'accord du lac Meech avait créé une énergie incroyable, une véritable force de changement en puissance.*

nous pouvions non seulement corriger l'erreur du rapatriement de la Constitution sans notre signature, mais envisager des changements fondamentaux nous ramenant enfin plus près de nos aspirations qui avaient donné lieu à la création de la Confédération : l'union d'États autonomes. Une fenêtre historique pouvait s'ouvrir et permettre au Québec de retrouver enfin des pouvoirs dont son peuple rêvait depuis toujours.

Mais Robert Bourassa n'a pas su saisir cette chance. Il n'a même pas essayé. C'est pour ça que je crois qu'il a trahi son mandat.

Robert Bourassa a accompli beaucoup en matière de développement économique et de mise en valeur de notre potentiel hydroélectrique. Je le reconnais. Mais, dans l'après-Meech, il a carrément manqué le bateau, comme on dit en anglais, en ce qui concerne son rôle de leader politique national.

La déception collective engendrée par l'échec de l'accord du lac Meech avait créé une énergie incroyable, une véritable force de changement en puissance. Même si Robert Bourassa, en tant qu'individu, ne croyait pas à la nécessité d'un Québec souverain, au moment où plus de 65 % des Québécois appuyaient la souveraineté, ce n'était certainement pas faire preuve de leadership politique que de prendre toute cette énergie et de la diluer systématiquement dans l'air du temps, bref la dilapider. C'est pourtant ce qu'il a fait.

Tout le monde avait compris depuis longtemps que Robert Bourassa ne réaliserait jamais le rêve des indépendantistes purs et durs. Mais, au-delà de ses propres craintes, un leader politique fort devait essayer de canaliser cette énergie pour faire avancer son peuple, pour progresser sur le terrain des revendications historiques du Québec.

Si, par exemple, au lendemain de l'échec de Meech, Robert Bourassa était convaincu qu'il fallait tenir un référendum, non pas sur la souveraineté du Québec, mais sur une décentralisation des pouvoirs ou sur un nouveau partage des champs de compétence, ou encore sur une nouvelle structure confédérale, il se devait de tenter quelque chose. Il devait agir pour permettre aux Québécois d'utiliser au mieux la volonté de changement qui les habitait et faire un pas en avant.

Malheureusement, il a travaillé à dégonfler ce qu'il semble avoir pris pour un simple ballon conjoncturel : un accident de parcours. Malgré la quasi-unanimité des membres de la commission Bélanger-Campeau, malgré tout le travail de ses propres partisans autour du rapport Allaire, malgré toutes les indications manifestes d'un des plus larges consensus jamais atteints au Québec – un événement rare dans notre histoire –, Robert Bourassa a refusé d'entendre l'appel au changement de son peuple. À croire que, dans son esprit, les Québécois étaient soudainement devenus malades, qu'ils avaient attrapé tous ensemble un virus et qu'il fallait attendre que la fièvre baisse.

Pourtant, il avait au bout des doigts la capacité de concrétiser, pour des décennies à venir, les aspirations légitimes des Québécois face au reste du Canada. L'occasion était idéale pour conquérir plus d'autonomie politique. Mais il l'a laissée échapper.

9

10

FONDER UN PARTI :
LE CHEMIN LE PLUS LONG

Il n'y a pas de chemin plus périlleux pour faire valoir ses idées que de fonder un parti politique. Mais il n'y a pas non plus de voie plus autonome et plus libre d'attaches.

— *JEAN ALLAIRE*

Après l'épisode du Réseau des libéraux pour le NON, qui a contribué de façon décisive au rejet de l'entente de Charlottetown, en octobre 1992, ma place n'était évidemment plus au Parti libéral du Québec.

Avec Jean Allaire, j'ai donc pris part à la mise sur pied du groupe Réflexion-Québec, un rassemblement de leaders québécois de tous les horizons : Louis Balthazar, Claude Béland, Jacques Dufresne, Roger Galipeau, Philippe Garceau, Lucie Granger, Marie Grégoire, Guy Laforest, Jacques Proulx, et Charles Taylor pour n'en nommer que quelques-uns.

Parallèlement, j'ai fondé le Forum Option-jeunesse, un groupe d'action politique créé spécifiquement à l'intention des jeunes. J'ai été secondé dans cette entreprise par plusieurs collaborateurs venant appuyer la force montante de la troisième voie qui s'annonçait déjà. En plus de mes compagnons d'armes de la première heure que j'ai déjà nommés, je m'en voudrais de ne pas souligner ici la contribution des Réal Barrette, Josée Lécuyer, Yves Montigny et Marc Snyder qui, je dois le mentionner ici, a beaucoup donné malgré des événements malheureux, dévoilés en 2002, qui n'avaient rien à voir avec la politique.

Entre-temps, le Parti conservateur avait été défait à Ottawa. Les libéraux fédéraux, sous la direction de leur nouveau chef, Jean Chrétien, se sont réinstallés dans les vieux meubles qu'ils avaient perdus neuf ans plus tôt. Le Québec n'allait certainement pas avoir la vie facile.

LA NAISSANCE D'UNE TROISIÈME VOIE

Après le dépôt du manifeste de Réflexion-Québec, fruit de huit mois de réflexion, une tournée de consultation fut entreprise. Peu après que quelque 300 jeunes du Forum Option-jeunesse eurent souscrit au manifeste, il fut décidé de créer un nouveau parti politique, une troisième voie. Comme se plaisait alors à le répéter Jean Allaire, « il n'y a pas de chemin plus périlleux pour faire valoir ses idées que de fonder un parti politique. Mais il n'y a pas non plus de voie plus autonome et plus libre d'attaches ».

Je sais aujourd'hui à quel point il avait raison.

Ainsi est né notre parti, l'Action démocratique du Québec. Le 5 mars 1994, au congrès de fondation qui a réuni 500 personnes à Laval, Jean Allaire était élu chef du parti. Mais à peine quelques semaines plus tard, à la suite d'un malaise cardiaque aigu, son médecin traitant lui a servi un avertissement sans équivoque : s'il continuait à ce rythme, son cœur ne tiendrait pas le coup encore longtemps.

Les tergiversations quant à sa succession ont duré plusieurs semaines. Nous savions qu'il fallait nous décider rapidement, car des élections générales se profilaient à l'horizon. Quelques rencontres ont été tenues pour envisager différents scénarios, dont fermer simplement les livres et conclure à un faux départ, trouver un sauveur venu de l'extérieur ou encore appuyer un des bâtisseurs et le propulser à l'avant-scène.

Selon plusieurs, j'avais la notoriété, la connaissance de la politique et la facilité de communiquer avec les médias pour jouer le rôle de figure de proue de notre parti naissant. De mon côté, je ne voyais pas comment, à 24 ans, je pouvais envisager la direction d'un parti politique. À cette objection, on me répondait que j'avais fait preuve d'un leadership cohérent et responsable à la Commission-Jeunesse et que, pour la suite des choses, j'étais l'homme tout désigné pour succéder à celui avec qui j'avais mené le combat jusque-là.

Je me souviens d'une rencontre décisive à l'occasion d'une assemblée partisane, dans la circonscription d'Argenteuil où Hubert Meilleur, le maire de Mirabel, se présentait. À ma question au sujet de mon accession à la direction du parti, le vieux routier de la politique qu'est Hubert n'a pas hésité une seconde : « On est déjà en campagne, il faut foncer... alors, si c'est toi le chef, tu peux compter sur moi. On verra bien ! » Son enthousiasme m'a frappé. Et ce n'était pas la réponse de quelqu'un

En avril 1994, contre l'avis de plusieurs à qui j'avais demandé conseil et qui me prédisaient un échec, j'ai accepté de prendre la relève de Jean Allaire et d'assurer la direction de l'ADQ.

qui réfléchissait de façon théorique à cette possibilité, mais celle d'un militant d'expérience déjà engagé dans la campagne, qui était prêt à aller au front avec moi comme chef. J'ai alors compris que je pouvais devenir un élément de motivation pour le parti.

C'est à la marina de Berthier, en avril 1994, que, contre l'avis de plusieurs à qui j'avais demandé conseil et qui me prédisaient un échec, j'ai accepté de prendre la relève de Jean Allaire et d'assurer la direction de l'ADQ. Paradoxalement, ceux-là mêmes qui m'avaient recommandé de passer mon tour ont été les premiers à me suivre. Nous ne savions vraiment pas dans quoi nous nous embarquions.

Quand j'y pense aujourd'hui, je réalise toute la candeur dont j'ai fait preuve alors, comme tous ceux qui ont fait le saut avec moi. Ces mots de Mark Twain résument bien la folle aventure de l'Action démocratique du Québec : « Ils ne savaient pas que c'était impossible, alors ils l'ont fait. »

RÉALISER L'IMPOSSIBLE

Créer un nouveau parti, c'est comme lancer une nouvelle équipe dans une grande ligue de sport professionnel. Il faut des reins solides, une conviction inébranlable et un esprit bagarreur. Le parcours est incertain et les premières années sont difficiles. Les échecs sont d'abord plus nombreux que les succès.

De leur côté, les adversaires sont riches et bien établis. Ils ont une tradition. Et ils sont déterminés à ne pas laisser un nouveau concurrent s'installer. Bref, ça joue dur. Les mêmes règles s'appliquent dans le cas d'un parti politique.

Quant aux coups qui sont portés, je vais utiliser une autre analogie : les chasseurs d'expérience savent qu'il est plus facile de tirer sur le canard lorsqu'il s'arrache lentement du sol que lorsqu'il vole à tire-d'aile haut dans le ciel. Les vieux partis savaient qu'ils devaient nous empêcher de décoller.

Avec leurs alliés, ils ont multiplié les coups à l'endroit de l'ADQ depuis son arrivée, en 1994. Ils ont annoncé haut et fort, à répétition, sa disparition imminente. Combien de fois leurs ténors ont-ils qualifié notre parti de « parking des insatisfaits » ? Le journaliste (et à ses heures conseiller politique du PQ) Jean-François Lisée n'a-t-il pas affirmé dans son livre *Le Naufrageur*, écrit en 1994, que la stèle de l'Action démocratique était déjà au cimetière des troisièmes voies et qu'il « vaut la peine de poser une gerbe sur cette tombe... » ? Il y a eu beaucoup de ces oiseaux de malheur qui ont annoncé à maintes occasions la désintégration de l'ADQ.

Ils se trompaient.

D'élection en élection, de plus en plus de Québécois choisissent l'ADQ pour les représenter au gouvernement. Autrement dit, de moins en moins de Québécois font confiance aux deux partis traditionnels. 700 000 électeurs ont voté pour nous plutôt que pour le PQ ou le PLQ lors de l'élection générale d'avril 2003. Un sur cinq.

Quand on pense que ce résultat représente *plus de la moitié* des votes recueillis par le PQ et *un peu moins de la moitié* des suffrages remportés par le PLQ, on comprend mieux la menace que constitue la progression de l'ADQ pour les vieux partis.

SURMONTER LES FORCES DU STATU QUO

L'autocensure et la peur d'affirmer ses convictions rendent difficile, à mon avis, l'avènement du grand changement dont notre société a besoin. Or, il faut le réaliser : tous les jours, on exerce des pressions sur ceux et celles qui veulent prendre position en faveur du changement. On aime bien, au Québec, se vanter des progrès de notre vie démocratique depuis l'époque de la « grande noirceur », sous Maurice Duplessis. C'est vrai que les choses ont changé... dans la manière de faire. Oui, les méthodes se sont raffinées. Mais, si l'on considère le fond, les mœurs politiques se sont-elles radicalement transformées ? Combien de ceux qui ont milité pour notre parti, l'ADQ, qui l'ont appuyé ou financé ont été menacés ou, pire, ont subi des représailles ? Souvent, on leur fait subtilement comprendre que la subvention attendue pour leur projet ne sera pas versée, que le financement public de l'organisme dont ils sont responsables ou le règlement des dossiers de la municipalité dont ils sont les maires sont retardés et que tout pourrait aller tellement plus rondement « s'ils choisissaient de s'associer à des orientations politiques plus pragmatiques ».

Au fil de mon parcours politique, j'ai compris que, dans la société québécoise, rares sont les hommes et les femmes vraiment libres d'exprimer des convictions politiques divergentes sans crainte de sanctions. Ce qu'oublient de dire les péquistes et autres défenseurs d'un État interventionniste, c'est qu'un gouvernement omniprésent dans la vie du citoyen détient un pouvoir de représailles et de contrôle – parfois démesuré – qu'il n'hésite pas à exercer.

Il faut du courage, de la persévérance et, je l'ai déjà dit, un mélange d'inconscience et d'entêtement pour se lancer dans l'aventure de la création d'un nouveau parti politique. Mais cette démarche procède d'une inébranlable volonté de voir triompher des idées auxquelles on croit. Je veux ici, au passage, saluer le remarquable appui que m'ont donné mes compagnons de la première heure. Chassés et reniés par le Parti libéral ou honnis par le Parti québécois qui voyait en eux des traîtres à la nation, ces gens ont cru en la nécessité d'une troisième voie dont la légitimité se trouve confirmée aujourd'hui, puisqu'elle attise un mouvement populaire sans cesse croissant. Nous étions peut-être inconscients, mais nous avions une vision d'avenir pour le Québec.

AVIS AUX OPPORTUNISTES

Depuis la fondation de l'ADQ, en 1994, pas une année ne s'est passée sans qu'un leader politique, des sympathisants des vieux partis ou même des observateurs politiques nous taxent d'« opportunisme ». J'ai un message pour ceux qui osent répandre cette idée folle : le chemin le plus court pour ceux qui cherchent la belle occasion, c'est d'adhérer à l'un ou l'autre des vieux partis. Pas d'en créer un.

Le lecteur peut facilement supposer – avec raison – qu'on m'a offert plus d'une fois de quitter l'ADQ pour me joindre au PQ ou au PLQ. Les choses auraient sans doute été plus faciles, le gain plus proche, le risque moins grand et le parcours moins parsemé d'embûches. Aux petits politiciens qui nous jugent en projetant sur nous leur propre opportunisme je le dis tout de suite : si vous voulez accéder au pouvoir en peu de temps, bénéficier d'un bon budget pour votre campagne électorale, trouver le chemin le plus court vers la limousine de fonction et vous bâtir, en plus, un réseau payant de relations pour la suite de votre vie, je vous déconseille fortement l'idée de fonder un nouveau parti. Et oubliez l'ADQ ! Je vous recommande plutôt les vieux partis.

C'est indéniablement un terreau plus fertile pour les opportunistes.

Les membres de l'ADQ s'emploient à construire leur parti, pierre après pierre, depuis maintenant plus d'une décennie. Nous parcourons le chemin le plus long, c'est vrai, mais nous sommes guidés par la perspective d'un changement de fond que nous croyons nécessaire pour l'avenir du Québec.

10

11

Les premiers pas de l'ADQ

Élection générale, référendum de 1995 sur la souveraineté, démission de Jacques Parizeau, arrivée de Lucien Bouchard comme premier ministre du Québec... Tout a bougé très vite au cours des premiers mois d'existence de l'ADQ. Et il fallait qu'elle se taille une place comme troisième voie dans un système traditionnellement bipartite. Un grand défi pour un parti naissant.

La présidence de la Commission-Jeunesse du Parti libéral était déjà loin derrière moi. Je n'avais aucune ressource, sinon l'appui des membres fondateurs de l'ADQ. En fait, nous ne pouvions même pas compter sur un seul élu au Parlement et encore moins sur des groupes de pression organisés comme les syndicats ou les associations patronales.

Des années de luttes difficiles

Nous étions quelques centaines de sympathisants convaincus de la justesse de notre cause. Bien sûr, nous rêvions toujours du « Québec libre de ses choix » du rapport Allaire. Dans notre esprit, le Québec pourrait mieux s'épanouir s'il jouissait d'une plus grande autonomie et s'il évoluait au sein d'une véritable confédération de partenaires économiques, d'autant plus que, selon une tendance de fond, l'avenir appartiendra aux grands ensembles. Dans ce contexte, définir le plus tôt possible de nouvelles règles d'entente avec le reste du Canada et les autres pays du monde éviterait à notre peuple un recul de plusieurs années. Cette revendication, qui a été au cœur de différents programmes politiques, a été formulée par toute une série de premiers ministres québécois, d'Honoré Mercier à René Lévesque, en passant par Maurice Duplessis, Jean Lesage et Daniel Johnson père. Elle n'était donc pas un accident de parcours.

Pris entre les mensonges du PLQ et les obsessions du PQ, les Québécois devaient avoir le choix d'une troisième voie politique.

Mais nous en avions marre des chicanes constitutionnelles. Elles monopolisaient le débat alors que des questions fondamentales concernant, entre autres, le système de santé, l'éducation, les services publics, la dette et nos ressources naturelles restaient en plan. Il y avait urgence. Nous avions soif d'un gouvernement responsable qui appliquerait plus d'énergie à préparer l'avenir et à remettre le Québec en marche au lieu de gaspiller son temps en vains pourparlers avec Ottawa.

Tout en défendant fermement les pouvoirs du Québec, il était temps de passer à autre chose. Pris entre les mensonges du PLQ et les obsessions du PQ, les Québécois devaient avoir le choix d'une troisième voie politique. Un changement de fond dans la vision de l'avenir du Québec.

Portés par ce projet commun, nous avons plongé.

À l'été 1994, des élections générales furent déclenchées. Puisque j'étais le chef d'un parti qui aspirait à prendre sa place à l'Assemblée nationale, je me suis porté candidat. J'ai choisi la circonscription de Rivière-du-Loup, ma région natale.

Le 12 septembre suivant, après une campagne électorale menée à la grandeur du Québec avec les moyens du bord et une poignée de militants, plus d'un quart de million de Québécois ont montré qu'ils croyaient que la présence de notre parti sur l'échiquier politique du Québec était justifiée. Une grande aventure commençait, mais dans laquelle j'étais le seul député élu sous la bannière de l'ADQ.

Confirmant à l'échelle de la circonscription la légitimité de la vision adéquiste, les électeurs du comté de Rivière-du-Loup m'ont accordé leur appui. Une confiance qu'ils m'ont renouvelée deux fois depuis. Et je réalise chaque jour un peu plus, l'importance des responsabilités du député : représenter et aider des citoyens dans leurs rapports avec l'État. Ce travail constitue la base de mon engagement, mon lien direct avec la population du Québec. C'est pour moi un privilège que je me consacre à honorer quotidiennement.

Un deuxième référendum en 15 ans

À l'automne 1994, dès que le nouveau gouvernement péquiste a été en place, le premier ministre Jacques Parizeau a annoncé ses couleurs. Quinze ans après le référendum de mai 1980, le Québec se retrouverait une fois de plus plongé dans une crise constitutionnelle majeure. Dans un contexte marqué par l'intransigeance méprisante du Parti libéral fédéral de Jean Chrétien et par l'incohérence d'un PLQ en déroute – eh oui, déjà à cette époque ! –, les défenseurs des intérêts du Québec n'avaient d'autre choix que de se rallier au Comité parapluie du OUI. Souverainistes ou pas.

Malgré nos réserves face à la position péquiste, notre cheminement des dernières années nous empêchait d'adhérer au camp du NON. Car voter NON équivalait à condamner le Québec au *statu quo*, une position qu'incarnaient éloquemment Jean Chrétien et le PLQ d'un Daniel Johnson chancelant.

Le camp du OUI, pour sa part, ne pouvait négliger l'appui que nous accordait quelque 10 % de la population nationaliste. Nous avons donc tablé sur cette force pour exiger l'introduction de deux notions extrêmement importantes dans le processus référendaire : premièrement, que la notion d'un partenariat avec le reste du Canada soit explicite dans la question ; deuxièmement, que soit prévu un garde-fou important en cas de victoire du OUI. Ainsi, il était convenu qu'un comité sous la direction de Lucien Bouchard se donnait une année complète pour mener des négociations avec le reste du Canada.

> *Nous devions agir en conformité avec l'esprit du rapport Allaire. Nous avons donc travaillé à ce pourquoi nous avions formé un nouveau parti : défendre les intérêts du Québec dans une perspective de partenariat avec nos voisins.*

Nous avons donc posé nos conditions. Le Comité du OUI les a acceptées. Nous étions prisonniers du programme du gouvernement élu par la population et défendre les intérêts du Québec dans le camp du NON était impossible. Dans ces circonstances, nous devions agir en conformité avec le cheminement de nos membres et l'esprit du rapport Allaire. C'est ce que nous avons fait, mais en prenant soin de garder nos distances par rapport au PQ et au Bloc québécois, notamment en refusant de faire partie de la même caravane.

Nous avons donc travaillé à ce pourquoi nous avions formé un nouveau parti politique : défendre les intérêts du Québec dans une perspective de partenariat avec nos voisins. Nous avons mené notre propre campagne, avec toutes les nuances de la vision autonomiste que l'ADQ porte depuis sa création.

QUAND UN PREMIER MINISTRE S'ÉGARE...

Nous savions tous que le résultat du référendum serait serré. Pour moi, il était élémentaire de bien se préparer à toute éventualité. C'était de l'avenir d'un pays qu'il s'agissait, quand même ! Dans un cas comme dans l'autre, il fallait faire appel au sens civique de tout le monde pour que les vainqueurs aient le triomphe modeste et les perdants, le sens de la démocratie.

Avec 49,4 % des voix pour le OUI et 50,6 % pour le NON, la réaction d'un premier ministre responsable aurait été de reconnaître le résultat, de calmer les esprits et d'essayer de réunir les Québécois en soulignant la volonté manifeste de changement qu'ils avaient exprimée. Puis, en appelant le reste du Canada à prendre bonne note de ce message, de se mettre au travail pour explorer de nouvelles avenues de cohabitation.

Mais notre premier ministre a erré. Et on connaît la suite.

Au lieu de se servir de l'électrochoc pour forcer tout le monde à se remettre à la planche à dessin, son parti a raté une autre occasion d'augmenter ou de consolider les pouvoirs du Québec. Du discours sur les conditions gagnantes aux menaces répétées d'un autre référendum, tout ce que le PQ a réussi à faire, c'est de pousser les fédéralistes centralisateurs, particulièrement ceux du Québec, à essayer d'amoindrir les pouvoirs du Québec – avec la *Loi sur la clarté*, par exemple –, au lieu de répondre au besoin, exprimé par les Québécois, d'une révision en profondeur de la place de leur État dans la Confédération canadienne.

Oui, j'en veux au PQ qui, au lieu de prendre acte du fait que la moitié de la population rejetait la souveraineté, même assouplie par la notion de partenariat, a préféré se nourrir politiquement des échecs du système plutôt que de travailler à faire avancer le peuple québécois. Ce radicalisme est venu à bout de la patience de Lucien Bouchard, malgré sa détermination à faire progresser le Québec.

Cette deuxième défaite des souverainistes en moins de quinze ans a constitué, à n'en pas douter, un recul important pour le Québec. La suite l'a démontré : la lutte contre le déficit à Ottawa a été le prétexte tout trouvé pour étrangler les finances publiques québécoises par le biais d'un resserrement des paiements de transfert. Le déséquilibre fiscal dont tout le monde convient – sauf le gouvernement fédéral – est la conséquence tangible de la vision obtuse et opportuniste des libéraux

> *Nous n'avons besoin de demander la permission à personne pour exister. Nous n'avons qu'à exercer nos pouvoirs au maximum.*

fédéraux qui cherchent le moyen de prévenir d'éventuelles revendications autonomistes des provinces. Car le Québec n'est pas le seul. Son cas, toutefois, semble servir de caution pour asservir toutes les provinces.

NON À LA TENUE D'UN AUTRE RÉFÉRENDUM

Il est clair que le référendum de 1995 et la perspective d'un troisième hypothèquent lourdement le développement économique du Québec. C'est pourquoi je suis si opposé à toute idée d'un nouveau référendum, à court ou moyen terme, sur notre appartenance au Canada. Nous n'avons pas de temps et d'énergie à perdre à nous entre-déchirer de nouveau. Dix ou quinze ans, c'est peu dans l'histoire d'un peuple. Les intérêts du Québec commandent que nous consacrions nos efforts à son affirmation claire et puissante. Pas question de risquer de nous affaiblir encore.

Nous n'avons besoin de demander la permission à personne pour exister ; ce n'est pas moi qui l'ai dit, mais le Québec est une société distincte, libre de ses choix. Nous n'avons qu'à exercer nos pouvoirs au maximum. Et si le gouvernement fédéral veut, en vertu de quelque article de la Constitution, nous empêcher d'accomplir des gestes qui puissent bénéficier aux Québécois, nous n'avons qu'à nous battre. Que ce soit sur le terrain juridique ou politique, les résultats que nous obtiendrons feront foi de la légitimité de notre point de vue.

Si la lutte que nous menons est juste, les Québécois se lèveront ensemble pour obtenir leur dû. Un point c'est tout. Voilà l'essence de la vision autonomiste de l'Action démocratique du Québec. C'est un combat que nous devons tous mener solidairement.

Solidaires ? Oui. Je crois fermement que notre parti continuera de rassembler de plus en plus de Québécois parce qu'il porte un projet de relance sociale, économique et politique d'un Québec adulte et responsable. Un État du Québec comme le veulent aujourd'hui des

Québécois de tous les âges, de toutes les origines, de toutes les régions et de tous les milieux.

Mais je ne me fais pas d'illusions. Le chemin qui reste à parcourir pour faire valoir nos convictions ne sera certainement pas de tout repos. De nombreux obstacles restent à franchir. Mais l'ADQ poursuivra sa marche, forte de l'appui des Québécois qui croient en un changement en profondeur du sacro-saint modèle québécois.

LE MODÈLE QUÉBÉCOIS EST DÉPASSÉ, VIVE LE SUCCÈS QUÉBÉCOIS

Respecter intégralement notre façon québécoise de faire les choses, c'est là l'essence même de la vision adéquiste qui veut affirmer la différence du Québec sans chercher l'aval de qui que ce soit. Pour ce qui est du modèle interventionniste, inventé et imposé par le PQ mais jamais stoppé par le PLQ, il faut reconnaître qu'il est maintenant improductif, sclérosé et dépassé. Il n'a rien de québécois sinon l'adjectif que le parti du même nom s'est approprié en induisant que seul un péquiste peut être québécois. Une façon de faire abusive qui m'a toujours profondément répugné. Et je ne suis pas le seul.

L'ADQ propose plutôt le « succès québécois », une nouvelle approche, plus souple et plus actuelle, qui donne le droit à la différence. En vertu de cette approche plus moderne, l'ADQ préconise un gouvernement qui appuie l'entrepreneurship et les initiatives des citoyens plutôt que de les soupçonner de tous les vices et de surveiller leur bonne conduite. Un gouvernement accompagnateur plutôt que régisseur, un prestataire de services publics efficaces plutôt qu'un gestionnaire passif de listes d'attente.

J'ai la conviction profonde que nous avons, au Québec, tout ce qu'il faut à portée de main pour nous affirmer comme des gagnants. À l'instar des Québécois qui réussissent à l'étranger sans l'aide de personne, nous pouvons tous mieux réussir dans nos sphères d'activité respectives. Il faut juste insuffler à nos concitoyens cette dose de leadership et de confiance en soi que possèdent ceux qui réussissent. C'est cela, pour moi, le concept du « succès québécois » : arrêter d'attendre que d'autres nous apportent des solutions et nous donner le droit de foncer et de sortir des sentiers battus pour bâtir notre richesse et un avenir meilleur.

> *Les Québécois ont maintenant en main tous les leviers des sociétés les plus modernes au monde. À nous de jouer pour en tirer profit et créer richesse et prospérité.*

Quarante-cinq ans après la Révolution tranquille, il est temps de passer à une autre étape. Les Québécois ont maintenant en main tous les leviers des sociétés les plus modernes au monde. À nous de jouer pour en tirer profit et créer richesse et prospérité.

L'ADQ est là pour de bon et défendra pour longtemps les intérêts du Québec.

Je prends à témoin tous ceux et celles que j'ai côtoyés pendant toutes ces années. Plus particulièrement, ces personnes qui se sont dépensées sans compter à l'Assemblée nationale, au bureau du parti, dans ma circonscription et dans toutes les régions du Québec, des personnes déterminées, dévouées et, surtout, libres ! Je ne soulignerai jamais assez leur engagement.

12

J'AI REFUSÉ DE DEVENIR MINISTRE DE LUCIEN BOUCHARD

Il était connu, respecté. Nous avions des points de vue semblables sur de nombreux sujets et j'appréciais son jugement politique. Il me disait qu'il aurait bien aimé faire de la politique avec moi, et c'était réciproque. Après le référendum de 1995 et la démission de Jacques Parizeau, il était tenté par la direction du Parti québécois. Je l'ai alors invité à prendre la direction de l'Action démocratique du Québec.

Lucien Bouchard est un homme que j'ai toujours respecté. Et je le respecte encore aujourd'hui. Tout au long des événements qui ont préparé la voie au référendum de 1995, j'ai eu beaucoup d'entretiens avec lui. Des conversations toujours constructives.

Le résultat de ce référendum, on le sait, a littéralement divisé le Québec en deux camps égaux. Selon le point de vue adopté, soit on avait « quasiment perdu », soit on avait « quasiment gagné ». Les tenants de la première opinion s'exprimaient cependant avec beaucoup plus de modération que ceux de la seconde... Le clivage était presque parfait : 50, 6 % contre 49,4 %. Quelle situation politique difficile ! C'était clair qu'on était bel et bien parti pour vivre au moins une décennie de morosité... et de chicanes. Au tournant d'un siècle où le monde changeait à la vitesse grand V, nous étions condamnés à rester enfermés dans notre vieux dilemme constitutionnel. Bel horizon !

Coup de théâtre au lendemain du référendum : le premier ministre Jacques Parizeau démissionne de son poste, forçant son parti à lui trouver un successeur. C'est dans ce contexte que j'ai eu quelques entretiens avec Lucien Bouchard.

J'ai proposé à Lucien Bouchard de diriger l'ADQ

Au cours d'un entretien dont les éléments resteront toujours gravés dans ma mémoire, Lucien Bouchard m'a demandé, à peu près textuellement : « Que fait-on à partir de maintenant ? »

Je savais qu'il avait déjà été approché pour prendre la tête d'une troisième voie au Québec, et cela bien avant la fondation de l'ADQ. Je savais aussi combien il lui était difficile de composer avec le dogmatisme du PQ, passablement généralisé, à cette époque. J'ai aussitôt envisagé ce qui m'apparaissait être le plus approprié pour notre parti : je lui ai proposé de lui laisser ma place à la direction de l'ADQ.

J'avais 25 ans. Je me disais que le charisme de Lucien Bouchard et son image de sagesse tranquille pouvaient constituer un puissant catalyseur pour rassembler un éventail extrêmement large de Québécois et ainsi propulser vigoureusement notre troisième voie à l'avant-plan. Je croyais que l'ADQ en émergence aurait pu représenter une avenue intéressante pour les Québécois si elle avait eu à sa tête un nationaliste de sa trempe, un conservateur qui avait su transiger avec le reste du Canada dans le gouvernement Mulroney et qui, de surcroît, avait fondé le Bloc québécois.

De plus, je voyais dans une coalition avec Lucien Bouchard un autre levier, extrêmement important pour l'avenir du Québec : le symbole puissant d'une solidarité intergénérationnelle légitimant le coup de barre nécessaire pour moderniser efficacement l'État québécois. Lucien Bouchard pouvait avoir une grande crédibilité auprès des *baby-boomers* et les convaincre d'envisager des réformes difficiles au nom de l'intérêt collectif, alors que je pouvais continuer à représenter les intérêts de la génération montante.

> *Je voyais dans une coalition avec Lucien Bouchard un autre levier, extrêmement important pour l'avenir du Québec : le symbole puissant d'une solidarité intergénérationnelle légitimant le coup de barre nécessaire pour moderniser efficacement l'État québécois.*

La synergie qui aurait résultée de la mise en commun de nos deux styles de leadership aurait été avantageuse, non seulement pour l'ADQ mais aussi pour tout le Québec.

Mais on le sait maintenant, Lucien Bouchard a décliné mon offre.

Le pari qu'il a pris, j'imagine, fut d'emprunter le chemin court vers le poste de premier ministre. Il avait pourtant maintes fois exprimé son malaise face aux carcans idéologiques qui sévissaient au PQ. Un libre penseur comme Lucien Bouchard cohabitant avec le PQ, ça promettait des étincelles. Mais je ne savais pas que cela finirait dans une pareille explosion.

La contre-offre de Lucien Bouchard

Dans les semaines qui ont suivi ma proposition, Lucien Bouchard m'a parlé d'une contre-offre qu'il s'apprêtait à me faire. À ce que je comprenais, son idée était « d'ouvrir le PQ à des idées neuves ».

Immédiatement après avoir confirmé son intention de devenir chef du Parti québécois, il m'a fait transmettre une invitation à me joindre à lui. L'offre était assortie d'une affectation ministérielle. La manœuvre était claire : pour le PQ, mon adhésion signifiait la désintégration de l'ADQ, car il était probable que la plupart de mes proches me suivraient. Comme ils formaient une part importante du noyau du parti, la masse critique risquait de s'amenuiser considérablement. Pour les péquistes, le succès n'était pas garanti, mais ils prenaient une sérieuse option sur la disparition de l'empêcheur de tourner en rond. Ils reconnaissaient clairement dans cette éventualité une occasion en or de faire main basse sur notre électorat et, du même coup, de favoriser les « conditions gagnantes » dont ils feraient plus tard leur plan de bataille.

Quoi qu'il en soit, c'était sur la table : Lucien Bouchard me proposait de devenir un de ses ministres.

L'offre était aussi inattendue qu'inacceptable.

De mon point de vue, elle entrait en contradiction avec mon désir de changement. L'accepter impliquait de décevoir l'attente de mes compagnons d'armes qui combattaient avec moi pour qu'émerge cette troisième voie que nous savions nécessaire.

Une proposition alléchante demanderont certains ? En réalité, tout m'éloignait du PQ : le cheminement politique qui avait été le mien jusqu'alors, mon aversion pour le dogmatisme étroit de ce parti, l'obligation dans laquelle étaient ses chefs et ses grands ténors de faire, périodiquement, profession de foi pour la souveraineté, sans parler de l'obligation de s'engager, de façon récurrente, vis-à-vis de ce que les péquistes appellent pompeusement la social-démocratie, ce credo dont ils se réclament avant les élections et qu'ils abandonnent dès qu'ils se retrouvent au pouvoir. Même lorsque de savants calculs stratégiques entraient en jeu, mon instinct – ma conscience – me disait toujours que ça ne pouvait pas marcher.

> *Le meilleur véhicule politique pour effectuer de vrais changements, c'est un parti libre de toute attache, un parti comme le nôtre. Pas un parti que des décennies de compromissions ont attaché à des groupes d'intérêts, quelle que soit la noblesse de leurs causes.*

Les péquistes ont rapidement senti que l'offre ne passait pas. Des émissaires ont bien essayé de stimuler mon intérêt et des propositions formelles ont été transmises à mes conseillers alors que j'étais en vacances à l'extérieur du pays.

À mon retour, mon « non » à leurs offres a été clair et net. Serein et sans équivoque.

Un refus courtois, bien sûr, parce qu'il était flatteur de recevoir une offre semblable d'un prochain premier ministre, et encore plus d'un homme de la stature de Lucien Bouchard. Aujourd'hui, avec le recul, je crois comprendre que les raisons que j'ai données pour justifier mon refus ont trouvé un écho en lui, car elles se rapprochaient étrangement de celles qu'il évoquera lui-même quelques années plus tard pour expliquer sa démission fracassante du PQ.

Bref, rallier le PQ, non merci ! Même avec Lucien Bouchard.

Je croyais fermement, et je le crois toujours, que le meilleur véhicule politique pour effectuer de vrais changements, c'est un parti libre de toute attache, un parti comme le nôtre. Pas un parti que des décennies de compromissions ont attaché irrémédiablement à des groupes d'intérêts, quelle que soit la noblesse de leurs causes. L'Action démocratique du Québec avait été fondée pour offrir une nouvelle voie aux Québécois. Notre parti continuerait à exister et à se battre jusqu'à ce qu'il forme un gouvernement.

Dix ans plus tard, mes convictions ne sont que plus fortes.

Non, vraiment, encore aujourd'hui, aucun des credo du Parti québécois ne me convient. À part, bien sûr, l'attachement au Québec. Et encore. Mon Québec à moi comprend tous les Québécois, sans exception. Pas seulement ceux qui pensent comme les membres de mon parti. Pour y faire entrer de l'oxygène, me laissait-il entendre, Lucien Bouchard m'a bel et bien ouvert la porte du parti qu'il s'apprêtait à diriger.

Le PQ a envoyé une limousine de ministre devant ma porte. Elle est repartie vide.

Le Québec a besoin d'un parti neuf au gouvernement pour relever les nouveaux défis qui se présentent. Car, quoi qu'on en dise, la voie d'avenir que nous incarnons est absolument nécessaire pour que s'opère un véritable changement. On ne peut pas faire du neuf avec du vieux, c'est bien connu.

12

L'ÉMERGENCE DE L'ADQ

13

SEPT ANS SEUL À L'ASSEMBLÉE NATIONALE

La plupart du temps, les nouveaux députés sont soutenus par une équipe aguérrie qui connaît bien les règles parlementaires. Quant aux chefs, ils ont déjà une solide expérience de l'Assemblée nationale, généralement comme députés ou anciens ministres. Pour moi, seul député de l'ADQ et chef d'un tout nouveau parti, comme pour les gens qui m'entouraient, l'arrivée au Parlement a été un choc. Et toute une prise de conscience à l'égard de notre vie démocratique.

L'environnement de l'Assemblée nationale me semblait inamical au début, mais j'ai vite compris que les règles de procédure favorisaient d'abord les partis en place.

En plus d'être un néophyte dans l'arène, je me sentais comme une sorte d'immigrant dans une communauté hostile. Un étranger dans un monde caractérisé par des débats houleux, mais où règne entre les adversaires une entente tacite sur une foule de choses : nominations partisanes, contrats lucratifs à des amis du régime, etc. Une sorte de conspiration du silence entoure ces choses, vu que tout le monde est dans le même bateau, sauf si, bien sûr, l'affaire est grave, et que le scandale éclate.

Nouveau ou pas, j'avais été élu par le peuple. Et les gens de ma circonscription, Rivière-du-Loup, ne valaient pas moins que les électeurs des autres comtés même s'ils avaient envoyé un député de l'ADQ pour les représenter. Par conséquent, mes vis-à-vis n'avaient qu'à bien se tenir. J'avais reçu un mandat et j'avais bien l'intention de le mener à terme, au nom de mes électeurs, au nom de la démocratie et, bien entendu, au nom de l'ADQ ! C'est dans cet esprit que j'ai entrepris mon premier mandat à l'Assemblée nationale.

LA FOIRE D'EMPOIGNE

Aujourd'hui, j'en ris, mais je ne peux faire autrement que d'éprouver de la sympathie pour ceux qui s'expriment pour la première fois à l'Assemblée nationale. Le décorum, la procédure, monsieur le Président par-ci, madame la Ministre par-là, ça peut impressionner !

Mais souvent, l'Assemblée nationale prend des allures de foire d'empoigne : les députés parlent alors tous en même temps, s'insultent, se coupent la parole. On chahute celui ou celle qui est en train de parler, oubliant que nous sommes d'abord appelés à discuter de dossiers qui touchent la population, celle-là même qui nous paie pour la défendre. Si les députés s'amusent, ceux qui regardent la diffusion des débats parlementaires à la télévision, dans leur salon, ne rient pas du tout, eux. Ça choque les citoyens de voir leur député se faire bafouer lorsqu'il se lève en leur nom pour poser des questions à tel ou tel ministre, pour lui demander de rendre des comptes concernant une victime du système ou pour défendre quelqu'un lésé par la « machine gouvernementale ». Lorsque ce député pose les bonnes questions, il fait simplement son boulot. Mais il devient en même temps le *retransmetteur* d'une incurie. Et ça, ça déplaît.

Parce que la nature humaine est ainsi faite, on en veut toujours aux témoins de nos bêtises. Et les bêtises des vieux partis, petites et grosses, se comptent par centaines.

Dès que j'ai mis les pieds dans l'enceinte de l'Assemblée nationale, j'ai pris mon rôle à cœur et j'ai posé des questions. Une question. Puis une autre. Et encore. Et une critique. Autant que je le pouvais. C'est ainsi que je crois avoir contribué à mettre en lumière certaines bêtises de l'un et de l'autre des vieux partis. Car, en les questionnant, je les égratignais, ensemble et séparément. Le parti au pouvoir comme celui de l'opposition. Dans bien des cas, après tout, ils avaient, dans le passé, commis les mêmes erreurs ou fait des gaffes tout aussi condamnables. Répondant aux critiques de l'opposition officielle, le ministre qui était interpellé répliquait parfois en employant l'argument classique qui prouvait que PLQ et PQ, c'est souvent du pareil au même : « C'était pas mieux dans leur temps, monsieur le Président ! » C'est dans ces occasions réjouissantes que je me levais : « Justement, monsieur le Président. Son gouvernement est en poste maintenant et ils ont promis de faire mieux. Ils attendent quoi pour commencer à changer les choses ? »

> *Je crois avoir contribué à mettre en lumière certaines bêtises de l'un et de l'autre des vieux partis. Car, en les questionnant, je les égratignais, ensemble et séparément. Le parti au pouvoir comme celui de l'opposition.*

Un exemple éloquent de cette situation : les nominations partisanes. Nous avions eu droit, pendant plusieurs semaines, à des débats houleux où les libéraux dénonçaient le PQ à ce sujet. Ce dernier se défendait d'appliquer les règles établies par le PLQ, des règles qu'il avait déjà lui-même dénoncées, s'empressaient de signaler les ténors du Parti libéral. Bref, on assistait à un dialogue de sourds où chacun se renvoyait la balle. Ayant l'occasion de déposer une motion, j'ai proposé qu'on change le mode de nominations et qu'on applique de nouvelles règles dans l'attribution des contrats. Les deux vieux partis se sont retrouvés acculés au mur. Ils ont alors utilisé un des trucs éprouvés d'assistance mutuelle de deux vieux partis dans un système bipartite : ma motion a été adoptée à l'unanimité, donc approuvée sans débat. Mais elle n'a jamais eu de suite. Cherchez l'erreur !

Des épisodes comme celui-là faisaient en sorte que je dérangeais. Bien sûr, par la force du nombre, les autres députés pouvaient baliser mes interventions. Mais j'étais devenu un trouble-fête imprévisible. Il est assez facile d'imaginer à quoi ressemblait mon quotidien au cours de cette période, alors que j'étais entouré de 124 adversaires. Espérant me faire déraper, les députés se comportaient fréquemment comme des écoliers : ils s'applaudissaient mutuellement, me chahutaient. Les exemples se comptent par dizaines.

Comme cette fois où j'ai déposé une motion dont l'enjeu était de taille : le remboursement de la dette des contribuables.

L'ADQ, UN NOUVEAU POINT DE VUE QUI DÉRANGE
Le dysfonctionnement de notre système parlementaire, son déséquilibre, me sautait aux yeux. Un exemple parmi d'autres : au cours de mon deuxième mandat, à l'occasion d'un vote, alors que j'étais seul contre 124 députés – même si je représentais le point de vue d'un demi-

million d'électeurs (12 %) qui avaient donné leur appui à l'ADQ et à son programme qui mettait à l'avant-plan le remboursement de la dette – tous les autres se sont rangés du même côté, même si, au cours du débat, les opinions étaient divisées à peu près également ! Non, l'Assemblée nationale ne reflétait pas fidèlement les aspirations et les motivations de son peuple.

> *J'ai observé qu'il y avait deux sortes d'enjeux à l'Assemblée nationale : ceux sur lesquels les vieux partis savaient qu'ils ne s'entendaient pas et ceux sur lesquels ils s'entendaient. Des enjeux dans lesquels le PQ et le PLQ s'étaient compromis chacun son tour.*

La discipline de parti et « l'esprit de gang » dictaient leur conduite aux députés. Malgré leurs divergences de vues, le PQ et le PLQ faisaient en sorte de ne pas trop secouer l'édifice qu'ils avaient à tour de rôle construit au cours de leurs mandats respectifs.

Durant les premières années de mon apprentissage à l'Assemblée nationale, j'ai observé qu'il y avait deux sortes d'enjeux : ceux sur lesquels les vieux partis savaient qu'ils ne s'entendaient pas et ceux sur lesquels ils s'entendaient. Des enjeux dans lesquels le PQ et le PLQ s'étaient compromis chacun son tour : la dette qui connaissait une croissance exponentielle, les clauses de disparité de traitement (les clauses orphelins), le favoritisme et les primes généreuses versées aux dirigeants de sociétés d'État, pour n'en nommer que quelques-uns. L'ADQ, au milieu de tout ça, est devenue l'intervenant en chambre qui dénonçait certains tabous, le parti qui s'insurgeait contre l'incohérence de partis aux mains ligotées par des années et des années de pouvoir, chacun son tour.

La presse s'est maintes fois faite l'écho de ces moments où l'ADQ, en soulevant des débats qui n'auraient jamais eu lieu sans elle, a prouvé que sa présence sur la scène politique était opportune. Grâce à nos interventions, des sujets importants ont trouvé leur chemin vers l'opinion publique.

Seul à l'Assemblée nationale, j'avais néanmoins la chance d'être bien entouré à l'ADQ et dans ma circonscription. Pendant toutes ces années, l'ADQ a tenu des colloques, des congrès, des débats. De nouveaux membres ont apporté de l'eau au moulin. Nous étions passionnés par l'actualité, relevant les iniquités, les sujets brûlants, les questions de fond. Nous n'avions qu'un siège à Québec, mais nous en profitions pleinement !

L'ADQ, UNE NOUVELLE GÉNÉRATION D'IDÉES

Après avoir joué un rôle de premier plan au référendum de 1995, comme on l'a vu plus haut, notre parti politique s'est véritablement imposé comme une force politique en ascension aux élections de 1998. Les détracteurs de l'ADQ considéraient notre parti comme un épiphénomène et prévoyaient sa disparition prochaine. Nous jouions donc les phœnix.

Cent vingt-cinq candidats, une présence partout au Québec, une participation plutôt réussie au débat des chefs et un soutien populaire qui avait doublé depuis 1994. L'ADQ prenait sa place. J'avais été réélu dans Rivière-du-Loup et notre parti avait recueilli 12 % des suffrages dans l'ensemble du Québec, le double de ce qu'il avait obtenu aux élections précédentes. Le hic est que je demeurais encore le seul élu de notre parti. Un autre mandat de quatre ans, sinon de cinq, avec très peu de ressources. Le désert. Mais je pouvais m'estimer chanceux : René Lévesque, le fondateur du Parti québécois, n'avait même pas été élu dans sa propre circonscription aux deux premières élections générales auxquelles il a participé sous l'étiquette péquiste, en 1970 et 1973.

Au nom de l'ADQ, j'ai continué à talonner le gouvernement, notamment au sujet de certains dossiers « oubliés », dont plusieurs concernaient les jeunes, comme les « clauses orphelins » dont je parlais plutôt, l'exode des cerveaux, ou encore au sujet de dossiers plus sensibles, telle la prévention du suicide. Mais au-delà de ces préoccupations particulières, notre parti instaurait progressivement une nouvelle façon d'envisager l'avenir. Je sentais, comme mes camarades de l'ADQ, qu'une nouvelle génération d'idées commençait à éclore et que notre parti était leur véhicule.

Chaque jour, je recevais de nombreux témoignages d'appréciation de concitoyens qui m'encourageaient à continuer mon travail. Les gens, et cela m'a toujours honoré, me manifestaient un soutien chaleureux et me confiaient volontiers leurs points de vue.

Nous pensions autrement. Malgré nos moyens plus que limités, nous ne lâchions jamais prise. Je me retrouvais donc régulièrement dans des combats contre les vieilles façons de faire des partis traditionnels. Des reprises d'une scène vue et revue. Comme cette fois, en mars 1997, où, à la suite de la parution du *Syndrome de Pinocchio*, un essai du journaliste André Pratte sur le mensonge en politique, les vieux partis s'étaient entendus sur une motion unanime pour le dénoncer. Le scénario était planifié : un acteur péquiste, un acteur libéral et le président de l'Assemblée qui se montrerait offusqué.

Pourtant, Pratte n'avait rien inventé. Au dépôt de la motion de ces « saintes nitouches », devant ces gens incapables de regarder leurs contradictions en face, je me suis levé et j'ai dit non. Je n'allais certainement pas exercer une censure à la liberté d'expression, et encore moins condamner un journaliste qui en était arrivé à faire certaines des mêmes constatations que moi !

SEUL... MAIS PAS VRAIMENT SEUL

Étais-je vraiment seul à l'Assemblée nationale ?

Bien sûr, je représentais des centaines de milliers d'électeurs répartis un peu partout au Québec, des personnes qui avaient voté pour l'ADQ. Mais il y avait plus que cela. Chaque jour, je recevais de nombreux témoignages d'appréciation de concitoyens qui m'encourageaient à continuer mon travail. Les gens, et cela m'a toujours honoré, me manifestaient un soutien chaleureux et me confiaient volontiers leurs points de vue. Ces opinions, j'en ai toujours tenu compte dans mes interventions à l'Assemblée nationale et dans les débats auxquels j'ai participé. À cause de ce soutien, j'ai toujours été fier de proclamer haut et fort le message adéquiste, sans jamais accepter, et cela est arrivé souvent, de me laisser « tasser » lorsqu'on m'interpellait avec arrogance. Ce soutien a toujours alimenté ma détermination dans la défense de mes convictions.

Pendant toutes ces années, les idées que nous avons mises de l'avant étaient celles d'une nouvelle génération branchée sur l'avenir. En assurant ma présence au parlement de Québec, les électeurs de Rivière-du-Loup m'ont permis de préparer le terrain pour l'émergence de l'ADQ comme force politique incontournable au Québec. Pour cela, je ne pourrai jamais assez leur exprimer ma gratitude. Mais après ces sept années, il fallait qu'un déblocage se produise, qu'il se passe enfin quelque chose pour que l'Action démocratique puisse faire un pas en avant pour promouvoir un vrai changement dans notre gestion de l'État québécois et une remise à neuf de nos façons de faire.

L'ADQ devait faire élire ne serait-ce qu'un autre député.

En 2002, une porte s'est ouverte. Une élection partielle devait se tenir dans la circonscription de Saguenay (aujourd'hui René-Lévesque).

Nous n'avions pas l'intention de la manquer.

13

CAMPAGNE ÉLECTORALE 1998

15 avril 2002, onde de choc au Québec: François Corriveau arrache le comté de Saguenay au PQ et devient le deuxième député élu de l'Action démocratique du Québec.

Il fait son entrée à l'Assemblée nationale le 23 avril 2002.

17 juin 2002, des élections complémentaires se tiennent dans quatre comtés.
L'ADQ remporte trois solides victoires: Marie Grégoire dans Berthier,
Sylvie Lespérance dans Joliette et François Gaudreau dans Vimont.

14

FRANÇOIS CORRIVEAU ARRIVE !

15 avril 2002. Élection complémentaire dans Saguenay. François Corriveau est élu. Enfin ! Je ne serai plus le seul adéquiste à l'Assemblée nationale.

En octobre 2001, l'ADQ continuait d'occuper toutes les tribunes disponibles pour faire valoir ses idées novatrices et pour proposer sa vision nouvelle de l'État. Nous avons alors profité d'une vague d'élections complémentaires tenues dans Blainville, Jonquière, Labelle et Laviolette pour convaincre les électeurs. Et effectivement, notre message n'est pas tombé dans l'indifférence, notamment dans Jonquière où 20 % des électeurs ont voté pour l'ADQ. Encore une fois, nous obtenions un bon appui, des pourcentages de votes du genre « victoire morale », mais pas de renfort à l'Assemblée.

UNE BRÈCHE S'OUVRE ENFIN

Depuis la démission de Lucien Bouchard, au printemps, le Parti québécois se cherchait sous la direction d'un nouveau chef. On sentait de plus en plus clairement que l'électorat considérait son projet politique et son approche étatiste comme déphasés. Quant aux libéraux, ils laissaient tout bonnement aller les choses, convaincus de cueillir le pouvoir à la prochaine élection générale par le simple mouvement de l'alternance. Ils se contentaient, sans grand effort, d'occuper l'espace tout en évitant soigneusement de proposer quoi que ce soit sur le plan des idées : dans leur esprit, l'inéluctable effet de balancier allait leur redonner le pouvoir. Automatiquement.

De plus en plus, nous sentions que les électeurs commençaient à partager notre point de vue sur la désespérante ressemblance des vieux partis en ce qui concerne la gouvernance de l'État : l'option constitutionnelle mise à part, l'impact sur notre vie des gouvernements péquistes et libéraux, c'était – et c'est toujours ! – du pareil au même.

L'ADQ s'imposait comme une option réelle et plus que valable depuis ses débuts, mais après sept ans, nous n'arrivions toujours pas à faire élire un deuxième représentant.

Pourquoi ? Côté organisation, nous n'avions pas les ressources humaines et financières pour « adéquatement » livrer bataille. Côté perception, les électeurs tentés de voter pour l'ADQ finissaient toujours par se dire, une fois dans l'isoloir : « En votant pour l'ADQ,

> *Tout nous portait à croire qu'une seule victoire changerait la donne, à la fois en suscitant un intérêt pour nos idées et en montrant que oui, l'ADQ pouvait gagner.*

je suis sûr de perdre. Ils n'ont encore jamais gagné ! » Tout, cependant, nous portait à croire qu'une seule victoire changerait la donne, à la fois en suscitant un intérêt pour nos idées et en montrant que oui, l'ADQ pouvait gagner.

Il nous fallait tirer profit de la première occasion favorable, qui s'est présentée au début de 2002, alors que des élections partielles étaient déclenchées dans trois circonscriptions, dont celle de Saguenay (aujourd'hui René-Lévesque), sur la Côte-Nord.

Saguenay représentait une belle occasion pour l'ADQ. Les résultats nous y avaient toujours été relativement favorables et une équipe locale défrichait le terrain depuis la fondation du parti. En outre, nous avions un excellent candidat en la personne de François Corriveau, fils du comté et jeune avocat connu de Baie-Comeau. Le député péquiste sortant avait démissionné plusieurs mois auparavant et nous avions eu le temps de bien décoder l'humeur de l'électorat. La Côte-Nord nous offrait donc un comté potentiellement prenable et, enfin, un déclencheur politique si nous gagnions notre pari.

À FOND LES MANETTES !

C'est dans cet esprit que nous avons gratté les fonds de tiroir et tout misé sur François et la circonscription de Saguenay. La conjoncture politique se prêtait de plus belle à une remise en question de l'intégrité et de l'éthique telles que les pratiquaient les vieux partis. Le scandale d'Oxygène 9, dans lequel étaient compromis de proches collaborateurs de Bernard Landry, avait provoqué l'enlisement du gouvernement jusqu'à forcer le ministre Gilles Baril, député de Berthier, un des amis intimes du premier ministre, à démissionner. Un départ qui allait éventuellement entraîner une autre élection partielle. Du côté fédéral, le « Shawinigate » et le scandale des commandites frappaient les libéraux fédéraux de plein fouet, éclaboussant au passage de hauts dirigeants du PLQ.

Les pratiques qui sévissaient au sein des vieux partis étaient étalées un peu plus chaque jour dans les journaux et à tous les bulletins de nouvelles. Toute la classe politique traditionnelle était touchée. Le ras-le-bol des contribuables atteignait évidemment la Côte-Nord, une région qui, comme tant d'autres, avait plusieurs raisons de se sentir oubliée par le gouvernement péquiste.

Le PQ aurait probablement préféré éviter ce test dans un de ses châteaux forts, mais il n'avait pas le choix : la loi l'obligeait à déclencher le processus électoral.

DATE RETENUE : 15 AVRIL 2002

Il n'est pas difficile d'imaginer quelle effervescence régnait à l'ADQ pendant la campagne électorale.

Tout a été mis en œuvre pour gagner cette élection : l'organisation en place s'est affairée frénétiquement au recrutement, faisant décupler le nombre de membres pour le faire passer d'une centaine à plus d'un millier. Toutes les forces disponibles du parti ont été déployées pour apporter le meilleur soutien possible à la structure locale. Des militants de partout au Québec ont parcouru, à leurs frais, les centaines de kilomètres qui séparent la Côte-Nord de leurs villes et villages respectifs et se sont relayés pour aller soutenir l'équipe dans le comté. La presque totalité des résidants de la circonscription furent visités dans une opération de porte-à-porte sans précédent.

Tout l'état-major du parti a été mobilisé pour cette élection et j'y ai consacré la majeure partie de mon temps. Je me suis assuré de pouvoir compter sur la participation d'un de mes collaborateurs de longue date, Normand Forest, qui, avec toute une équipe de professionnels, avait travaillé plusieurs fois sur nos publicités par le passé. « Conçois-nous ta meilleure campagne ! » lui ais-je demandé. Il a répondu à l'appel en produisant des messages publicitaires audacieux et percutants, judicieusement alignés sur la réalité régionale et orchestrés en synergie avec une offensive de presse menée tambour battant.

Ce printemps 2002 représentera toujours, à mes yeux, une des périodes les plus palpitantes de mon itinéraire politique.

UN VENT DE CHANGEMENT BALAIE LA CÔTE-NORD

L'accueil a été surprenant. Saisissant. Un vent de changement palpable et extrêmement puissant soufflait sur le comté de Saguenay. Et son intensité augmentait un peu plus chaque jour. Cette fois, la victoire nous paraissait tout à fait possible. Un gain dans Saguenay pouvait constituer la percée dont nous avions besoin pour concrétiser la place de l'ADQ dans le paysage politique du Québec.

De leur côté, enfermés dans le carcan de leur paradigme bipartite, les vieux frères siamois, le PQ et le PLQ, refusaient de voir dans l'ADQ la force montante qu'elle représentait enfin ! Ils ne nous avaient pas vus venir. Ils ne nous avaient pas pris au sérieux. Mais nous étions là.

Nous avons invité les gens à monter avec nous dans le train du vrai changement et à être à l'avant-garde d'un mouvement de fond chez l'électorat québécois.

Tout en scandant « Région en tête » aux électeurs de Saguenay pendant deux mois de précampagne et cinq semaines de campagne, nous avons affirmé avec acharnement la capacité de l'ADQ à remettre la Côte-Nord « sur la carte ». Nous avons invité les gens de cette région à monter avec nous dans le train du vrai changement et à être à l'avant-garde d'un mouvement de fond chez l'électorat québécois.

Nous avons travaillé sans relâche : tous les permanents et sympathisants disponibles avaient été mobilisés. Le candidat, François Corriveau, était devenu le champion toutes catégories des recruteurs du parti. L'énergie de la victoire se sentait de plus en plus. La veille du scrutin, j'ai assisté à un spectacle de Zachary Richard en compagnie de François Corriveau et de nos conjointes. À voir l'atmosphère qui régnait autour de nous, j'ai compris que quelque chose se passait.

J'ai passé la journée de l'élection dans une chambre d'hôtel, entre le téléphone et les bulletins de nouvelles. Avant même le résultat du scrutin, j'étais ébahi d'entendre LCN annoncer comme une évidence la victoire des libéraux dans Saguenay, comme on annonce le début de l'hiver le 21 décembre. Un bon vieux rouge le leur avait dit !

Lorsque Patrick Robitaille, l'un des piliers de l'ADQ et responsable de l'organisation de cette campagne, m'a fait part de l'état de situation de la sortie de vote – notre sondage maison – qui nous plaçait devant les autres avec plus de 40 %, je savais que tout était en place. Puis, lorsque les résultats ont commencé à nous arriver, j'ai rapidement eu la certitude de notre victoire. En effet, à force de le parcourir, j'en étais venu à connaître le comté par cœur. Or, les premiers résultats qui entraient nous donnaient d'écrasantes majorités dans les secteurs où nous savions être en avance... mais même des victoires dans des coins où nous nous savions plus faibles. Après avoir compilé les données de seulement quelques sections de vote, j'ai su que ça y était : François Corriveau, le candidat de l'ADQ, venait d'infliger aux vieux partis une cinglante défaite.

Enfin, du renfort ! Et peut-être une nouvelle dynamique en cette année préélectorale !

QUELLE VICTOIRE !

Nous avons gagné dans Saguenay avec 48 % des voix. Presque la majorité absolue. Nos adversaires, particulièrement les libéraux, ne l'avaient pas vu venir. L'événement a fait la une de tous les grands journaux. Le Québec entier s'est mis à penser que ce qui venait de se passer dans Saguenay pouvait arriver ailleurs. Les gens se sont mis à considérer l'ADQ comme une solution de rechange bien réelle. Enfin.

L'image d'éternels *challengers* qui nous collait à la peau jusqu'à ce jour venait de s'effacer. L'ADQ prenait un nouvel envol.

14

15

TROIS SUR QUATRE : LES ÉLECTIONS DE JUIN 2002 CONSACRENT L'ADQ

Pendant les huit premières années de son existence, l'ADQ était considérée comme un joueur intéressant sur le plan des idées. Mais au chapitre des perceptions, notre parti demeurait en marge de la joute politique qui se déroulait dans l'éternelle rivalité PQ/PLQ, les deux se trouvant tour à tour au gouvernement ou dans l'opposition officielle. Pour les deux frères siamois, l'ADQ agaçait et dérangeait sans être perçue comme une menace réelle. Mais après le séisme électoral de Saguenay qui avait bouleversé l'ordre établi, une nouvelle secousse se préparait. L'ADQ s'apprêtait à remporter la victoire dans trois de quatre comtés appelés à des élections partielles.

Je l'ai déjà mentionné, après la démission fracassante de Lucien Bouchard, l'insatisfaction face au gouvernement Landry n'avait pas cessé d'augmenter. Les libéraux, bien entendu, s'en réjouissaient : si la population ne voulait plus du PQ, elle voterait pour eux, devaient-ils se dire. En fait, comme l'affirmaient à l'époque les stratèges libéraux, pour gagner l'élection, il suffisait de laisser le Parti québécois se détruire lui-même à coups de bourdes et de scandales, puis de récolter les votes des mécontents pour les additionner à ceux du noyau dur du PLQ, des votes tenus pour acquis à jamais. Dans l'esprit des observateurs politiques et des vieux partis, c'était toujours PQ ou PLQ, chacun son tour.

Mais la victoire de François Corriveau dans la circonscription de Saguenay venait de changer la donne. L'ADQ pouvait gagner une élection et porter haut et fort un message de changement à l'Assemblée nationale.

Dans une décision-surprise de Bernard Landry visant, cela est bientôt devenu clair, à couper l'herbe sous le pied à l'ADQ en ne lui laissant pas le temps de s'organiser, le gouvernement péquiste a déclenché, moins d'un mois après sa dégelée de Saguenay, de nouvelles élections partielles. Étaient en jeu quatre sièges occupés jusque-là par le PQ : Joliette, Lac-Saint-Jean, Vimont et Berthier, ce dernier laissé vacant par le départ de Gilles Baril dans la tourmente du scandale des lobbyistes de la firme Oxygène 9.

Le PQ a mis le paquet pour gagner ces élections partielles. Pour se donner le plus de chances possible, il a présenté des candidats-vedettes dans trois des quatre comtés, dont le plus prestigieux, le tout nouveau ministre de la Santé nommé sans avoir été élu, David Levine, dans Berthier.

L'ADQ a réagi promptement. Le jour même du déclenchement, les affiches de nos candidats ont surgi de partout. Nous avons livré une bataille rangée contre les vedettes du Parti québécois qu'accompagnaient toute la suite de limousines et d'attachés politiques dépêchés à répétition dans les trois circonscriptions où se déroulait la vraie campagne, celle qui opposait péquistes et adéquistes. Les libéraux, quant à eux, avaient vite compris que s'ils voulaient arracher une victoire, il ne leur restait que la circonscription de Vimont. C'est ainsi qu'ils ont concentré toute leur énergie – et leurs cohortes de députés appuyés de leur personnel politique – dans ce comté baromètre. L'ADQ a répondu en rendant coup pour coup.

Après cinq semaines de luttes épiques, rue par rue, porte par porte, l'ADQ a remporté trois victoires éclatantes, soit dans Berthier, dans Joliette et dans Vimont, en plus de passer à un cheveu d'enlever le château fort de Lac-Saint-Jean au Parti québécois. Marie Grégoire, Sylvie Lespérance et François Gaudreau venaient nous rejoindre, François Corriveau et moi, à l'Assemblée nationale. L'ADQ comptait maintenant cinq députés. Une nouvelle opposition s'installait au Parlement, portée par une ferveur politique comme on n'en avait pas connue depuis longtemps.

Trois victoires dans quatre élections partielles, des résultats encourageants en ville, en banlieu et en région. C'était une indication claire que le goût d'un grand changement gagnait tout le Québec.

Une déferlante nommée ADQ

À l'ADQ, nous vivions enfin le point tournant que nous avions espéré pendant tant d'années. Une véritable renaissance nous propulsait à l'avant-scène.

Bien sûr, nous espérions, au lendemain de Saguenay, une montée de trois ou quatre points dans les sondages. Passer de l'intervalle 18-20 % à 22-24 % aurait déjà représenté à nos yeux un succès ! Mais la réalité allait nous transporter bien au-delà.

Du jour au lendemain, les intentions de vote en faveur de l'ADQ ont été aspirées vers le haut à une vitesse vertigineuse, un mouvement favorisé par un contexte de désenchantement par rapport aux vieux partis plongés dans des scandales à répétition, par l'espoir de changement que nous suscitions dans la population et aussi par la puissance des médias ayant trouvé ponctuellement en l'ADQ une solution attrayante à la vacuité politique engendrée par les vieux partis.

Dans la population se manifestaient plein de nouveaux adéquistes. À la question « Pourquoi adhérer à l'Action démocratique ? », il n'y avait pas seulement des réponses rationnelles. « Ils ne peuvent pas faire pire que les autres », entendait-on fréquemment. Il se trouvait même de vieux adversaires qui découvraient la « fraîcheur » de l'ADQ. Notre parti était devenu un immense sac d'espoir dans lequel tous pouvaient placer leurs aspirations pour faire contrepoids au désabusement que les vieux partis et leur manière dépassée d'envisager l'action politique inspiraient depuis belle lurette.

S'il y avait une élection générale, l'ADQ pouvait accéder au pouvoir. C'est du moins ce que les sondages indiquaient.

L'ADQ : UNE NOUVELLE APPROCHE POLITIQUE

Depuis deux générations, péquistes et libéraux pratiquaient une gestion essentiellement à court terme, toujours en mode de rattrapage. Il est beaucoup plus vendeur, d'un point de vue électoral, de régler un problème à coup de millions injectés dans le système, sans changer trop de choses. On peut alors se vanter d'agir tout en évitant de subir les contrecoups d'un changement en profondeur. Mais à long terme, de tels procédés sclérosent la prestation de services en alourdissant les opérations plutôt qu'en les recentrant en fonction des objectifs.

Oui, depuis des années, nous étions bel et bien dans la gestion à court terme de l'État, dont le plus clair symbole est la politique du « déficit zéro » instaurée dans les années 90 par le Parti québécois. On arrange la comptabilité de façon à atteindre, officiellement, l'équilibre budgétaire, mais on hypothèque l'appareil gouvernemental pour la décennie à venir. C'est ce qui est arrivé avec les mises à la retraite massives des infirmières. Mais ce n'est pas grave, se dit-on, car, grâce à l'alternance des vieux partis au pouvoir, c'est le gouvernement suivant qui va payer les pots cassés.

> *Notre parti était devenu un immense sac d'espoir dans lequel tous pouvaient placer leurs aspirations pour faire contrepoids au désabusement que les vieux partis inspiraient depuis belle lurette.*

Quel cynisme ! En réalité, c'est la génération suivante qui fait les frais de ce genre d'incurie électoraliste dont se rendent trop souvent coupables le PQ et le PLQ. Mais, au gouvernement, on est toujours obsédé par l'image que renvoie instantanément l'actualité ; c'est pourquoi on préfère, la plupart du temps, mettre en œuvre des mesures à court terme propres à rétablir rapidement la perception des citoyens plutôt que de prendre le temps de regarder plus loin et d'apporter des solutions efficaces qui sauront régler les problèmes de façon durable.

Chacun comprendra combien, dans les circonstances, il était difficile pour l'ADQ de faire valoir des préoccupations axées sur le long terme. Nous avions beau insister sur l'importance de restreindre la croissance de la dette (car la politique du « déficit zéro » du PQ n'était, à plusieurs égards, qu'un exercice de prestidigitation comptable et ne s'attaquait pas véritablement à la dette), sur la nécessité de se préparer au choc démographique qui s'annonçait, ou signaler quelque autre enjeu à long terme, nous ne passions pas la rampe. Ce n'était jamais le bon moment, apparemment. Du moins jusqu'en 2002.

Pendant longtemps, notre discours a touché les gens sans pouvoir les convaincre de concrétiser leur appui moral une fois dans l'isoloir. Ils étaient vraisemblablement pris, en partie, dans le cercle vicieux du vote stratégique. Nous soulevions de nouveaux types d'enjeux, nous proposions une approche de responsabilisation et de préparation de l'avenir. « Discours d'avant-garde », disaient certains. Mais être à l'avant-garde, en politique, c'est toujours risqué, surtout quand on se fait le porte-parole des intérêts et des revendications d'une classe moyenne mal organisée, qui ne peut compter

> *L'émergence de l'ADQ tient dans la métaphore de ces minuscules semences qui deviennent un jour un champ de blé.*

sur aucun groupe de pression pour la défendre et qui, naturellement, est moins bien représentée dans des postes d'influence. C'est encore plus risqué quand le discours qu'on tient remet en cause la légitimité de ce que plusieurs considèrent comme leurs acquis... même lorsque ceux-ci lèsent toute la société !

Mais la persévérance donne des fruits. Lentement, graduellement, une personne à la fois et avec l'évolution naturelle, nous avons touché les consciences. Nous avons intéressé des éléments dynamiques de la société, et la vision adéquiste a fini par se frayer un chemin.

UN TRAVAIL DE LONGUE HALEINE

La fierté que nous ressentions face à ce succès de l'été 2002 était d'autant plus grande que nous savions combien la voie choisie en 1994 était difficile. Car fonder un parti exige énormément de conviction, de constance, de courage et une immense passion pour un idéal. Beaucoup de patience aussi, peut-être mêlée à un peu d'inconscience ; pour faire une analogie, on récolte plus vite les tomates si on a repiqué des plants que si on a semé des graines. Or, il faut réaliser que les partis politiques, au Québec, sont traditionnellement des « plants qui ont poussé en serre » : l'Union nationale a été le fruit de la fusion de l'ancien Parti conservateur du Québec et de l'Action libérale nationale ; le Parti québécois est né de la fusion de plusieurs mouvements et de partis existants. Quant au Parti libéral du Québec, il n'est devenu un parti politique distinct du Parti libéral du Canada qu'en 1964.

L'émergence de l'ADQ, de son côté, tient dans la métaphore de ces minuscules semences qui deviennent un jour un champ de blé : un parti fondé sur les valeurs communes d'une poignée de personnes animées par une volonté inébranlable de changement. Un groupe dont le nombre a grandi à vue d'œil. Parmi ces gens épris d'intégrité et d'une vision d'avenir pour le Québec, j'ai été pendant sept ans le seul présent à l'Assemblée nationale pour faire valoir nos points de vue. En cet été 2002, nous étions maintenant cinq. Et de plus en plus de Québécois, partout, adhéraient à notre parti.

Pas à pas, nous avons semé nos idées sur la place publique et dans tous les milieux. Nous avons bâti notre crédibilité. Les gens ont commencé à penser que l'ADQ, c'était « plein de bon sens », puis, au fil de nos prises de position, d'autres sympathisants sont venus grossir le nombre de militants : 100, 1000, 10 000... Dans un contexte où l'électorat était déçu du pouvoir en place et cherchait une solution de rechange, la vision de l'ADQ s'est enfin imposée.

À partir de presque rien, nous nous étions préparés lentement mais sûrement pendant huit ans. Nos idées, nos valeurs et la faiblesse des vieux partis nous ont ouvert la porte.

Pendant l'été 2002, nous y sommes entrés à fond de train. Les Québécois avaient enfin pu découvrir la vraie nature de l'Action démocratique du Québec.

Avec ses trois victoires à quatre élections complémentaires, sans compter celle dans la circonscription de Saguenay quelques mois plus tôt, l'ADQ se voyait consacrée comme parti d'opposition reconnu par la population, qui entérinait ainsi notre façon renouvelée d'envisager la politique.

Une éclaircie dans la grisaille de l'horizon politique.

On attendait beaucoup de l'ADQ. Peut-être trop.

15

16

L'ADQ PROPOSE DE NOUVELLES SOLUTIONS POUR LE SYSTÈME DE SANTÉ

Bien au-delà de ce qu'on en a dit, l'année 2002 a été un moment important dans l'histoire de l'ADQ. Car plus on parlait de notre parti, plus on discutait de nos idées et de notre projet de société, plus la population constatait combien nous étions porteurs de changements réels. Avec l'ADQ, non seulement la couleur du gouvernement changerait-elle, mais des transformations en profondeur prépareraient le Québec à un meilleur avenir, des remises en question nécessaires seraient faites afin que le Québec puisse évoluer avec succès dans les nouvelles réalités du XXIe siècle. C'est dans cet esprit que nous avons abordé l'un des plus grands défis de la gouvernance au Québec : la révision obligée du système de santé.

« Les hommes n'acceptent le changement que dans la nécessité et ils ne voient la nécessité que dans la crise », a déjà dit l'économiste français Jean Monnet. L'affirmation se vérifie souvent dans l'actualité et s'applique on ne peut mieux à notre lenteur, pour ne pas dire notre résistance, à changer notre façon de faire en ce qui concerne la prestation des soins de santé.

Les perpétuelles défaillances de notre système de santé, voilà l'illustration la plus éloquente, voire le symbole, de l'incapacité de notre société à s'adapter et de celle des vieux partis à apporter des changements en profondeur. Libéraux et péquistes, chacun leur tour, ont promis d'innombrables réformes, permuté et changé à répétition les noms de toutes les structures.

De notre côté, à l'Action démocratique, nous avons proposé d'aller au fond des choses et de revoir certaines bases du système. Notre seul objectif : améliorer l'offre de soins aux citoyens, ceux-là mêmes qui paient toujours davantage et qui reçoivent de moins en moins de services. Une exploration risquée au pays des préjugés et du non-dit. Notamment, la reconnaissance de l'existence de cliniques privées qui permettent à des gens de se faire traiter dans des délais plus courts s'ils paient de leur poche.

C'est ainsi que l'ADQ a lancé un pavé dans la mare en proposant un système de santé mixte.

L'ADQ PROPOSE UN SYSTÈME DE SANTÉ MIXTE

Le premier week-end d'octobre 2002, l'ADQ tenait un congrès préélectoral sur le thème de la santé. Deux invités de marque, Claude Castonguay (ancien ministre libéral et père du système d'assurance-maladie au Québec), et le Dr Réjean Thomas (fondateur de la réputée clinique L'Actuel et ancien candidat péquiste), se sont adressés aux 1000 congressistes présents dans la salle. M. Castonguay a plaidé pour une révision du système de santé, nous encourageant même dans notre remise en question du réseau, tout public qu'il est. De son côté, le Dr Thomas, compétence internationale dans la lutte contre le sida, nous a confirmé que, malgré les dénégations de plusieurs ténors politiques plus soucieux de se faire élire que de bien soigner la population, un système de santé à plusieurs vitesses existait depuis longtemps au Québec. Il avait ajouté que la simple compassion pour nos concitoyens, otages innocents d'interminables listes d'attente, devrait nous amener à considérer les cliniques privées comme des partenaires susceptibles de permettre au système de soigner toute la population plus rapidement.

Un tabou venait d'être brisé concernant le prétendu « meilleur système au monde ».

On aurait pu espérer, dans les mois suivants, un débat de fond sur les résultats réels livrés par ce système. Mais les gardiens de la morale d'un système qualifié abusivement d'« universel » se sont ligués pour faire obstacle non seulement à des propositions de changements, mais même à la simple discussion. L'idéologie aveugle reprenait sa place, appuyée, bien entendu, par des intérêts politiques, corporatistes, syndicaux et financiers profitant du système.

Mais l'ADQ venait d'ébranler les colonnes du temple. Nous avons ouvert une brèche.

LA SANTÉ, SYMBOLE D'UN ÉCHEC DES VIEUX PARTIS

Notre système de santé constitue l'un des exemples les plus forts de l'incurie des vieux partis en matière de prestation de services publics. Malgré les discours de l'ancien ministre libéral Marc-Yvan Côté et en dépit de tous les remèdes administrés par sa collègue, Thérèse Lavoie-Roux, il était déjà dans un état pitoyable à mon arrivée à l'Assemblée nationale, en 1994. Et il s'est détérioré depuis.

En 2002, l'attente dans les hôpitaux, ajoutée à la dégénérescence du réseau au grand complet, était tout simplement révoltante. Il y avait de quoi vouloir se débarrasser du gouvernement péquiste. En 2005, deux ans après avoir juré qu'ils réduiraient l'attente et répété pompeusement « Nous sommes prêts ! », les libéraux n'ont jamais livré ce à quoi ils se sont engagés.

Avec la détérioration continuelle du système de santé, les vieux partis ont démontré leur incapacité à entreprendre les actions nécessaires. Un seul diagnostic est possible en ce qui touche l'état actuel de notre système de santé : échec retentissant.

En octobre 2002, les sondeurs nous plaçaient en tête dans les intentions de vote des Québécois. Le Parti québécois, alors au pouvoir, se dirigeait tout droit vers un naufrage. Le Parti libéral, son habituel rival, tournait en rond. Si nous avions suivi la méthode éprouvée des vieux partis, nous nous serions contentés de surfer sur notre popularité en évitant de créer de nouvelles vagues. Mais l'attente et la souffrance des gens, le fait qu'on ne voyait pas l'ombre d'un espoir d'amélioration tangible, tout nous indiquait qu'il fallait profiter de notre visibilité politique pour rompre le silence complaisant et hypocrite qu'entretenaient les vieux partis à propos de l'administration de nos établissements de santé.

Quand on sait que plusieurs politiciens et même des premiers ministres ont bénéficié des services de cliniques privées et qu'ils nient l'à-propos de la contribution du privé au système actuel, on peut légitimement douter de leur sens de l'éthique.

LES MYTHOMANES ET LA SANTÉ

Les dictionnaires nous disent qu'un mythomane est une personne qui a, consciemment ou inconsciemment, tendance à altérer la vérité, à mentir et à croire à ses mensonges. Les conséquences de ce comportement pathologique sont graves parce qu'une personne qui arrive à se convaincre elle-même qu'elle dit vrai alors qu'elle ment devient irresponsable, parfois même dangereuse. Je soupçonne beaucoup de politiciens d'être atteints de ce mal. Comment peut-on diriger un État de manière adéquate si, en plus de mentir à la population, on se raconte des histoires à soi-même ? Quand on sait que plusieurs politiciens et même des premiers ministres ont bénéficié des services de cliniques privées et qu'ils nient l'à-propos de la contribution du privé au système actuel, on peut légitimement douter de leur sens de l'éthique.

Plus de trente ans après l'implantation du système de santé public au Québec, et dans un contexte où tous décriaient son état lamentable, nous avons voulu engager un débat public sur sa redéfinition, en évacuant les interdits et les faux-fuyants. Car la rectitude politique, la démagogie des forces du *statu quo*, nous paralysait depuis trop longtemps.

À l'ADQ, nous étions tous convaincus qu'il fallait envisager franchement la situation, en tenant compte de tout ce qui composait notre réseau de santé : le privé, le public, les hôpitaux, les cliniques, les centres locaux de services communautaires (CLSC), etc. Nous n'avons fermé les yeux sur aucune réalité, relevant les bons côtés comme les plus gênants. Nous avons inventorié tous les services offerts par le secteur privé en santé, y compris ce qui était officiellement illégal mais dans les faits toléré, et donc répandu. Nous sommes partis de la réalité telle qu'elle se présentait à l'ensemble des Québécois. Puis, nous avons essayé de voir comment, en décloisonnant les choses, en additionnant les contributions des différents acteurs du système et en ouvrant la porte à certains modes de paiement pour ceux qui pouvaient se le permettre, comment, donc, on pourrait rendre plus de services accessibles à l'ensemble de la population. Et, surtout, comment on pourrait désengorger le système.

UN SYSTÈME CONÇU DANS LES ANNÉES 60

Pourquoi les listes d'attente en santé sont-elles de plus en plus longues ? Depuis plus de 30 ans, les gouvernements qui se sont succédés à Québec se sont employés à « bonifier » un système conçu dans les années 60, en fonction des paramètres démographiques de l'époque. Mais on le voit très clairement, les gouvernements ont eu beau y injecter des milliards d'argent neuf et y consacrer une part croissante du budget de l'État – environ 30 % à mes débuts en politique, 43 % aujourd'hui et bientôt 50 % si ça continue –, notre système de santé n'a fait que se dégrader : dans les CLSC et les urgences, la situation pour les usagers continue de se détériorer. Dans les corridors des hôpitaux, les cas d'atteinte à la dignité humaine se multiplient.

Les règles du système vieillissent mal. Elles aboutissent à des résultats désolants, pour ne pas dire désespérants.

Les gouvernements permettent-ils aux femmes de payer pour une plastie mammaire ? Oui. Pour le traitement d'un cancer du sein ? Non. Un homme a-t-il le droit de payer pour une vasectomie ? Certainement. Pour une chirurgie de la prostate ? Non. Et le chien, peut-on payer pour le faire soigner ? Bien sûr que oui ! Et pour faire soigner son enfant ? Non... même si nous convenons tous qu'il s'agit d'un non-sens.

En fait, un Québécois retraité qui a peiné toute sa vie pour se constituer un petit pécule a le droit de dépenser toute sa fortune au casino et de rendre heureux le ministre des Finances, mais on lui interdit de sortir de l'argent de sa poche quand il s'agit de préserver ce qu'il a de plus précieux : sa santé.

Il y a quelque chose qui cloche sur le plan des valeurs. Et c'est inefficace.

LISTES D'ATTENTE ?
NON, LISTES DE RATIONNEMENT !

Les politiques de rationnement ont été mises en œuvre durant les années 80 et se sont traduites par une première vague de compressions budgétaires. La fermeture de salles d'opération, de salles d'urgence et de milliers de lits d'hôpitaux, ainsi que la mise à la retraite inconsidérée de milliers d'infirmières et de centaines de médecins, dans les années 90, ont engendré de graves pénuries. Il est clair que le programme de rationnement appliqué par les gouvernements, libéral et péquiste, a conduit le réseau et son accessibilité à l'asphyxie. Mais le pire est encore à venir.

La population du Québec vieillit plus rapidement que celle de tous les pays industrialisés, à l'exception du Japon. Le Québec doit, dès maintenant, définir une stratégie d'adaptation beaucoup plus souple. Il le faut si nous voulons que nos grands-parents, nos parents et nous-mêmes puissions aborder les dernières années de notre vie avec sérénité. Car plus une personne prend de l'âge, plus elle a besoin de soins. Certains affirment même qu'environ la moitié des sommes déboursées en soins de santé, pour une personne, le sont dans la dernière année de sa vie.

Dans l'état actuel des choses, notre système de santé n'est pas en mesure de faire face au phénomène du vieillissement de la population et aux besoins qui en découleront. Les gouvernements ne se vantent pas de cette réalité trop difficile à admettre. Mais en défendant une doctrine désuète plutôt qu'en disant la vérité à la population, les mythomanes québécois et canadiens ne font que retarder l'adoption de solutions qui s'imposeront d'elles-mêmes un jour ou l'autre.

Si nous voulons que nos aînés et la population en général aient accès à tous les soins dont ils ont besoin, nous devons *dès maintenant* repenser le système. Les nouveaux paramètres sont connus.

Les solutions préconisées par l'ADQ s'inscrivent dans une rupture tranquille avec une approche et un système qui ne nous conviennent plus.

L'ADDITION DES CONTRIBUTIONS

En 2002, l'ADQ a proposé d'additionner les contributions, soit celles du secteur public, du secteur privé et du secteur communautaire, pour améliorer les services de santé. Notre objectif était d'*augmenter la capacité globale du système*. Dans notre esprit, il fallait non seulement injecter de l'argent, mais aussi offrir *plus de services*.

Nous savions que des équipements techniques des établissements hospitaliers ne sont pas utilisés le soir, la nuit et en dehors de certaines périodes. Nous savions aussi que les armoires des hôpitaux étaient remplies de prothèses et d'instruments qui n'étaient pas employés de manière optimale. Enfin, il était connu que des centaines de médecins et de spécialistes étaient limités par des quotas, interdits de pratique après un certain nombre d'actes médicaux : au-delà de ce plafond, fixé arbitrairement, le gouvernement ne les rémunère plus, ou qu'à moitié. Dans ces conditions, un chirurgien n'a donc aucune raison de vouloir travailler davantage. Et hop ! Les prochains patients viendront grossir la liste d'attente.

> *Un Québécois retraité qui a peiné toute sa vie peut dépenser toute sa fortune au casino, mais on lui interdit de sortir de l'argent de sa poche quand il s'agit de préserver ce qu'il a de plus précieux : sa santé.*

Nous le savions en 2002 et nous le savons encore puisque cette réalité a à peine changé depuis : seul un système de santé mixte peut nous sortir du bourbier, comme il a su baliser les soins dispensés dans de nombreux pays du monde.

À vrai dire, cette approche ne date pas d'hier. Jean Martel écrivait, dans *Le Soleil* du 11 août 1999 :

> *Une plus grande participation du secteur privé pourrait réduire les pressions, augmenter l'offre de services à la population et réduire les listes d'attente. [...] Le débat doit s'orienter non pas vers un système à deux vitesses qui favorise les riches, mais vers un système de partenariat public-privé à pleine vitesse.*

Pour l'ADQ, un système de santé mixte est la seule solution qui permette d'additionner les contributions de tous les acteurs pour parvenir à offrir plus de services sans demander aux contribuables de se serrer encore plus la ceinture en payant des impôts additionnels.

LA FAMEUSE « MÉDECINE À DEUX VITESSES »

Qu'est-ce qu'une médecine à deux vitesses ? C'est l'expression péjorative que les partisans du *statu quo* en santé ont trouvée pour qualifier toute proposition orientée vers un système mixte public-privé.

En effet, dès que cette vision que nous portions a commencé à soulever un débat dans l'opinion publique, les adversaires de l'option ont réagi : ils ont agité le spectre de « système à deux vitesses » pour discréditer notre proposition auprès de la population, mais sans proposer de remède à la misère de milliers de Québécois littéralement « parqués » sur des listes d'attente et qui sont trop souvent victimes de délais inacceptables. Force est de constater que l'image était forte – même si elle était fausse – puisqu'elle a réussi à se frayer un chemin jusque dans les médias. Pourtant, plus d'une trentaine de pays du monde, parmi les plus fortement industrialisés et à profil social-démocrate, tels la France, le Danemark, la Suède et la Norvège, ont adopté un système de santé mixte qui dispense des soins honorables, accessibles à tous, riches ou pauvres, sans distinction.

Bien plus : la notion de « système de santé à deux vitesses » véhicule une fausseté à propos de notre système actuel en laissant entendre qu'il n'y a qu'une vitesse pour tous. Allons-y avec une grande vérité bien cachée par tous ceux qui semblent avoir intérêt à ne pas la divulguer, à commencer par le gouvernement en place : dans les faits, le Québec possède un système à *multiples* vitesses, un système qui varie d'une région à l'autre et d'un établissement à l'autre. Par exemple, on réussit à éviter la liste d'attente (même si on arrive le centième) si on a des « contacts » ou si on est le client régulier d'une clinique privée « haut de gamme ». Il a d'ailleurs été dit que des prestataires de la Commission de la santé et de la sécurité du travail (CSST), parce qu'ils coûtaient cher à l'organisme, se sont vus accorder des privilèges et ont été opérés plus rapidement. Et des mauvaises langues affirment même que les joueurs des équipes de sport professionnelles passent rarement par la salle d'attente avant d'être reçus par un médecin...

Ce qui me renverse, c'est qu'on ait laissé échapper l'occasion, en 2003, de tenir un débat public sain et ouvert au nom de je ne sais quel tabou. Plutôt que de contester notre point de vue, qui s'appuyait sur des preuves rigoureuses, on a purement et simplement attaqué nos idées à coups de slogans creux et fallacieux.

> *Plus d'une trentaine de pays du monde, parmi les plus fortement industrialisés et à profil social-démocrate, ont adopté un système de santé mixte qui dispense des soins honorables, accessibles à tous, riches ou pauvres, sans distinction.*

Comme on a allégrement taxé notre proposition de « système à l'américaine » alors qu'*aucune* des caractéristiques de notre système – j'en ai déjà parlé – ne ressemblait à ce qui existe aux États-Unis.

La gravité de la crise en santé méritait bien plus que des slogans. Or, la plupart du temps, on a ainsi complètement évacué l'importance du sujet.

Je dois comprendre que, pour les vieux partis et leurs alliés, les pactes préélectoraux ont primé. On pouvait bien parler du système de santé, mais sans annoncer de remise en question trop fondamentale. De notre côté, notre péché a été de mettre en évidence des problèmes qu'on préférait ne pas voir et d'explorer des solutions propres à sortir de l'inertie un système que tout le monde savait en crise.

Nous nous sommes tenus debout. Nous avons eu le courage de regarder la réalité en face et d'en parler. J'en resterai toujours fier.

UNE MAJORITÉ DE QUÉBÉCOIS SONT MAINTENANT EN FAVEUR D'UN SYSTÈME MIXTE

La chose incroyable, c'est que, malgré toutes les levées de boucliers, malgré une appellation dévalorisant l'approche, la majorité des Québécois, aujourd'hui, sont d'accord avec nous. En effet, même si nos adversaires ont imposé leur expression démagogique de « médecine à deux vitesses », la conviction des gens est à ce point forte qu'ils sont en majorité favorables à un système mixte de santé.

Chaque fois que des gens m'abordent dans la rue pour me faire part de leur appui, je suis un peu plus convaincu de la profondeur de leur volonté de changement, même si les grands défenseurs du *statu quo* ont tout tenté pour les convaincre de rester passifs et d'applaudir l'immobilisme.

Le début de remise en question de notre système de santé a constitué, sans contredit, une grande contribution de l'ADQ au débat politique québécois en cette période préélectorale 2002-2003. Certains adversaires des idées progressistes de notre parti ont essayé de nous discréditer, parfois même de nous ridiculiser. Ils ont eu tort : nous avons gagné le débat d'idées contre les tenants d'un *statu quo* indéfendable.

La bataille de la santé aura été le premier chapitre d'une petite révolution politique inéluctable que le Québec devra vivre au cours des prochaines années.

Car il reste d'autres combats tout aussi nécessaires : qu'on pense à notre système d'éducation et au taux ahurissant de décrochage ou encore à la dilapidation irresponsable de nos ressources naturelles, pour ne nommer que ceux-là.

LE CHANGEMENT : UN DÉBAT ENCORE PLUS LARGE

À l'automne 2002, l'ADQ était en tête dans les sondages. Les attentes face à notre parti étaient extrêmement élevées. Les risques de décevoir et de voir fondre nos appuis étaient donc très réels.

Comme je l'ai déjà mentionné, la prudence aurait été de faire le moins de vagues possible. Mais nous y sommes allés à fond de train avec nos idées neuves. Nous avons persisté.

Qu'on se le tienne pour dit, l'Action démocratique du Québec va continuer à promouvoir ses idées progressistes parce qu'il est absolument nécessaire de revoir en profondeur les façons de faire de l'État. En particulier en ce qui a trait à la prestation des services publics.

Nous sommes bien conscients que nous aurons toujours le fardeau de la preuve et que nos adversaires joueront immanquablement sur la crainte que le changement inspire aux gens. Le niveau de risque politique n'en sera que plus grand.

Inévitablement, nous prêterons le flanc aux attaques de nos adversaires. Mais nous poursuivrons notre marche, comme nous l'avons fait en cet automne 2002. Parce que cela fait partie de l'action politique, nous allons assumer cette responsabilité inhérente à la promotion du changement, même si cela peut se révéler parfois périlleux.

Parce qu'il faut toujours avoir le courage de ses convictions.

16

17

« L'Empire contre-attaque »

On reconnaît l'homme libre à ce qu'il est attaqué simultanément ou successivement par les partis opposés.

— Henry De Montherlant

L'ADQ brassait la cage, comme on dit, manifestement appuyée par la population qui avait élu trois députés adéquistes sur quatre aux dernières élections complémentaires. Du jour au lendemain, les deux vieux partis s'étaient retrouvés en situation de recul marqué dans les sondages. L'avenir de leurs chefs était même remis en question. L'*establishment* patronal, d'un côté, et les leaders syndicaux et leurs alliés, de l'autre, se sont inquiétés : ils n'avaient jamais pensé que l'ADQ pût émerger aussi rapidement. Nous non plus ! Ne nous ayant jamais pris au sérieux, ils n'avaient jamais envisagé de composer avec nous. Mais surtout, ils n'avaient aucune prise sur notre organisation.

Plus préoccupant encore pour les acteurs en place, la classe moyenne, la vache à lait de l'État, avait découvert en l'ADQ un parti politique pouvant se faire l'interprète de son ras-le-bol. Cette montée aussi puissante que soudaine bouleversait les paradigmes traditionnels.

Beaucoup de lobbys se sont sentis menacés. L'ADQ devenait un vecteur de changement « hors de contrôle », et plusieurs se sont découverts des intérêts convergents dans la lutte contre la progression de notre parti. L'*underdog* avait décidément pris trop d'avance et trop vite...

À l'Assemblée nationale, au lieu de questionner le gouvernement péquiste – c'était son rôle –, l'opposition libérale tirait à boulets rouges sur notre programme. Situation cruellement ironique : les débats que nous avions nous-mêmes soulevés avaient lieu sans que nous ayons droit de parole. Et les deux partis s'accordaient pour dénigrer notre position. Le critique libéral en matière de santé, par exemple, interpellait le ministre péquiste pour lui demander s'il allait interdire toute forme de privé dans la santé. Il offrait ainsi au ministre l'occasion de tenir un discours anti-ADQ. De questions en sous-questions, gouvernement péquiste et opposition libérale attaquaient notre position alors que nous n'étions pas autorisés à répliquer : c'était habile de leur part, ils tiraient avantage de la procédure parlementaire contre nous. Mais à cause des règles qui encadrent les débats à l'Assemblée nationale, l'ADQ se retrouvait littéralement bâillonnée et désignée coupable sans pouvoir même défendre son point de vue. Pendant ce temps, le gouvernement péquiste parvenait à soustraire toute une série de gâchis dont il était responsable à l'évaluation parlementaire normale en période préélectorale.

Mais en cette fin d'automne 2002, le gouvernement péquiste n'allait pas arrêter là ses manœuvres en vue d'esquiver l'examen de son bilan.

LA FONCTION PUBLIQUE ENRÉGIMENTÉE PAR LE PQ

Dans la foulée de cette charge anti-ADQ, le premier ministre Landry a transgressé la règle selon laquelle les ressources de l'État ne peuvent servir à des fins de politique partisane : son gouvernement a commandé à plusieurs ministères de passer au crible des pans complets du programme de l'ADQ afin d'y trouver des failles potentielles. Au lieu de les laisser remplir leur rôle administratif et travailler à offrir des services adéquats, on a ainsi mobilisé une armée de fonctionnaires payés à même les impôts des contribuables, et disposant de tous les chiffres et des ordinateurs de l'État, pour aider le PQ dans sa bataille contre l'ADQ.

Le chat est sorti du sac lorsque le journal Le Soleil a révélé, à la une, qu'une étude critiquant le programme de l'ADQ avait été réalisée par des employés du ministère de l'Éducation embrigadés par le Parti québécois.

Le chat est sorti du sac lorsque le journal *Le Soleil* a révélé, à la une, qu'une étude critiquant le programme de l'ADQ avait été réalisée par des employés du ministère de l'Éducation embrigadés par le Parti québécois. Aux questions que nous lui avons posées à ce sujet en chambre, le premier ministre a non seulement confirmé le fait, mais il en a remis, affirmant qu'il était justifié d'utiliser les ressources de l'État pour stopper la montée de l'ADQ, un parti dangereux.

Alors que plus d'un élève sur trois abandonnait – et abandonne encore – ses études avant la cinquième secondaire, le système d'éducation du Québec avait désespérément besoin, chaque jour, de l'énergie de chacune des compétences à sa disposition. Mais plutôt que de les libérer pour travailler à trouver des solutions aux problèmes, le PQ a préféré réquisitionner ces ressources pour les consacrer à ses œuvres partisanes.

Nous cherchions des remèdes. Le PQ commandait des rapports plutôt que de s'occuper du malade.

LES COUPABLES DÉNONCENT LE PORTEUR DE SOLUTIONS

Nous ne prétendions pas détenir *la* vérité, mais nous avions la conviction que les idées que nous présentions étaient bonnes, qu'elles enrichissaient la réflexion. Le *statu quo* n'avait plus sa raison d'être et la population était mûre pour des solutions nouvelles.

Tous les observateurs avaient déjà constaté, comme nous, que le décrochage scolaire chez les jeunes était un problème extrêmement grave, que le système de santé ne tournait pas rond, que le taux de suicide élevé appelait une action, que le vieillissement de la population changeait la donne et qu'il fallait établir des ponts entre les générations.

Mais le PQ et, quand il en avait l'occasion, le PLQ matraquaient nos porte-parole comme s'ils étaient responsables de tous les problèmes du gouvernement. De toutes parts, les coupables dénonçaient le nouveau venu, le seul parti qui proposait des solutions et qui n'avait rien à voir avec les carences dont il était question. Pourtant, l'ADQ ne faisait que son travail constructif de « porteur de solutions » pour essayer d'améliorer les choses.

Dans plusieurs milieux, parce notre programme dérangeait l'ordre établi, on présentait nos propositions comme des calamités de nature à détruire des systèmes que chacun savait pourtant inefficaces et on considérait comme acceptables certains échecs retentissants des différents gouvernements. Oubliées les listes d'attente scandaleuses en santé, normal le taux inacceptable de décrochage scolaire... C'était le monde à l'envers !

Alors que nous n'avions jamais exercé le pouvoir, donc que nous ne portions aucune responsabilité par rapport aux ratés du système, on faisait le procès du programme de l'ADQ avec une rare férocité en niant des problèmes qui touchaient des dizaines de milliers de Québécois.

L'ADQ cherchait des solutions, consultait, proposait. Nous voulions que ça marche. Le gouvernement, en chute libre dans les sondages, cherchait plutôt à dénigrer l'ADQ.

« Parce que nous n'étions pas prêts », diront certains. J'ai des nouvelles pour ceux-là : si c'était vrai, et ça n'est pas prouvé, nous n'étions pas les seuls !

LES GROUPES DE PRESSION EMBOÎTENT LE PAS

J'ai toujours pensé que gouverner, c'est bien plus que de faire des arbitrages entre les intérêts des groupes de pression, en marge de l'intérêt général. Diriger un gouvernement, pour moi, c'est savoir faire les choix qui permettent de bâtir un meilleur avenir pour tous, avec le souci constant de préserver les intérêts de ceux qui ne sont pas représentés dans les débats publics : la classe moyenne.

Les sondages confirmant de mois en mois notre progression, les vieux partis criaient au loup. Les groupes d'intérêts qui les appuient traditionnellement – les centrales syndicales avec le PQ et certains lobbys patronaux avec le PLQ – se sont mis à craindre que l'ADQ ne prenne le pouvoir. En effet, notre parti n'avait aucun compte à leur rendre. Depuis sa fondation, l'ADQ avait délibérément choisi de se tenir à l'écart des groupes de pression, à la seule fin de conserver son indépendance de pensée et de servir l'*ensemble* des citoyens.

J'en profite ici pour faire une mise au point. La contribution des groupes d'intérêts aux débats sociaux m'a toujours paru essentielle. Comme les partis politiques, leurs membres sont animés par le désir du bien collectif et ils sont généralement motivés à combattre les injustices et les iniquités sociales. Mais je crois qu'il y a une limite à respecter. Trop souvent, on a vu des groupes de pression prendre le gouvernement en otage. Et plus souvent encore, on a oublié que le gouvernement est là pour représenter *tous* les citoyens, riches ou pauvres, jeunes ou vieux, Québécois « de souche » ou Néo-Québécois. Il n'y a pas un Québécois qui soit meilleur ou pire qu'un autre. La politique pratiquée correctement s'assure de préparer un avenir à tous et non d'arbitrer des marchandages entre lobbys, un jeu qui finit toujours par avantager le plus fort au détriment du plus faible.

> *L'ADQ cherchait des solutions, consultait, proposait. Nous voulions que ça marche. Le gouvernement, en chute libre dans les sondages, cherchait plutôt à dénigrer l'ADQ.*

Revenons à la période précédant les élections générales d'avril 2003. Pour des raisons qui leur appartiennent, les grands groupes de pression, tout particulièrement les centrales syndicales, se sont sentis menacés par l'ADQ. Certains ont même dépensé des sommes importantes pour faire campagne contre nous, au mépris de la loi électorale. Des leaders qui avaient dénoncé les dépenses électorales moralement répréhensibles du gouvernement fédéral lors des référendums ont posé des gestes de même nature et carrément illégaux pour nous attaquer au cours de cette période préélectorale.

Pour ces gens, il faut croire qu'au-delà de la justice, de la légalité et de l'équité la plus élémentaire, la fin justifie les moyens.

Finalement, ils ont été condamnés à des amendes qui représentaient moins de 1 % de l'argent investi contre l'ADQ. Des amendes « exemplaires » qui les ont sûrement terrorisés ! Qu'on me permette d'ironiser.

PROCÈS D'INTENTION ET CAMPAGNE DE PEUR

Avec l'imminence de la campagne électorale, les attaques contre le programme de l'ADQ et contre les personnalités qui lui manifestaient leur sympathie ont pris une allure d'inquisition. Par exemple, à cause de sa participation à notre congrès, Claude Castonguay, le père du système de santé québécois, a été accusé de vouloir favoriser les intérêts des compagnies d'assurances. Certaines organisations syndicales nous ont attaqués à coups de tracts mensongers. Le comble de l'ironie : la soi-disant « gauche » tenait au *statu quo* et ce qu'elle appelait la « droite » adéquiste prônait des changements en faveur du simple citoyen. Une vache n'y aurait pas trouvé son veau !

Le citoyen ordinaire s'y perdait. Nous avions beau avoir un programme défendant depuis toujours les intérêts du simple citoyen, la distance historique entre l'ADQ et les groupes de pression nous isolait.

La croisade anti-ADQ qui a précédé la campagne électorale de 2003 a fini par semer le doute dans l'esprit du citoyen. Le changement proposé par l'ADQ pouvait-il se réaliser dans l'harmonie ? Le Québec serait-il plongé dans un chaos social ?

Dans le prolongement de cette offensive, des professeurs et des employés d'hôpitaux se sont mis à dire qu'ils perdraient leur emploi si l'ADQ était élue... Ça rappelait les

> *La croisade anti-ADQ qui a précédé la campagne électorale de 2003 a fini par semer le doute dans l'esprit du citoyen.*

campagnes de peur des années 70 et 80, menées auprès des personnes âgées, à qui on faisait croire qu'elles risquaient de perdre leur pension de vieillesse si elles votaient pour le PQ, ce qui ouvrait la voie à l'option souverainiste. Ou encore, le « coup de la Brinks », un classique du genre : le 27 avril 1970, deux jours avant les élections, neuf camions blindés de la compagnie Brinks s'étaient alignés devant le Royal Trust, à Montréal, boulevard Dorchester (aujourd'hui René-Lévesque). Même si c'était tôt le matin, des photographes du quotidien *The Gazette* étaient là « par hasard ». Les camions étaient remplis de « boîtes de valeurs » qui fuyaient le Québec à destination de l'Ontario. Et comme « par hasard » encore, des caméras de télévision se trouvaient le long de la route... Ce coup avait réussi à effrayer les Québécois au point qu'ils ont donné à Robert Bourassa, le surlendemain, une confortable majorité de sièges.

Servies à la sauce 2003, les campagnes de peur faisaient leur chemin.

Ce dernier facteur, jumelé au tir croisé des vieux partis et des grands groupes de pression, est venu cimenter le barrage érigé pour stopper la vague adéquiste, par ailleurs déjà fragilisée par notre manque de ressources et de préparation.

Que les gens tiennent un débat politique sur nos propositions, c'est de bonne guerre. Mais que les vieux partis utilisent des moyens démesurés et puisent dans les fonds publics pour démolir notre programme, sans nous accorder le droit de réplique, le procédé manque d'élégance et prouve la médiocrité ainsi que le déficit d'esprit démocratique de ces vieux routiers devenus cyniques.

Par ailleurs, qu'on dépense l'argent de ses cotisants pour imprimer des tracts dans lesquels on affirme *le contraire de la vérité*, là, ça dépasse les bornes. Durant la campagne, j'ai eu les jambes sciées quand j'ai lu, dans un dépliant syndical, que l'ADQ voulait éliminer le soutien aux organismes communautaires. Pourtant, dans notre programme, depuis le congrès de fondation de 1994 et dans toutes campagnes électorales, notre parti a toujours exprimé sa volonté de soutenir davantage les groupes communautaires et de mettre à profit leur extraordinaire dynamisme, chacun dans son domaine. Il est vrai que l'ADQ a toujours défendu des solutions moins bureaucratiques, plus

> *Depuis le congrès de fondation de 1994 et dans toutes campagnes électorales, notre parti a toujours exprimé sa volonté de soutenir davantage les groupes communautaires et de mettre à profit leur extraordinaire dynamisme, chacun dans son domaine.*

près des gens, qui font appel à des intervenants habitués à « couper les cennes en quatre » pour en donner plus aux bénéficiaires. Exactement le profil des organismes communautaires.

Qu'un syndicat ait colporté, à coup de milliers de dollars d'imprimés, une telle fausseté inventée de toutes pièces, voilà qui mérite que nous nous interrogions sur l'utilisation qui est faite des cotisations syndicales.

L'ÉLECTEUR FINIT PAR DOUTER

Étant donné que nous n'avions pas réussi à définir clairement qui nous étions et le projet que nous portions, d'autres l'ont fait à notre place, sauf que ce n'était pas à notre avantage.

Après quelques mois de ces attaques venues de toutes parts, l'électeur avait, à la veille du scrutin, une image de l'ADQ complètement surréaliste : une espèce de bibitte grande mangeuse de petits enfants qui rêvait de fermetures d'écoles, une bestiole dirigée par une bande d'extrémistes aux idées incertaines, loin d'avoir les qualités nécessaires pour gouverner.

Cette image, faut-il le dire, n'avait rien à voir avec l'équipe que nous formions ni avec les membres de l'ADQ. Rien à voir non plus avec nos positions et les politiques que nous avions élaborées de congrès en congrès depuis 1994. Rien à voir avec la *réalité*.

Résultat : des milliers de gens épris de changement ont été calomniés sans aucun égard pour l'honnêteté de leur engagement.

Voilà comment on finit par décourager les gens de valeur de se lancer en politique. Voilà comment on réussit à convaincre la population d'opter pour le *statu quo*.

Quand on est au pouvoir et qu'on veut y rester, si on se sent menacé par une force montante qu'on ne peut pas contrôler, tous les moyens sont bons pour lui barrer la route, pour arriver à ses fins. Même le mensonge pur et simple.

Et quand plusieurs joueurs majeurs entonnent en chœur une même fausseté, le citoyen en vient à se dire qu'il n'a peut-être pas toute l'information qu'il lui faudrait.

L'électeur finit par douter. Et dans le doute, il s'abstient.

Comme plusieurs l'ont fait le 14 avril 2003.

17

18

AUTOMNE 2002 : CRISE DE CROISSANCE POUR L'ADQ

François Corriveau avait remporté l'élection partielle dans Saguenay. Deux mois plus tard, Marie Grégoire, Sylvie Lespérance et François Gaudreau gagnaient dans Berthier, Joliette et Vimont. En très peu de temps, l'ADQ est devenue un sérieux rival du Parti québécois et du Parti libéral. À l'automne 2002, des sondages nous plaçaient même en tête des intentions de vote, avec plus de 40 %. Le nombre de membres est passé d'une dizaine de milliers à près de 50 000 en quelques mois. Une croissance rapide, vertigineuse. Une réalité toute nouvelle avec laquelle nous devions désormais composer tandis que des élections pouvaient être déclenchées à tout moment.

Retour en arrière. Après un boum au début de son existence, soit en 1994 et 1995, notre parti a grandi lentement. Les élections de 1998 ont confirmé sa stature nationale avec, pour la première fois, un candidat dans chacune des 125 circonscriptions du Québec. Ce fut également l'occasion de ma première participation au débat des chefs, une expérience marquante.

Puis, en 2002, dans la foulée de nos victoires aux élections partielles, se produisit une croissance spectaculaire. En quelques mois, l'effectif de l'ADQ a quintuplé : de quelques dizaines de nouvelles adhésions par mois – un nombre qui nous paraissait élevé et plutôt encourageant pendant les premières années –, le rythme est passé à plusieurs centaines, voire des milliers, par semaine, presque du jour au lendemain. Le secrétariat général était débordé.

À LA GUERRE COMME À LA GUERRE !

La politique est un combat. Il faut d'abord, sur le terrain, une solide équipe de candidats soutenue par des ressources humaines, matérielles et financières suffisantes pour leur permettre d'affronter les adversaires. Rappelons-nous que le mot « campagne », qu'on emploie en période électorale, tire ses origines des opérations militaires qu'on menait, il y a plusieurs siècles, dans les champs et les campagnes de la France et de l'Italie.

Or, il faut toujours se le rappeler, une campagne électorale est *vraiment* une bataille.

L'ADQ se voyant consacrée par de nombreux observateurs comme le véhicule du renouveau par excellence, une armée d'aspirants désireux de participer à ce mouvement de changement se sont mis sur les rangs. Alors que nous avions besoin de 125 combattants, de 600 à 700 personnes se sont présentées. Beaucoup de monde, et peu de temps pour évaluer ces candidatures... alors qu'il nous fallait bien choisir nos officiers, circonscription par circonscription, et nous assurer d'avoir les meilleurs. Chaque jour qui passait, je sentais un peu plus le poids de la responsabilité du chef d'état-major : savoir sélectionner les bonnes recrues, en tâchant de ne surtout pas laisser passer les talents exceptionnels, tout en espérant avoir assez de clairvoyance pour reconnaître les engagements sincères et écarter les opportunistes strictement motivés par des sondages favorables.

À travers tout cela, plus on avançait et plus on se rapprochait de l'échéance électorale, plus il devenait possible que, contre toute attente, nous connaissions une victoire électorale. Dans les sondages d'opinion, nous étions toujours en tête, malgré les attaques incessantes de nos adversaires. Et j'avais beau ne pas vouloir y croire, l'éventualité pouvait se matérialiser.

Nous avions donc le devoir de regrouper les compétences nécessaires à la constitution d'une équipe capable de s'acquitter d'éventuelles fonctions ministérielles. Je ne me serais jamais pardonné d'avoir tant encouragé le désir de changement chez les Québécois pour les décevoir ensuite.

> *Nous avions donc le devoir de regrouper une équipe capable de s'acquitter d'éventuelles fonctions ministérielles. Je ne me serais jamais pardonné d'avoir tant encouragé le désir de changement chez les Québécois pour les décevoir ensuite.*

Il fallait faire vite en évitant le plus possible les erreurs. Mais elles étaient inévitables puisque nous nous engagions dans notre première bataille à grande échelle.

La croissance incroyable que nous vivions engendrait un tourbillon étourdissant. Jour et nuit, semaine et fin de semaine, on se marchait littéralement sur les pieds à notre bureau de Montréal, qui était devenu une véritable fourmilière et où une équipe devenue trop petite, compte tenu des besoins, essayait courageusement de s'organiser pour être en mesure de relever le défi de la campagne qui approchait. La même situation se répétait dans toutes les régions du Québec, partout où se mobilisaient nos partisans. Notre idéal nous a obligés à nous surpasser. Mais c'était une belle folie. Celle de gens qui sont allés au bout d'eux-mêmes, mus par la justesse de leur cause.

L'automne 2002, avec la restructuration complète de l'équipe de l'ADQ et le déménagement du siège social – rendu nécessaire par la croissance du parti et la préparation de la machine électorale –, a été une période extrêmement exigeante, sur le plan organisationnel. Il y a eu des ratés, évidemment. Des gaffes. Des problèmes techniques, à l'occasion. Des erreurs d'organisation.

Des ténors du parti ont fait des déclarations contradictoires qui ont été rapidement érigées en contro-verses. Et il y a eu aussi cette malheureuse histoire qui m'a profondément blessé à propos du lointain passé judiciaire d'un vieil allié qui nous a tous plongés dans

Au moment où les sondages indiquaient que l'ADQ recueillait plus de 40 % des intentions de vote, monter plus haut dans la faveur populaire devenait pratiquement impossible. Les risques de descente étaient donc plus que probables.

l'embarras par sa coûteuse erreur de jugement. Cet automne préélectoral n'a décidément pas été tous les jours facile. Mais nous avons tous appris.

Beaucoup, et à la dure.

TOUT CE QUI MONTE FINIT PAR REDESCENDRE...

L'objectif ultime d'une campagne électorale est d'obtenir l'appui de la majorité de la population.

Or, au moment où les sondages indiquaient que l'ADQ recueillait plus de 40 % des intentions de vote, monter plus haut dans la faveur populaire devenait pratiquement impossible. Les risques de descente étaient donc plus que probables. Une situation toujours inquiétante dans toute stratégie électorale.

Nous savions aussi bien que tout le monde que notre ascension vertigineuse risquait d'être comparée à une « balloune » dès le premier signe de fléchissement. Mais que pouvions-nous faire ? Demander aux gens de ne pas appuyer l'ADQ lorsqu'ils étaient sollicités par une maison de sondage ? Nous excuser de connaître du succès après une décennie de travail acharné ?

Nous n'avions pas choisi cette situation. Les événements nous l'avaient imposée. En fait, nous étions prisonniers d'une conjoncture sur laquelle nous n'avions aucune prise et qui résultait de la montée de la popularité de l'ADQ au cours des mois précédents.

Mais, selon le principe des vases communicants, dès que monte la popularité de l'un, celle de l'autre descend. C'est ce qui est arrivé au Parti québécois en période préélectorale. La perspective d'une cuisante défaite a poussé les stratèges du PQ à presser le bouton « panique »... et le gouvernement s'est mis à canaliser sa capacité financière, ses trente et quelques ministres et leurs suites ainsi que les ressources colossales de l'appareil gouvernemental pour se lancer en mode

« annonces » et , entre autres choses, mettre en marché la trouvaille de la dernière chance : la « semaine de quatre jours ».

Et la popularité du Parti québécois a commencé à remonter. Le scandale des lobbyistes, amis de Gilles Baril et de Bernard Landry lui-même, s'était estompé par le seul effet du temps.

L'automne avait été glissant pour l'ADQ. L'hiver ne s'annonçait pas mieux.

18

19

UNE ÉLECTION...
ET SI PEU DE PLACE
POUR LE DÉBAT D'IDÉES

Dans un tel contexte de volatilité du vote et d'une lutte à trois, la menace prochaine d'une guerre en Irak défavoriserait l'ADQ au profit des vieilles formations. [...] Avec le sentiment d'insécurité mondiale, les électeurs sont moins enclins à donner le pouvoir à des gens qui ont moins d'expérience en politique.

— *Jean-Marc Léger, président de Léger Marketing,*
Journal de Montréal, 13 mars 2003

Je l'ai dit au cours de la campagne et j'en suis encore convaincu : ce n'est pas un hasard si Bernard Landry a déclenché les élections en mars 2003, au moment même où les États-Unis lançaient l'assaut contre l'Irak.

Les maisons de sondage connaissent le phénomène : en période de crise internationale, même au niveau provincial, un premier ministre d'expérience a de quoi rassurer la population, et il remonte dans les sondages.

Une étude du sociologue Robb Willer, de l'Université Cornell, aux États-Unis, a d'ailleurs démontré que lorsque l'alerte antiterroriste grimpait, entre 2001 et 2004 (période de son étude), la cote de popularité de George W. Bush suivait le mouvement, augmentant en moyenne de près de trois points. Plus spectaculaire encore, après les attentats du 11 septembre 2001, la cote de popularité du président américain avait augmenté d'un coup sec – de 35 points ! –, passant de 51 % le 10 septembre à 86 % cinq jours plus tard.

Les stratèges du Parti québécois ont donc profité de cet anachronisme parlementaire, hérité du système britannique, qui permet au premier ministre de déclencher des élections selon son bon vouloir plutôt qu'à une date fixe, pour poser un geste d'un cynisme éhonté. Un geste indigne du parti démocratique que le PQ prétend être.

CHRONOLOGIE D'UNE OPÉRATION OPPORTUNISTE DE MAUVAIS GOÛT

Oui, le PQ a manqué de respect envers nos concitoyens : le jour du déclenchement des élections, en mars 2003, plusieurs milliers de soldats américains étaient déjà en Irak. La date de l'invasion était connue. Un climat d'incertitude régnait. Des manifestations monstres pour la paix avaient déjà eu lieu un peu partout sur la planète, y compris à Montréal quelques semaines plus tôt. Aux États-Unis, on avait peur des armes bactériologiques que Saddam Hussein était censé avoir en sa possession. La fébrilité était palpable dans les médias. La crise s'installait à coup sûr.

Voyant la guerre arriver à grands pas, et sachant que cet affrontement allait occuper tout l'espace médiatique normalement dévolu à la campagne électorale, le haut commandement du Parti québécois s'est empressé de profiter des avantages du pouvoir pour mener une précampagne électorale, *avant*, donc, que le voile de la guerre ne vienne masquer le débat politique québécois. Trois semaines de généreuses promesses et annonces engageant de l'argent qui n'existait pas, une nouvelle image, et hop !

Subitement, la satisfaction à l'égard du gouvernement a connu une hausse. Du jamais vu, disaient les sondeurs. Mais on n'en avait pas encore fini avec le cynisme.

Le PQ a déclenché les élections le 12 mars, en plein psychodrame international, alors que se durcissait, jour après jour, le bras de fer entre

> *Le haut commandement du Parti québécois s'est empressé de profiter des avantages du pouvoir pour mener une précampagne électorale, avant, donc, que le voile de la guerre ne vienne masquer le débat politique québécois.*

l'Irak et la Maison-Blanche. Exactement une semaine plus tard, le 19 mars, ainsi que le président Bush l'avait annoncé, les États-Unis attaquaient Bagdad. Ce matin-là, feignant la surprise et la consternation, Bernard Landry, celui qui aurait pu attendre quelques semaines avant d'envoyer ses compatriotes aux urnes, a demandé de suspendre momentanément la campagne. Et pour être bien sûr de dramatiser encore un peu la situation et pour jouer au chef d'État responsable, il a convoqué un point de presse où il est allé jusqu'à rassurer les gens sur la sécurité alimentaire des Québécois. Malgré la situation internationale difficile, y avait-il, au Québec, des gens qui, ce matin-là, craignaient réellement pour les approvisionnements de nourriture au Québec ? Il fallait, question de mettre toutes les chances de son côté, faire en sorte d'inquiéter les gens pour être en mesure de jouer la carte du bon premier ministre rassurant. Un triste vaudeville !

LE CYNISME DU PQ PASSE COMME UNE LETTRE À LA POSTE

Lorsque j'ai manifesté mon indignation de voir le premier ministre s'abaisser à ce point, Bernard Landry m'a aussitôt donné la réplique en jouant la vierge offensée. Pourtant, n'avait-il pas dit, publiquement, qu'il ne déclencherait pas d'élections en temps de guerre ? Malheureusement, plusieurs observateurs lui ont emboîté le pas, soit par ignorance, soit par complaisance. Bref, il relevait du tabou de révéler ce que le président du Parti québécois savait, avait probablement déjà mesuré, et qu'il comptait utiliser pour éviter le jugement des électeurs sur les neuf années d'usure de son gouvernement.

Mais sur le plan éthique, cette manœuvre – car je suis convaincu que c'en était une – restera toujours inacceptable.

C'est probablement à ce genre de comportement bassement partisan que pensait René Lévesque, le fondateur du Parti québécois, lorsqu'il parlait des partis politiques qui vieillissent :

> *Mais les partis appelés à durer vieillissent généralement assez mal. Ils ont tendance à se transformer en églises laïques hors desquelles point de salut et peuvent se montrer franchement insupportables. À la longue les idées se sclérosent, et c'est l'opportunisme politicien qui les remplace. Tout parti naissant devrait à mon avis inscrire dans ses statuts une clause prévoyant qu'il disparaîtra au bout d'un certain temps. Une génération ? Guère davantage, ou sinon, peu importe les chirurgies plastiques qui prétendent lui refaire une beauté, ce ne*

sera plus un jour qu'une vieillerie encombrant le paysage
politique et empêchant l'avenir de percer.
— *René Lévesque,* Attendez que je me rappelle, *1986.*

Si le PQ veut faire mentir René Lévesque et retrouver son aura de parti démocratique auprès de la population du Québec, il aura du travail à faire.

GRAND SOLDE DE RÊVES... À LA FAÇON PÉQUISTE

Le PQ m'a toujours surpris. Lorsqu'il était au pouvoir, il se comportait souvent comme un parti néolibéral. Ce n'est pas moi qui le dis, ses propres militants ont toujours reproché aux dirigeants du parti de s'éloigner des grandes causes sociales entre les élections. En revanche, en période préélectorale, marketing oblige, les projets sociaux-démocrates reviennent à l'avant-scène.

C'est ce que le PQ a fait en 2003 en lançant la promesse la plus inconséquente de son histoire : la semaine de quatre jours pour tous les parents d'enfants de moins de 12 ans dès janvier 2004 ! Je le cite : « Notre engagement est sans équivoque, et il est clair aujourd'hui qu'un vote pour le Parti québécois le 14 avril sera un vote pour la semaine de travail de quatre jours. ». Il venait de donner le ton.

Quelle trouvaille ! Il avait sûrement fallu des recherches poussées et des sondages d'opinion précis pour démontrer que les gens aimeraient mieux travailler quatre jours plutôt que cinq ! Mais quelle irresponsabilité aussi. En évaluant après coup combien coûterait cette promesse, on s'est vite rendu compte que, juste chez les infirmières, cette mesure aurait eu un effet encore plus marqué que les mises à la retraite massives des années 90. Et ce n'était là que la pointe de l'iceberg !

Mais pour un coup politique, c'en était tout un ! C'était un engagement comparable à l'abolition de la taxe sur les produits et services (TPS) promise par Jean Chrétien pendant toute une campagne électorale, promesse qu'une fois au pouvoir et après avoir réalisé l'importance des coûts en cause, il s'est empressé de renier.

Chez les vieux routiers du PQ, on savait qu'un gros coup, un très gros coup, ça peut marcher. Un dicton qui a cours dans le milieu médiatique dit que plus le mensonge est gros, plus les chances qu'il soit cru sont grandes. Dans ce cas-ci, le mensonge était très gros. La semaine de quatre jours du PQ annonçait le plus important changement à la législation du travail de l'histoire du Québec et laissait entrevoir l'un des bouleversements sociaux les plus considérables depuis des décennies. Où étaient les études ? Quelle incidence un tel programme aurait-il sur l'ensemble de la société, sur les entreprises, sur les écoles ?

La semaine de quatre jours du PQ annonçait le plus important changement à la législation du travail de l'histoire du Québec et laissait entrevoir l'un des bouleversements sociaux les plus considérables depuis des décennies.

Cette promesse improvisée – Pauline Marois, la ministre des Finances, en principe responsable du dossier, n'était même pas au courant la veille de l'annonce –, c'était une pure fumisterie électorale indigne du parti de René Lévesque. A-t-on entendu un seul membre du PQ reparler de cette idée ? Un silence éloquent. Preuve que le PQ est devenu une simple machine de pouvoir et qu'il est prêt à tout pour se maintenir en poste.

L'écran de fumée du Parti libéral

Lorsqu'on interrogeait Jean Charest sur le programme libéral, il donnait toujours la même réponse : « Nous avons présenté notre programme l'an passé. Augmentation des budgets en santé et en éducation, un milliard de baisses d'impôt chaque année et des coupures pour le reste. »

Et qu'en était-il de ses idées pour préparer l'avenir et nous assurer d'une meilleure gestion ? Réponse de Jean Charest : « Nous avons présenté notre programme l'an passé. Augmentation des budgets en santé et en éducation, un milliard de baisses d'impôt chaque année et des coupures pour le reste. »

Le débat d'idées à la manière libérale battait son plein.

Comprenant que le rouge n'était pas à la mode, les libéraux ont décidé d'adopter la stratégie du « blocus publicitaire » systématique. Plutôt que de proposer une vision, ils s'employaient, par leur slogan de campagne, à occulter le vide désespérant de leur démarche politique : la minceur de leur plateforme électorale souvent soulignée, notamment lors de la défection fracassante d'un des principaux responsables du programme, Jean David, qui a décrit Jean Charest comme une « coquille vide » ; leur cadre financier maintes fois dénoncé comme étant parfaitement irréaliste, ce que les événements ont corroboré depuis. En effet, comme on le sait maintenant, le gouvernement libéral n'a jamais été en mesure de remplir ses engagements, malgré une économie extrêmement stable et sans soubresauts majeurs, du moins jusqu'au moment de rédiger ces lignes.

« Nous sommes prêts ! » L'écran de fumée d'un parti politique en déroute pour cacher sa triste vacuité. Une autre *tromperie* politique tellement grosse que personne ne l'a vue ! On s'en est rendu compte seulement après l'élection, lorsque le désastre est devenu évident. Car, malheureusement pour mes compatriotes, à force d'imprimer ce slogan sur des dizaines de milliers d'affiches et sur des millions de dépliants, à force de le répéter sur toutes les tribunes, à la radio et à la télévision, les libéraux ont réussi à camoufler leur plus grande faiblesse : *ils n'étaient pas prêts*.

> *Pour moi, une campagne électorale doit non seulement être le moment, pour le gouvernement sortant, de rendre des comptes à la population, mais aussi celui, pour les aspirants au pouvoir, de proposer de nouvelles avenues pour faire avancer l'État.*

Le Parti libéral avait eu du mal à recruter des candidats au moment où il arrivait au troisième rang dans les sondages. Son programme électoral se résumait à « des augmentations de budgets en santé et en éducation tout en baissant l'impôt de 27 %... ». De l'argent qui n'existait pas, de toute façon. Et des prévisions budgétaires relevant des contes de fées, ne prévoyant aucune réserve pour les surprises de fin de mandat du gouvernement précédent. Quant à ce qu'il voulait bâtir une fois arrivé au pouvoir, on n'en a jamais rien su.

SI PEU DE PLACE POUR LE DÉBAT D'IDÉES

Le jour du scrutin, contrairement à ce qu'il affirmait, le PLQ n'était pas prêt. Aujourd'hui, on peut juger l'arbre à ses fruits. Son chef, Jean Charest, a induit tout le monde en erreur. Tellement que, dans les nombreuses manifestations contre le gouvernement, est apparu un slogan : « J'ai jamais voté pour ça ! »

Les vieux partis n'en sont plus à utiliser des techniques de mise en marché pour présenter une vision politique sous son jour le plus attrayant, ce qui serait de bonne guerre. Leurs façons de faire mettent maintenant à profit les techniques de marchandisage les plus poussées pour élaborer et évaluer des engagements électoraux en fonction des attentes des différents groupes sociaux. Il n'est donc pas surprenant qu'au lendemain de promesses faites sur cette base les gens soient déçus. Car, dans l'état actuel des finances publiques, on ne peut plus se lancer dans les programmes miracles : on a tout juste les moyens de réorienter l'action gouvernementale vers une rationalisation des dépenses de l'État.

Les tours de passe-passe et les promesses en l'air sont des procédés qui ne peuvent que se retourner contre ceux qui en usent en vue d'appâter grossièrement la population.

Le gouvernement de Jean Charest nous l'a prouvé hors de tout doute. En ce qui concerne les débats d'idées, lors de la campagne de 2003, le PLQ nous a tous mystifiés. Nous n'avons rien vu passer. Pas surprenant, il n'y avait rien à voir.

Un vieil adage dit qu'on a le gouvernement qu'on mérite. Mais tout de même. Méritions-nous vraiment celui-là ?

TRENTE-TROIS JOURS DIFFICILES

Pour l'ADQ, l'automne 2002 et l'hiver 2003 ont constitué un moment privilégié pour exprimer nos idées puisque notre position de tête nous offrait une occasion remarquable pour le faire. Car, pour moi, une campagne électorale doit non seulement être le moment, pour le gouvernement sortant, de rendre des comptes à la population, mais aussi celui, pour les aspirants au pouvoir, de proposer de nouvelles avenues pour faire avancer l'État.

Alors qu'au printemps 2002 notre popularité croissante dans les sondages nous propulsait vers le haut, quelques mois plus tard, nous vivions exactement l'inverse : notre descente, abondamment commentée dans l'actualité, nous refoulait vers le bas. Nous étions irrémédiablement engagés dans un mouvement descendant qui s'amplifiait de semaine en semaine.

C'est dans ce contexte que nous sommes entrés en campagne électorale.

La baisse de notre popularité nous a entraînés dans une dynamique où, au lieu de faire valoir nos idées, il nous fallait commenter notre chute. Plus notre glissade se confirmait, plus elle devenait le centre de la couverture médiatique qu'on nous faisait et moins nos idées politiques semblaient présenter un intérêt digne de mention. Dans un univers de plus en plus dominé par une actualité en mal de nouvelles sensationnelles, notre descente était devenue une bonne histoire en soi.

Nous vivions une spectaculaire dégringolade sur laquelle nos adversaires ont évidemment misé. En temps de guerre, on ne ménage surtout pas l'ennemi. S'il trébuche, il faut s'assurer qu'il ne se relèvera pas.

Déclenchée le 12 mars pour un scrutin le lundi 14 avril 2003, cette campagne électorale ne s'accompagna finalement jamais du débat d'idées qui devrait, à mon avis, précéder toute élection générale, ce rendez-vous auquel sont conviés, tous les quatre ou cinq ans, les électeurs québécois.

Trente-trois jours difficiles qu'a duré ce combat. Il a été dur. Il a été implacable.

19

20

14 AVRIL 2003 :
LA POPULATION TRANCHE

Seul parti à avoir recueilli un plus grand nombre de votes qu'à l'élection générale précédente, l'ADQ a vu le pourcentage des suffrages en sa faveur passer de 12 % à 18 %. Et pour la première fois de son histoire, elle a fait élire quatre députés à l'Assemblée nationale à l'occasion d'une élection générale. Mais les espoirs des mois précédents avaient atteint des sommets si élevés que notre progression a pris des airs de raclée. Par ailleurs, le verdict de la population me plaçait devant une évidence : même à quatre députés, nous entreprenions une autre difficile traversée du désert.

Malgré toutes les difficultés, la campagne électorale de 2003 a constitué un grand pas en avant pour l'ADQ.

Bien que nous ayons connu quelques ratés, nous avons mis sur pied, en quelques mois seulement, une redoutable force de frappe électorale : de 10 000 à 15 000 militants déterminés dans toutes les circonscriptions du Québec. Des sympathisants qui n'ont jamais lâché, en dépit de la volée de bois vert à laquelle nous avons eu droit en cours de campagne.

Nous avons présenté une équipe qui constituait, j'en ai encore l'intime conviction, un remarquable groupe de personnes pour prendre les rênes du gouvernement : Marie Grégoire, Sylvie Lespérance, François

Corriveau et François Gaudreau, nos députés sortants. Diane Bellemare, économiste, professeure honoraire à l'UQAM et ancienne pdg de la Société québécoise du développement de la main-d'œuvre, la Dr Joëlle Lescop, ancienne secrétaire générale du Collège des médecins du Québec, Pierre Brien, pendant dix ans député de la circonscription de Témiscamingue et ancien whip du Bloc québécois, Pierre Bourque, ancien maire de Montréal, François Pratte, comédien et écrivain, actif depuis plus de trente ans dans la colonie artistique québécoise, Judy Fay, directrice générale de groupes communautaires, longtemps impliquée dans le milieu scolaire, Manon Saint-Louis, gestionnaire et spécialiste en redressement d'entreprises, Guy Laforest, professeur de science politique à l'Université Laval et président du parti, Hubert Meilleur, maire de Mirabel et militant de la première heure, pour n'en nommer que quelques-uns parmi notre formidable bassin de compétences, des personnes qualifiées et dévouées autant que moi à l'avancement du Québec.

Nous avons effectué, au cours des 33 jours de campagne, une tournée au cours de laquelle nous sommes allés dans la rue pour rencontrer les gens, loin des activités contrôlées menées par les partis traditionnels.

Nous avons présenté une équipe qui constituait, j'en ai encore l'intime conviction, un remarquable groupe de personnes pour prendre les rênes du gouvernement.

Ces sorties constituaient d'ailleurs pour moi les meilleurs moments de la journée, entre les difficiles points de presse où, la plupart du temps, je me voyais forcé à commenter le dernier sondage confirmant notre incessante glissade.

Et, à travers tout cela, j'ai ressenti une profonde frustration devant la tournure de la campagne qui, dominée par l'« histoire » de notre descente, ne nous a jamais permis de défendre et d'expliquer les points de vue pour lesquels nous nous battons depuis tant d'années. Cette campagne électorale de 2003 fut pour moi un long rendez-vous raté avec nos électeurs.

LA SOIRÉE POLITIQUE LA PLUS DIFFICILE DE MA VIE

Le 14 avril 2003, quatre minutes après avoir reçu la confirmation de la défaite de Marie Grégoire dans Berthier, la dernière des piliers de l'ADQ qui résistait encore, j'étais debout, devant les caméras, pour prononcer le discours le plus éprouvant de mon parcours politique. J'étais triste pour mes quatre collègues des derniers mois à l'Assemblée nationale qui avaient tous mordu la poussière. Je l'étais aussi pour ces nombreux candidats talentueux et dévoués qui venaient de perdre, *dans plusieurs cas par quelques centaines de votes seulement*, et la plupart du temps dans des châteaux forts de l'un ou l'autre des vieux partis.

Une campagne différente aurait-elle pu tourner autrement ? « Avec des "si", dit le proverbe, on mettrait Paris en bouteille. »

Après les fous espoirs de l'automne précédent, la défaite faisait mal, surtout parce que tous nos députés sortants avaient été balayés. Mais nous pouvions tout de même nous réjouir, car non seulement le pourcentage des votes en faveur de l'ADQ avait-il fait un bond spectaculaire de 12 % à 18 %, mais encore, pour la première fois, l'ADQ avait fait élire plus d'un député dans le cadre d'une élection générale. De mon côté, j'avais été réélu dans ma circonscription de Rivière-du-Loup avec l'une des plus imposantes majorités au Québec, et trois autres députés m'accompagneraient dorénavant à l'Assemblée nationale : Sylvie Roy, Janvier Grondin et Marc Picard.

Ce soir-là, j'ai prononcé les mots d'usage en affichant toute la sérénité dont j'étais capable dans les circonstances, sans dissimuler mes états d'âme. Ensuite, accompagné de Marie-Claude, je suis allé rejoindre nos partisans. Ils avaient des airs de survivants d'une catastrophe naturelle ou d'un bombardement. Tant d'énergies, tant de convictions, tant de labeurs venaient de tomber à plat... Résultat d'une campagne en partie ratée, sans doute, mais surtout le fruit d'un système électoral qui favorise indûment le bipartisme.

> *J'étais triste pour mes quatre collègues des derniers mois à l'Assemblée nationale qui avaient tous mordu la poussière. Je l'étais aussi pour ces nombreux candidats talentueux et dévoués qui venaient de perdre, dans plusieurs cas par quelques centaines de votes seulement.*

Comment, en effet, représenter adéquatement plus de 18 % des électeurs avec seulement 3 % des sièges – 4 sur 125 – alors que, de surcroît, nous serions à la merci du bon vouloir des deux vieux partis puisque nous n'avions pas obtenu 20 % des suffrages, le seuil à partir duquel un parti est reconnu comme groupe parlementaire à l'Assemblée nationale, avec tous les avantages que cela comporte. Dans le contexte, je réalisais combien il serait ardu de remplir le mandat que des centaines de milliers de nos concitoyens – près de trois quarts de million – venaient de nous confier.

Je ne savais pas à ce moment à quel point j'avais raison de craindre la mesquinerie de nos adversaires – j'y reviendrai plus loin. Mais une chose est sûre : j'ai compris douloureusement que les règles de la représentation de l'Assemblée nationale allaient à l'encontre de l'équité la plus élémentaire. Mais pas seulement pour nous. Une situation injuste pour tous ces Québécois qui avaient voté pour l'ADQ.

On comprendra aisément ici l'importance que j'accorde à l'adoption de règles électorales propres à refléter adéquatement les résultats d'une élection. Et on ne sera pas surpris d'apprendre que je m'engage formellement, dès qu'un gouvernement adéquiste sera porté au pouvoir, à modifier en profondeur ces règles qui sont une insulte à la démocratie. Pas dix ans plus tard. À la première occasion. Comme René Lévesque l'avait fait pour la langue et le financement des partis politiques.

L'ADQ A DES PRINCIPES

À la fin de la campagne électorale, beaucoup de nos électeurs avaient confié à nos candidats que leurs convictions, leurs idées et leurs valeurs les poussaient d'abord vers nous, mais que, pour différentes raisons – j'en parle ailleurs –, ils voteraient plutôt pour le Parti libéral afin d'être sûrs de se débarrasser du Parti québécois. « Un vote pour l'ADQ, c'est un vote pour le PQ », avaient-ils entendu de la bouche de Jean Charest, au débat des chefs. Et malheureusement, ils l'ont cru. Leur petite croix tracée à côté du nom du candidat libéral devenait un « vote stratégique ». Utilisée dans un système qui protège le bipartisme, la tactique a très bien marché.

À l'ADQ, jusqu'à la fin de la campagne, nous avons continué à dire la vérité, même lorsque les gens trouvaient difficile de l'entendre. Par exemple, nous tenions à parler de l'importance d'avoir un programme rigoureux de remboursement de la dette ou d'adopter des mesures vigoureuses pour nous préparer adéquatement au vieillissement de la population. Nous étions convaincus qu'il fallait en parler... et nous en avons parlé. Il aurait été facile de faire miroiter toutes sortes de choses à la population en usant de démagogie, de prendre des engagements irréalistes, quitte à annoncer, après coup, que nous n'avons pas les moyens de les tenir... Mais nous n'étions pas le PQ ni le PLQ.

J'ai quitté le Parti libéral parce qu'il était dans sa culture même de ne pas respecter sa parole et ses engagements. Cela s'est confirmé à plusieurs reprises dans notre histoire politique : au pouvoir comme dans l'opposition, un gouvernement libéral n'a pas de principes ni de scrupules. Est-ce que les électeurs croyaient vraiment que le parti s'était repenti sous Jean Charest ? Pour ma part, j'ai toujours été convaincu, pendant toute la campagne électorale et depuis le jour de l'élection, que mes concitoyens du Québec allaient, une fois de plus, être déçus par les fausses promesses d'un vieux parti plus assoiffé de pouvoir qu'animé par un idéal à réaliser. Je ne me suis pas trompé : le nouveau premier ministre a retourné sa veste si rapidement et si fréquemment qu'avant même la fin de la première année de son mandat il passait pour « l'homme qui abat ses promesses plus vite que son ombre ».

L'ADQ MIEUX OUTILLÉE POUR DÉFENDRE LE QUÉBEC

Même si nous avons subi une défaite ce 14 avril, nous en sommes sortis renforcés. Pourquoi ? Notre parti a récolté deux fois plus de votes qu'aux élections précédentes – c'est le seul à avoir fait des gains, les deux autres ont *perdu* des électeurs –, son effectif s'est retrouvé multiplié par cinq, un nombre remarquable d'individus talentueux et de personnalités publiques ont fait le saut pour rejoindre nos rangs et se sont portés volontaires pour défendre nos idées. L'addition de toutes ces énergies et la mise en commun ponctuelle de cette panoplie d'expériences et de compétences ont enrichi de façon extraordinaire l'ADQ pour l'avenir.

En 2003, l'ADQ a perdu la joute électorale, mais nous avons fait des gains considérables sur le plan organisationnel. Nous possédons maintenant des compétences et un savoir-faire reconnus qui pourront nous amener plus loin. Car nous sommes maintenant, tous en conviennent, plus forts et plus aguerris.

> *En 2003, l'ADQ a perdu la joute électorale, mais nous avons fait des gains considérables sur le plan organisationnel. Nous possédons maintenant des compétences et un savoir-faire reconnus qui pourront nous amener plus loin. Le paysage politique du Québec compte maintenant trois grands partis plutôt que deux.*

Le paysage politique du Québec compte maintenant trois grands partis plutôt que deux.

Notre parti est capable de rivaliser avec les partis traditionnels, comme nous l'avons démontré de façon éclatante 18 mois plus tard en faisant élire, contre toute attente, un cinquième député, Sylvain Légaré, dans la circonscription de Vanier, à Québec. Dans un contexte difficile où il fallait se relever et rebondir, nous avons réussi à nous imposer et à remporter une victoire décisive avec 48 % des suffrages exprimés. Nous avons appris de nos erreurs. Nous sommes organisés. Nous connaissons les règles du jeu.

L'Action démocratique du Québec a aujourd'hui atteint l'âge adulte.

PRENDRE DU RECUL POUR MIEUX COMPRENDRE

Après les sommets de popularité qui avaient placé, en 2002, l'ADQ en position de tête, ce fut pour nous un triste retour à une réalité que nous avions crue révolue. Au lendemain du scrutin, les quatre prochaines années s'annonçaient extrêmement laborieuses. Encore.

Deux mois après l'élection, nous avons tenu un premier conseil général afin de resserrer les rangs et de préparer solidement l'avenir. Pour notre parti, il y avait dans cette élection générale d'avril 2003 toute une série de leçons à retenir.

C'est dans cet esprit que, dans les mois qui ont suivi l'élection, j'ai voulu prendre du recul pour mieux comprendre l'intense épisode politique que nous venions de vivre. L'été arrivait. Je reprenais enfin contact avec la « vraie » vie quotidienne d'un père de famille.

J'ai d'ailleurs souri lorsque des commentateurs ont donné toutes sortes d'interprétations de mon retrait temporaire de l'actualité. Ils auraient dû chercher des réponses plus simples, comme mon besoin de refaire mes forces après une année et demie d'activités intenses et ininterrompues ou mon désir, tout à fait légitime, de me consacrer à mes enfants. Je pense surtout ici à la petite Juliette, la dernière, née en plein cœur de la tourmente préélectorale et que j'avais par conséquent négligée. Une enfant de six mois que je connaissais à peine et qui, je venais de le réaliser, me faisait vivre une culpabilité lourde à porter après une course électorale aussi éprouvante.

J'ai donc pris du recul. J'ai réfléchi. J'ai pris des notes.

Et j'ai beaucoup appris.

20

Campagne électorale 2003

Le 14 avril 2003, l'ADQ recuille 18,2 % des voies et nous nous retrouvons 4 députés à l'Assemblée nationale : Sylvie Roy, Marc Picard, Janvier Grondin et moi-même.

CAMPAGNE ÉLECTORALE 2003

AUTOMNE 2004

Le 20 septembre 2004, Sylvain Légaré est élu
dans le comté de Vanier à la faveur d'une élection complémentaire.

J'AI APPRIS

21

L'INEXPÉRIENCE COÛTE CHER

L'expérience est la somme de nos erreurs.
— Anonyme

Comme le dit le dicton, « ce qu'on apprend péniblement se retient plus longtemps ». Et si l'expérience est la somme de nos erreurs, disons simplement que la campagne électorale 2003 a été l'occasion pour l'ADQ d'acquérir beaucoup d'expérience.

IL FAUT RÉPLIQUER COUP POUR COUP

« Qui ne dit mot consent », dit-on. En politique, il ne faut pas présumer que les affirmations grotesques des adversaires vont s'évanouir dans la nature. Même si elles peuvent nous apparaître complètement farfelues, ces allégations laissent une trace dans l'imaginaire, une empreinte qui risque de se retrouver amplifiée par l'effet naturel de la bulle médiatique de la campagne électorale. À chaque attaque non fondée du camp ennemi ou de leurs alliés, nous aurions dû répliquer coup pour coup. En voici quelques-unes parmi des dizaines :

Attaque n° 1 : « L'ADQ voulait adopter un système de santé à l'américaine. »

Nos adversaires ont utilisé cette phrase pour qualifier le système mixte que nous proposions, inspiré des systèmes présents dans plus de 30 nations industrialisées, notamment dans des pays réputés pour leur social-démocratie comme la France et les pays scandinaves. Ces systèmes *sont tout à fait à l'opposé de ce qui se fait aux États-Unis*. Alors, pourquoi le camp adverse a-t-il choisi de nous comparer aux États-Unis ?

Le rapprochement avec les États-Unis amenait les gens à penser que le système de santé public allait disparaître sous les adéquistes. On insinuait que puisque la mixité comprenait un *certain* apport du privé, le système public allait finir par disparaître. Fausseté ! Mais la stratégie a porté fruits. Certains de nos candidats ont entendu leurs enfants leur dire, au retour de l'école : « Notre prof a dit que la carte d'assurance-maladie serait abolie et qu'il faudrait payer pour se faire soigner si vous étiez élus. »

Considérant l'énormité de l'affirmation, nous avons laissé porter. Erreur ! On en a parlé plus tôt : plus le mensonge est gros, plus il risque d'être cru. Il ne faut jamais l'oublier.

Attaque n° 2 : « L'ADQ voulait couper le financement aux organismes communautaires. »

Mes propres parents se sont fortement engagés dans de nombreux organismes d'action bénévole. J'ai grandi dans l'engagement communautaire. Nous avions une candidate dans Laporte, Judy Fay, qui a été vice-présidente de l'ADQ, et qui travaille comme directrice d'un groupe populaire d'aide aux familles dans le besoin. Depuis la fondation de l'ADQ en 1994, notre programme a toujours prévu s'appuyer sur les organismes communautaires pour dispenser des services mieux adaptés à la réalité des gens sur le terrain. Les documents officiels sont là, les déclarations que nous avons faites toutes ces années en font foi.

Mais dans un débat public où les gens n'ont pas accès à toute l'information, et où ils prêtent foi aux affirmations de politiciens en se basant sur leur impression personnelle, tous les dérapages sont possibles.

« Une autre fois, mentez, mentez... il en restera toujours quelque chose », dit l'adage. Nous avons laissé aller les choses et la fausseté nous a collé à la peau. Une certaine perplexité a alors commencé à s'installer, même chez certains de nos sympathisants de longue date.

Attaque n° 3 : « L'ADQ voulait fermer 400 écoles. »

Qui a dit ça ? Où ?!! Je me suis battu pour empêcher la fermeture de plusieurs écoles de village, notamment celles de Sainte-Rita et de Sainte-Françoise, situées dans mon comté. J'ai toujours cru, et défendu avec force, que l'école est l'un des fondements d'une communauté et qu'elle fait partie des services essentiels que le gouvernement doit offrir à ses citoyens. Comment pouvait-on imaginer que notre équipe, formée de parents d'enfants d'âge scolaire, voulait fermer des écoles alors qu'elle prônait exactement le contraire ? Si le lecteur se demande d'où ça venait...

Cette désinformation venait-elle des ministres de l'Éducation, anciens et nouveaux, ceux-là mêmes qui, en poste pendant des années au gouvernement, n'ont jamais réussi à freiner le taux de décrochage catastrophique de nos élèves au secondaire (un taux de décrochage qui atteint maintenant, dans plusieurs régions, plus de 40 % chez les garçons. Presque un garçon sur deux. Quel désastre !) ? Était-ce tout simplement la résistance naturelle au changement devant notre volonté de transformer le système ? L'opposition un peu aveugle face à notre désir de donner plus de poids aux parents et aux enseignants ? Certains groupes avaient-ils peur de perdre le contrôle et le pouvoir ?

Attaque n° 4 : « Les bons d'études auraient favorisé les riches. »

Quel tête-à-queue intellectuel ! Tous les programmes de bons d'études, partout dans le monde, ont été établis afin d'aider les plus démunis. Ce sont les riches qui s'y opposaient, justement, parce que cette mesure les privait de leur privilège d'être les seuls à profiter des meilleures écoles.

Je suis le premier à accepter que l'application d'un programme de bons d'études dans notre système ne serait pas simple. Nous n'avons jamais prétendu que des bons d'études puissent s'avérer la solution miracle et universelle aux carences du réseau de l'éducation. Mais au moins, nous essayions de trouver des solutions à des problèmes apparus sous les gouvernements des vieux partis, ceux-là mêmes qui ont détérioré notre système d'éducation par leurs décisions inopportunes. Ils ont eu le culot de nous reprocher de proposer des solutions qui offraient davantage de choix à celles et ceux qui étaient attirés par des écoles mieux adaptées à leur personnalité et à leur culture.

Je viens d'évoquer là quelques exemples. Mais il y en a eu de nombreux autres.

Devant ces faussetés et la grossièreté de nombre d'autres accusations, je me disais toujours qu'il ne servait à rien de répliquer. Ces prétentions étaient tout à fait contraires à ce que nous affirmions depuis notre fondation, documents à l'appui. Nous étions convaincus que ces affirmations ne pouvaient pas passer la rampe puisqu'elles étaient contraires à la vérité.

Mais nous nous sommes trompés. Il fallait rendre coup pour coup.

Car même si les gens n'ont pas cru *chacun* de ces mensonges, ces derniers ont fini par se frayer un chemin dans l'inconscient collectif. Le doute était semé. La somme de toutes les petites peurs dispersées ici et là a fini par engendrer des inquiétudes. Et lorsqu'à l'occasion nous avons essayé de nous défendre, notre voix ne parvenait pas à s'imposer face aux tirs croisés des vieux partis et de leurs alliés.

Plus nous avancions durant la campagne, plus nous entendions : « Peut-être que l'ADQ n'est pas prête à gouverner... ». Et les électeurs ont commencé à penser que nous avions peut-être besoin de quatre ans de plus pour « prendre de l'expérience ». Ils nous le disaient sur le terrain.

IL NE FAUT JAMAIS LAISSER NOS ADVERSAIRES NOUS DÉFINIR

Avec le temps, nous avons clairement compris que le fait de laisser nos adversaires émettre des faussetés ou des demi-vérités sur notre compte, sans les réfuter vigoureusement dès leur allégation, nous faisait courir le risque de voir nos rivaux nous définir à notre place, de nous faire porter des valeurs qui n'avaient *rien à voir* avec les nôtres.

Et c'est malheureusement ce qui s'est passé.

Le déroulement effréné des événements, la crise de croissance que le parti vivait et le manque de ressources financières ont limité nos actions de précampagne. Malgré tout, il nous aurait fallu trouver les moyens de déployer les actions nécessaires pour déterminer, le plus rapidement possible, les contours du message d'espoir que nous avions l'intention de porter. La vision adéquiste devait s'incarner dans un projet clair et crédible auquel les gens pouvaient s'identifier et adhérer.

Nous n'avons pas su trouver la voie nous permettant de nous établir clairement dans la perception de la population. Nous avons cru que le simple fait de défendre une cause noble nous garantissait une écoute empathique de la part des électeurs. Mais la réalité de la « guerre » électorale nous a vite rattrapés : notre parti avait pris de l'altitude et nos adversaires étaient déterminés à le faire redescendre. Ils se sont appliqués à dénaturer notre programme.

Jamais nous n'avons été capables de ramener le débat où il devait être : sur le bilan désastreux du Parti québécois où trônaient les 800 millions du puits sans fond qu'est le métro de Laval, sur le scandale des ristournes à des proches de Bernard Landry, sur les quelque 200 millions du désastre socioéconomique de la Gaspésia ou sur les autres 200 millions en coûts excédentaires pour la construction du siège social de la Caisse de dépôt. Nous n'avons pas réussi à décrier les exemples du gaspillage quotidien des fonds publics comme les somptueux bureaux de Pauline Marois, incluant, bien sûr, ses salles de bains privées où elle a englouti plus de 800 000 $ en quelques semaines uniquement en aménagements (403 000 $ pour son bureau de Québec, 438 000 $ pour celui de Montréal... qu'elle devait partager avec des collègues, la pauvre).

> *Notre parti avait pris de l'altitude et nos adversaires étaient déterminés à le faire redescendre. Ils se sont appliqués à dénaturer notre programme.*

Nous avons voulu nous élever au-dessus de la mêlée. Mais le match électoral se joue sur le terrain. Nous avons payé cher notre inexpérience. L'ADQ a laissé toute la place à ses adversaires pour qu'ils mettent en exergue ce qui pouvait repousser ses sympathisants. Et ils ont réussi. Les résultats sont éloquents.

Nous avions des rêves pour un Québec qui reprenait de son élan perdu, près d'un demi-siècle après la Révolution tranquille. Mais nous n'avons pas pu les transmettre à nos concitoyens.

IL NE FAUT JAMAIS PERDRE DE VUE LE BILAN DU GOUVERNEMENT

Le fait de laisser nos adversaires critiquer notre programme sans contre-attaquer de façon systématique nous a placés sur la défensive, alors que, par définition, cette position revient au gouvernement sortant. Le tourbillon des événements nous a fait perdre de vue l'un des principes de base d'une campagne électorale : c'est le gouvernement qui doit défendre son bilan. C'est avant tout sur ce point que la population doit porter un jugement. Vient ensuite l'évaluation du parti pouvant le mieux assurer la relève.

La dynamique particulière de la campagne 2003 nous a cependant plongés dans un étrange paradoxe : les péquistes et leurs alliés ont tellement réussi à concentrer leur tir pour démolir les solutions que nous proposions, que des ministres se sont retrouvés libérés de leur devoir de justifier la série d'échecs de leur gouvernement. En effet, après neuf ans de pouvoir, ceux qui portaient la responsabilité de difficultés sociales et économiques majeures ont pu se permettre de critiquer les propositions de solutions de l'ADQ comme si elles étaient coupables de leur propre incurie. C'était le monde à l'envers !

Lors de cette campagne 2003, les attentes face à l'ADQ étaient énormes. Nos moyens, eux, limités. Pendant ce temps, le Parti libéral jouait en sourdine avec un programme beaucoup moins complet que le nôtre, attendant patiemment que le cycle de l'alternance fasse enfin son œuvre.

Dans un film, le jeune parti aurait pu triompher des forces adverses, envers et contre tout. Mais nous n'étions pas au cinéma comme me le rappelait souvent mon vieux complice André Lauzon dans l'autobus de tournée. La réalité nous rattrapait après quelques mois d'une bulle perceptuelle que nous n'avions jamais souhaitée. Et le résultat net s'avérait cruellement décevant.

Voilà, tout simplement, ce que nous avons vécu en 2003.

L'expérience est la somme de nos erreurs, dit-on. Manifestement, nous en avons fait plusieurs en seulement quelques mois. En d'autres mots, pour faire face à la réalité avec philosophie, disons que nous avons acquis beaucoup d'expérience en peu de temps.

21

22

LE MENSONGE POLITIQUE RESTE SOUVENT IMPUNI

La veille des élections,
il t'appelait son fiston
Le lendemain comme de raison,
y'avait oublié ton nom.

— *Félix Leclerc,* Attends-moi, ti-gars

Un enfant qui ment est puni. Un témoin qui ment à la cour est passible d'outrage au tribunal. Un constructeur automobile qui ment au public par le biais de l'une de ses publicités risque de coûteuses poursuites en plus de perdre sa réputation et ses clients. Dans certains pays, mentir peut conduire à la prison. Car dans les valeurs de notre société, mentir c'est commettre une faute.

Mentir aux contribuables pour obtenir leur vote de confiance le jour du scrutin est une faute plus grave encore, mais ce délit reste impuni dans notre pays. Pourquoi ?

Jean Chrétien a promis qu'il abolirait la TPS, la taxe de vente mise en place par le gouvernement de Brian Mulroney. Porté au pouvoir, il a prétendu n'avoir jamais fait cette promesse. Il a donc menti deux fois plutôt qu'une, et cela a été prouvé. En effet, les bandes vidéo de la campagne électorale avaient tout enregistré. Jean Chrétien n'a pourtant jamais été sanctionné pour ça. Pire, à l'élection générale suivante, il a été réélu. Énigme ! Et, bien sûr, la TPS n'a jamais été abolie.

On peut penser qu'à cause de situations comme celle-là, plusieurs personnes considèrent la politique comme une farce.

RENTABLE, MENTIR EN POLITIQUE ?

Les électeurs de tous âges s'entendent pour prétendre que la vieille politique a intégré dans son discours le mensonge à la population. Dans l'esprit d'un très grand nombre de contribuables, les promesses des candidats sont toujours de fausses promesses. Les mensonges politiques sont entrés dans nos mœurs, salués comme étant de bonne guerre, comme étant l'arme ultime d'une stratégie politique bien ficelée. Ça doit être un outil de marketing rentable, puisque les politiciens l'utilisent à répétition.

Jean Charest, lui, semblait si convaincu que la population croirait en ses promesses qu'il en a fait plus que tout le monde. Et tant pis si les citoyens deviennent, à chaque élection, un peu plus cyniques à l'égard de leurs représentants. Il faut prendre les moyens pour gagner !

Pendant quatre ans, tout le monde, aussi bien les politiciens et les journalistes que la population en général, s'entendait sur un point : il n'y avait aucune marge de manœuvre dans les finances publiques du Québec. Pourtant, à l'aube du déclenchement de l'élection, ce même Jean Charest s'est présenté devant la presse et il a affirmé aux journalistes présents, sans sourciller, qu'il allait mettre des milliards de dollars de plus en santé et quelques autres de plus en éducation. Tout cela en réduisant les impôts de manière radicale : un milliard de dollars par année, sans accuser de déficit !

Ignorant les critiques, ses promesses sont passées comme une lettre à la poste, de même pour son programme. Et hop ! Fini les remises en question ! Après l'élection cependant, il est devenu évident que promesses ou programmes n'allaient pas tenir la route.

J'en suis maintenant persuadé : la bulle médiatique des quelques semaines qui entourent une campagne électorale permet aux vieux partis d'entrer dans une valse des milliards qui réussit à faire croire à la population qu'on est riche. On en vient à prendre nos rêves pour des réalités, à s'imaginer qu'on possède l'argent pour se payer plein de choses qui nous sont dues (du moins dans notre esprit), des besoins que l'administration quotidienne des finances publiques n'a pas su combler, simplement parce qu'elle n'en a pas

> *Les mensonges politiques sont entrés dans nos mœurs, salués comme étant de bonne guerre, comme étant l'arme ultime d'une stratégie politique bien ficelée.*

la capacité ! C'est, pour moi, à partir de ce moment que la campagne croule dans un univers tout à fait irrationnel. C'est comme si, à tout prix, on voulait croire celui qui ment le mieux.

Pourtant, il faut se faire à l'idée : aucune vessie n'éclaire mieux qu'une lanterne.

LES PROMESSES EN L'AIR, LE GERME DE LA DÉCEPTION.

Le lendemain de l'élection, dans la culture des vieux partis évidemment, le nouveau premier ministre « découvre » le désastre financier, le trou « invisible » laissé par le gouvernement précédent. Et la comédie ou la tragédie recommence ! On repasse le vieux film !

Pensons-y deux minutes. C'est grave. Vraiment. Quand on va voir un spectacle, ça nous coûte cinquante dollars pour la soirée, on rit un bon coup et c'est terminé. Ce n'est pas pareil quand on doit payer, jour après jour, des taxes reliées aux folies de plusieurs campagnes électorales. On ne rit plus ! D'autant que certaines de ces lubies purement électoralistes finissent par se matérialiser et que les gouvernements subséquents en héritent.

Les politiciens peuvent toujours mentir, rien ne semble les rattraper. Mais les contribuables finissent toujours par payer les pots cassés. C'est assuré.

> *Les politiciens peuvent toujours mentir, rien ne semble les rattraper. Mais les contribuables finissent toujours par payer les pots cassés. C'est assuré.*

Il ne faut pas chercher beaucoup plus loin les causes de l'endettement démesuré du Québec. En 2005, on assume encore les conséquences de plusieurs engagements irresponsables pris il y a plus de 20 ans. Le paiement du stade olympique, l'une des dettes les plus considérables que le Québec n'ait jamais mises sur les épaules de ses contribuables, en est un bon exemple. Il est le résultat d'une série de promesses non tenues en matière de gestion responsable et d'autofinancement.

En 2003, le mensonge politique s'est révélé, une fois de plus, un raccourci pour gagner une élection. Il faudra bien un jour casser cette culture qui empoisonne notre démocratie. Seul un dialogue honnête avec les citoyens permettra au peuple québécois d'obtenir les changements de fond dont il a besoin pour grandir et s'épanouir.

L'ADQ veut installer ce dialogue depuis 1994.

Le mensonge politique n'est pas acceptable, c'est toute notre société qui y perd.

22

23

COMMENT
UN BAROMÈTRE QUOTIDIEN
PEUT INFLUENCER INDÛMENT
UNE CAMPAGNE ÉLECTORALE

Doit-on baliser la tenue de sondages en période électorale ? Je ne m'étais jamais véritablement penché sur le sujet. Mais la réalité m'a rattrapé avec l'élection générale de 2003 où tous les partis ont eu à vivre avec des sondages quotidiens, diffusés par le plus grand réseau de télévision et de journaux du Québec. Tous les experts qui se sont prononcés ont convenu que cette initiative a influencé grandement le déroulement de la campagne. C'est une question que plusieurs pays ont réglée en interdisant la parution des résultats de sondages d'opinion durant cette période. Doit-on les imiter pour favoriser un débat qui se ferait non sur la popularité des partis, mais plutôt sur leurs idées et surtout sur le bilan du gouvernement sortant ?

De nos jours, en temps d'élections, les sondages d'opinion jouent un rôle important auprès des électeurs. Combinés avec les feuilletons de nouvelles continues que sont devenues les tournées des chefs, les coups de sondes à répétition peuvent contaminer de façon insidieuse le geste posé dans l'isoloir. Les citoyens sont invités à jauger constamment leur choix et à le comparer avec celui de leurs concitoyens. Ils sont de plus littéralement encouragés à s'adonner à ce qu'on appelle « le vote stratégique ». On observe alors un effet de démobilisation de certaines clientèles lorsqu'une tendance est observée : « Mon parti tire de l'arrière par 12 points. Pourquoi aller voter ? »

Je ne suis pas le seul à penser que des sondages effectués fréquemment peuvent entraîner un effet important dans l'expression populaire. Même des sondeurs partagent mon questionnement, notamment le « père québécois » du baromètre quotidien :

> *La publication d'un baromètre quotidien a par contre des effets pervers. Le sondage devient non seulement un instrument de mesure mais aussi un acteur important de la campagne électorale. Il est certain que la publication de sondages influence l'ambiance générale de la campagne.*
>
> — L'influence des sondages. *Jean-Marc Léger,* Le Devoir, *vendredi, 18 avril 2003*

PROBLÈME D'ÉTHIQUE ?

L'équilibre démocratique nous préoccupe, mais dans le cas présent, un problème d'éthique saute aux yeux.

Léger Marketing a effectué de nombreux contrats pour des ministères, organismes et sociétés d'État des gouvernements de MM. Parizeau, Bouchard et Landry. Et pour ce dernier, même dans l'année précédant les élections générales de 2003.

Bien qu'on ne puisse reprocher à une firme de la taille de Léger Marketing d'obtenir des contrats gouvernementaux, on peut s'interroger sur la situation délicate dans laquelle elle se place en acceptant que son président commente publiquement un match électoral. L'un de ses clients, après tout, y participait. Un client qu'il avait informé ou conseillé au plus haut niveau stratégique.

Or, Léger Marketing est devenu, du jour au lendemain, l'un des commentateurs les plus vus, entendus, lus – et paradoxalement, au plan perceptuel, l'un des plus *objectifs* – de la campagne électorale 2003.

> **La démocratie, comme la justice, impose certaines règles : non seulement doit-il y avoir équité dans son exercice, mais il faut aussi préserver l'apparence d'équité.**

Drapés dans la présomption d'impartialité des médias, la vingtaine de sondages de Jean-Marc Léger, baptisés « baromètre quotidien », ont été publiés chaque jour dans le *Journal de Montréal* et le *Journal de Québec* – les quotidiens les plus populaires des deux principaux centres urbains du Québec et lus partout sur le territoire québécois – ainsi que dans *The Gazette*. Diffusées à répétition tant dans la presse écrite qu'électronique, l'analyse et l'opinion de Jean-Marc Léger faisaient office de référence crédible et objective sur l'allure de la campagne électorale. Chaque jour, ces sondages ont été présentés et commentés à heure de grande écoute avant d'être repris dans tous les bulletins de nouvelles du réseau TVA et de sa chaîne de nouvelles continues, LCN.

BALISER LES SONDAGES EN PÉRIODE ÉLECTORALE

La démocratie, comme la justice, impose certaines règles : non seulement doit-il y avoir équité dans son exercice, mais il faut aussi préserver l'*apparence* d'équité.

Nous l'avons vu plus haut, Jean-Marc Léger reconnaît lui-même que ses sondages ont influencé la campagne électorale de 2003. La démonstration a été claire.

Ne doit-on pas favoriser l'intégrité du processus électoral plutôt que la fébrilité de la divulgation de sondages ? Il me semble que les sondages se rapprochent plus du spectacle que du domaine des informations utiles pour notre processus démocratique.

Faut-il légiférer ? Non, je ne crois pas. Malgré toutes ces considérations, il serait plutôt risqué d'imposer des lois ou des règlements sur le sujet. On n'a qu'à penser aux interdits de publication de la Commission Gomery. Des révélations publiées sur un site internet américain ont finalement été reprises ici et diffusées à la grandeur du Canada. L'universalité du réseau internet et d'autres moyens de communication rendent toute balise coercitive difficilement applicable dans un monde où l'information est instantanée.

Devons-nous baisser les bras ? Non plus. Nous devons trouver le moyen d'encadrer raisonnablement les sondages en période électorale afin d'éviter que le processus démocratique ne s'en retrouve hypothéqué. Quand un parti est loin en avance ou tire de l'arrière, on se désintéresse du scrutin et la participation aux élections continue de baisser.

Il faut préserver le temps et l'espace dont les citoyens ont besoin pour forger leur propre opinion. La campagne électorale doit demeurer le rendez-vous démocratique attendu qui favorise les discussions sur les dossiers de fond. La population pourra ainsi choisir le bon gouvernement pour les quatre prochaines années. Il faut à tout prix éviter de se retrouver dans une espèce de jeu-questionnaire télévisé portant sur de simples enjeux de popularité.

Qui a le vrai pouvoir de redonner à la démocratie ses lettres de noblesse et aux citoyens la liberté de choisir en connaissance de cause ? Les seuls capables d'agir rapidement et directement sur les enjeux de dérive potentielle entraînés par les sondages à répétition sont les grands conglomérats de presse. S'ils le voulaient, ils pourraient, par exemple, choisir de se munir de balises en ce qui a trait à l'éthique, la fréquence ou le temps.

> *On observe un effet de démobilisation de certaines clientèles lorsqu'une tendance est observée : « Mon parti tire de l'arrière par 12 points. Pourquoi aller voter ? »*

En fait, les médias ont une obligation morale et leurs dirigeants doivent l'assumer. Tout comme ils ont compris l'importance de la tenue d'un grand débat par campagne, je les enjoins à se concerter pour établir des règles communes respectueuses de l'intérêt démocratique en matière de sondages d'opinion.

La sérénité du choix démocratique de la population doit prévaloir.

23

LES MÉDIAS : *BIG BUSINESS*

Particulièrement depuis l'émergence des stations de nouvelles continues, la puissante machine des médias est boulimique, vorace, affamée de nouvelles. On doit l'alimenter coûte que coûte. Et elle adore ce qui est juteux, sucré ou croustillant. Oui, les partis politiques lui fournissent volontiers de quoi la satisfaire, mais en raison des délais de parution, on retrouve souvent l'information rapportée partiellement, sans ses éléments de fond. Ne dit-on pas, en parlant d'une nouvelle, qu'elle doit d'abord raconter une bonne histoire ? Dans cette vision, l'incident secondaire mais savoureux prendra inévitablement le dessus sur un dossier étoffé mais moins spectaculaire.

À l'ère des *reality shows*, nous nous rapprochons des campagnes organisées en épisodes de politique-réalité complètement enregistrées dans les studios de télé. Ainsi, les sondeurs pourraient inviter les téléspectateurs à voter par internet et on vivrait toute l'intensité du scrutin en direct. On réduirait les coûts de nos campagnes actuelles, même si nous n'avons pas encore atteint les centaines de millions de dollars que nos voisins du Sud engouffrent dans leurs présidentielles. Je blague, mais à peine. Plus mes années en politique passent, plus je constate que le bras de fer en images que représente une campagne électorale sert très mal le débat d'idées. Et cela concerne tous les partis.

L'ANECDOTE QUI PREND LE DESSUS SUR LE DÉBAT DE FOND

Au-delà de la forme, il y a la question de fond. Pourrait-on utiliser les 30 jours de la campagne à discuter des quatre prochaines années de gouvernement plutôt que de commenter les résultats du dernier sondage – ou la contravention non payée d'un des 125 candidats du parti adverse ?

Au printemps 2003, j'ai espéré, pendant 30 jours, pouvoir amener nos idées politiques au cœur de la campagne jusque dans les salons de nos concitoyens. Au-delà des désagréments engendrés par les ratés de notre équipe, j'ai éprouvé une profonde frustration : celle de ne pas arriver à communiquer adéquatement notre programme, ce projet de société dont nous rêvions pour le Québec. Une réflexion que nos militants avaient mis des années à étoffer ! Des milliers d'heures de recherches, de rencontres et de discussions mises à contribution avaient donné lieu à nombre d'idées neuves sur les questions de fond touchant l'ensemble du Québec. Notre plate-forme électorale traitait de toutes les grandes questions : la santé, avec notre projet de système mixte, l'éducation, le vieillissement de la population, la famille, l'environnement, les relations de travail. Elle présentait la vision nouvelle de notre parti accompagnée de solutions bien concrètes, appuyées sur un cadre financier solide comme du béton, de l'avis même d'économistes de renom. Bref, l'ADQ proposait du contenu.

J'ai été déçu de constater qu'en raison de plusieurs facteurs, incluant nos propres manquements, la population québécoise n'avait pas pu prendre connaissance de nos positions face aux grands enjeux. Ici, je veux rassurer le lecteur. Je ne veux pas me présenter comme une victime des médias. Je veux simplement dire les choses comme je les vois, et témoigner de la réalité de la couverture d'une campagne électorale telle que je l'ai vécue, dans l'œil du cyclone.

J'avais toujours pensé que les grands médias faisaient de l'information lorsqu'ils rapportaient les activités des partis en campagne. J'ai compris qu'une élection constitue un temps fort parmi plusieurs autres dans l'univers médiatique. Un événement étalé sur 30 jours qui fournit souvent de bonnes histoires bien juteuses à raconter qui font le délice des gestionnaires de tirages et de cotes d'écoute. Un événement qui se termine dans un suspense digne des meilleurs films ! Comme pour le divertissement ou les sports, l'information entourant une campagne électorale fait maintenant partie du *business* des grands médias. On est cependant forcé de constater qu'elle s'éloigne du concept de rapporter, de façon impartiale et équilibrée, des événements publics tenus par les partis dans le but de documenter le mieux possible la population à la veille de faire un choix qu'on espère éclairé.

> *J'ai compris qu'une élection constitue un temps fort parmi plusieurs autres dans l'univers médiatique. Un événement étalé sur 30 jours qui fournit souvent de bonnes histoires bien juteuses à raconter qui font le délice des gestionnaires de tirages et de cotes d'écoute.*

En politique, le vrai patron, c'est la population. L'élection constitue l'évaluation périodique menant au renouvellement ou au non-renouvellement du contrat. Quel que soit le parti, les électeurs, qui sont des contribuables, ont le privilège d'accepter ou de rejeter ses propositions, croire ou non en ses promesses. Il m'est par conséquent très difficile d'admettre que, dans un pays évolué comme le nôtre, les semaines de campagne électorale servent plus à commenter des anecdotes, la plupart du temps secondaires, qu'à confronter la vision des différents partis en lice sur le fond des idées proposées.

Dans les salles de presse, chez les responsables de la programmation, et même dans les « war rooms » des partis politiques, on se convainc qu'on donne aux gens ce qu'ils veulent. Si on en juge par les taux de participation qui diminuent, ne serions-nous pas tous en train de faire fausse route ?

L'IMAGE QUI FRAPPE

Nos militants ont travaillé pendant des années. Ils ont documenté les sujets, fouillé les statistiques, regardé ce qui se faisait ailleurs dans le monde, trouvé des exemples de réussites pour imaginer des solutions que les Québécois auraient peut-être accueillies avec enthousiasme s'ils les avaient connues. Bref, en ce printemps 2003, les adéquistes avaient réalisé un travail considérable afin de mettre de l'avant des idées constructives et porteuses pour l'ensemble de notre collectivité. Malheureusement, la masse des électeurs n'a reçu que quelques fragments des informations que nous leur destinions.

Voici une image qui illustre mes propos. Nous tenions un point de presse à Saint-Ferdinand-d'Halifax, dans le comté de Lotbinière. C'était une journée importante de notre tournée. Devant plus de 400 personnes enthousiastes, nous allions enfin exposer à la société québécoise le fruit de notre travail en matière de politique pour les aînés. Malheur !

Le conducteur de notre autobus a pris le mauvais embranchement. Cette anecdote sans importance est devenue LA principale nouvelle concernant la campagne adéquiste ce jour-là : « L'autobus de l'ADQ s'est trompé de chemin ! ». Une manchette qui occultait complètement nos propositions concernant le mieux-être de nos aînés. Les personnes intéressées à connaître notre programme ont eu l'impression que notre parti ne se préoccupait pas du sort des personnes âgées. Elles ont su, par contre, que notre autobus avait été retardé ! Quel gain pour la démocratie.

> *Notre programme, ce projet de société dont nous rêvions pour le Québec, voilà une réflexion que nos militants avaient mis des années à étoffer ! Des milliers d'heures de recherches, de rencontres et de discussions mises à contribution pour donner lieu à nombre d'idées neuves.*

Quelques mois après l'élection des libéraux, des problèmes majeurs dans les centres hospitaliers de soins de longue durée ont été révélés par une série d'événements malheureux. L'ADQ avait des propositions minutieusement documentées sur cet enjeu dans ses engagements électoraux. Nous avons tenté de les transmettre à la population pendant la campagne, mais bien peu de gens ont pu en prendre connaissance.

Je veux bien prendre une part de responsabilité dans l'échec de la diffusion de notre message au cours de la campagne électorale de 2003. Mais je ne suis pas seul : tous les partis politiques vivent des frustrations sur ce plan. À tous les paliers de gouvernement, ici comme ailleurs, on se plaint depuis longtemps des regrettables raccourcis souvent empruntés dans la couverture de l'information. Or, si les principaux partis au Québec dénoncent à l'unisson une même réalité en présentant chacun des exemples éloquents, il doit bien exister au moins l'ombre d'un véritable problème.

D'un côté, les grands médias doivent vendre de la copie ou s'assurer de bonnes cotes d'écoute pour être rentables et continuer d'exister. Par contre, cette course effrénée à l'image forte laisse de moins en moins de place pour l'information et la confrontation des idées. Chaque topo de nouvelle doit être compressé au minimum de temps possible et atteindre un maximum d'auditoire, au même titre que les téléromans ou les émissions de variétés. L'exigence des cotes d'écoute oriente systématiquement la couverture médiatique sur les événements qui accrochent, au détriment des dossiers de fond plus complexes, plus arides, moins flamboyants. Cela est particulièrement dommageable pour la politique qui a déjà une image d'éclopée par les temps qui courent. Les médias concentrent invariablement leur attention sur les ratés, les événements malheureux ou cocasses, ce qui augmente le cynisme

Le citoyen moyen vit un désengagement aigu face à la politique ou au mieux y est froid. On ne le réalise peut-être pas vraiment, mais nous vivons en sourdine une crise importante.

et la désaffection de la population face à la chose publique. Il reste finalement bien peu de place pour parler de toutes les énergies investies par des milliers de militants à consulter, à penser, à discuter ou à mettre au point et rédiger un programme.

Cette situation, entre autres, décourage les personnes les mieux intentionnées à s'investir dans le service public. Je peux en témoigner, nombreuses sont les personnes qui m'en ont parlé lorsque je les invitais à joindre notre équipe.

Les entreprises de communication doivent faire des profits si elles veulent prospérer. Elles deviennent de plus en plus importantes, en taille et en chiffre d'affaires. Autrefois gardiens jaloux de la démocratie, les médias font maintenant des « grosses affaires ». C'est une réalité avec laquelle nous devons composer.

LA DÉMOCRATIE GLISSE

La dernière fois qu'on a connu un taux de participation aussi bas lors d'une élection provinciale, c'était au début des années 1900. Cette statistique devrait nous alarmer puisque c'était il y a 100 ans ! A cette époque-là, au moins, les contribuables avaient une excuse : ils n'étaient pas toujours informés. Sans radio ni télévision, les nouvelles n'étaient pas toujours fraîches. La plupart des gens habitaient en milieu rural. Ils étaient généralement informés par d'autres citoyens qui venaient de lire un journal souvent vieux de quelques jours ou de quelques semaines. Le bouche à oreille se faisait, plus souvent qu'autrement, sur le parvis de l'église le dimanche matin. Sinon par le curé lui-même dans son sermon.

Le jour de l'élection, il fallait évidemment se déplacer pour aller voter. Que ce soit à pied, en carriole ou en tramway – l'automobile venant à peine de faire son apparition – cela demandait un effort. À cette époque, les gens votaient avec fierté, convaincus que leur geste pouvait avoir de l'influence. Ils n'allaient certainement pas rater cette rare occasion de *choisir* leur premier ministre plutôt que de se le faire *imposer*.

En 2003, seulement 71 % des électeurs inscrits se sont donnés la peine d'aller voter. Un taux en déclin, comparable aux taux qu'on connaissait au début du siècle dernier. Pire : les jeunes votent aujourd'hui en moins grand nombre que tous les autres groupes d'âge. Des données qui indiquent, à mon avis, comment la désaffection et le cynisme ont commencé à rendre la population indifférente aux enjeux de notre démocratie.

Le malaise est évident. Le citoyen moyen vit un désengagement aigu face à la politique ou, au mieux, y est froid. On ne le réalise peut-être pas vraiment, mais nous vivons en sourdine une crise démocratique importante. Nous devons, collectivement, arrêter de nous mettre la tête dans le sable pour des motifs partisans. Les générations qui nous ont précédés nous ont offert un superbe cadeau malgré tout : l'une des sociétés les plus démocratiquement évoluée au monde.

Nous avons le devoir d'en prendre soin avant que le désabusement ne prenne le dessus.

LES MÉDIAS PORTENT UNE RESPONSABILITÉ

À force de mensonges, de promesses reniées, de scandales politico-financiers et autres, les vieux partis se sont eux-mêmes discrédités, c'est un fait. Il faut donc regarder l'autre côté de la médaille : tous les partis rassemblent des gens qui, pour la majorité, croient sincèrement en l'engagement politique comme un des meilleurs moyens de faire évoluer notre société. Au-delà du cynisme qu'il est de bon ton d'afficher par les temps qui courent, on peut dire que ces citoyens engagés investissent temps et énergie pour travailler à l'émergence d'un monde mieux adapté aux défis qu'ils jugent essentiels. Or, cette image du militantisme quotidien, à moins d'assister de façon exhaustive aux séances de travail, aux congrès, conseils généraux et aux comités de toutes sortes, on ne la voit jamais.

Si l'écart de conduite d'un malheureux *politicailleur* fera à coup sûr la une des journaux, le travail studieux et acharné de centaines de militants besognant à l'élaboration du programme ne trouvera que rarement écho dans un article d'un grand quotidien ou dans un reportage diffusé à grande heure d'écoute.

> *La baisse du taux de participation aux élections est-elle le fait de la classe politique elle-même ou de la couverture dont elle est l'objet ? Ou des deux ?*

Il est maintenant opportun de se poser cette question : la baisse du taux de participation aux élections est-elle le fait de la classe politique elle-même ou de la couverture dont elle est l'objet ? Ou des deux ?

Se pourrait-il qu'il y ait une responsabilité partagée face à l'indifférence croissante de l'électorat ? Il faut l'admettre : notre société a réussi à dégoûter de la politique une tranche importante de la population, en particulier les jeunes. La crédibilité de notre régime démocratique est remise en cause, la baisse constante du pourcentage du vote aux élections générales en est une manifestation claire.

Je crois que la place de premier plan occupée par les médias joue un rôle important dans la perte de confiance envers nos institutions. Une part significative, certainement. Il est compréhensible, par ailleurs, que, dans cette dynamique, les journalistes soient souvent pris entre l'arbre et l'écorce, tenus de rapporter au pupitre le reportage choc qui saura capter l'attention.

Je souhaite ardemment que les entreprises de presse soient rentables et fassent des profits, qu'elles soient plus nombreuses à nous offrir une diversité plus grande de points de vue éditoriaux. Je crois aussi qu'elles devraient examiner leur façon de traiter la politique, en laissant tomber la couverture-spectacle des temps d'élections.

UN ENJEU DE SOCIÉTÉ

À quoi doit servir une campagne électorale ? Ma réponse est simple : elle vise à permettre aux citoyens de savoir pour qui ils votent et pour quelle vision de société. Bref, la campagne doit permettre aux citoyens de voter *en connaissance de cause*.

Je crois que nous avons le devoir de réfléchir sérieusement au rôle des médias en matière d'information politique et aux responsabilités qui s'y rattachent. Nous devons reconnaître que depuis quelques décennies, leur présence a contribué à l'assainissement des mœurs politiques et à l'établissement d'une éthique régissant le comportement des politiciens qui se savent constamment sous leur loupe. C'est un apport extrêmement positif qu'il faut saluer.

Par ailleurs, puisque les médias font partie de notre vie quotidienne comme jamais, leur couverture omniprésente ne peut qu'avoir un impact significatif sur le cynisme et la désaffection qui s'installe de manière irréversible dans la perception populaire. Du moins, en apparence. Avec la baisse du taux de participation aux élections, le symptôme est en voie de devenir un problème majeur.

C'est un enjeu de société qui relève du fondement même de notre système démocratique.

Cette situation ne fait que confirmer ce que Marshall McLuhan avait déjà prévu au début des années 60, lorsqu'il avait élaboré ses théories, résumées par les formules « le village planétaire » et « le médium est le message ». La presse, imprimée ou électronique, est partout et elle accompagne le citoyen dans sa chambre, dans son salon, dans sa cuisine. En principe, nous sommes mieux et davantage informés, et c'est tant mieux. Un choix étendu de sources d'information devrait nous permettre de nous forger une opinion personnelle mieux documentée. Ce n'est pas toujours le cas cependant. La concentration de la presse, l'information en continu, les véritables usines à nouvelles que sont devenues les salles de presse, tout cet environnement hypothèque le travail d'analyse poussée et la réflexion de fond. C'est une conjoncture avec laquelle tous doivent composer et, au premier chef, les journalistes affectés à la couverture de l'actualité politique qui subissent quotidiennement cette pression.

> *La situation dans laquelle nous nous retrouvons aujourd'hui contribue souvent à priver le citoyen de tous ces détails qui nuancent et enrichissent l'information pour lui permettre de prendre une décision éclairée.*

Quoi qu'il en soit, la situation dans laquelle nous nous retrouvons aujourd'hui contribue souvent à priver le citoyen de tous ces détails qui nuancent et enrichissent l'information pour lui permettre de prendre une décision éclairée. La démocratie en souffre, et ça, c'est alarmant.

Voilà, en définitive, une réalité avec laquelle nous devons vivre en souhaitant qu'on arrivera à trouver un meilleur équilibre dans un avenir prochain.

S'il s'agit du sujet préféré de discussions privées d'une majorité de politiciens, je sais qu'il est hautement hasardeux d'étaler publiquement ses réflexions sur le rôle des médias dans la démocratie et leur interaction avec les acteurs politiques. Laissons tomber les tabous car la santé de notre démocratie constitue un enjeu de société trop important pour entraver notre liberté d'expression et nous empêcher de poser des questions.

24

25

700 000 QUÉBÉCOIS
BÂILLONNÉS PAR LES VIEUX PARTIS

« La raison pour laquelle nous avons endossé un projet de loi qui reconnaissait le parti de l'Union nationale, c'est justement à cause de cette progression des institutions, de cet ajustement nécessaire des institutions. Nous avons pensé qu'il serait d'une part mesquin et antidémocratique de ne pas reconnaître ces 18,2 % qui ont été accordés au deuxième parti de l'opposition. »

— Robert Burns, leader parlementaire du PQ,
Journal des débats

C'est en ces termes que Robert Burns, le père de la réforme du financement des partis politiques, a accueilli, en 1976, la demande de l'Union nationale pour être désigné « parti reconnu à l'Assemblée nationale ». André Boisclair aurait dû consulter cette citation de son prédécesseur avant de s'improviser comme le chef d'orchestre d'une des opérations les plus antidémocratiques auxquelles j'ai assisté depuis mon entrée en politique. En 2003, au lendemain de l'élection générale, c'est en effet André Boisclair qui a dirigé les manigances du Parti québécois et qui a mené des tractations de coulisses avec les libéraux pour bloquer la reconnaissance de l'Action démocratique du Québec comme groupe parlementaire à l'Assemblée nationale.

Ce refus par les vieux partis a constitué, sans contredit, un moment peu reluisant de l'histoire parlementaire et une illustration explicite de l'irrespect, tant de la part du PLQ que du PQ, envers la réalité démocratique. Au nom de leurs intérêts partisans, ils ont muselé 700 000 Québécois en refusant d'ajuster un simple règlement à la réalité des faits.

LES VIEUX PARTIS TOURNENT LE DOS À LA RÉALITÉ

La plupart des gens ignorent les usages régissant l'Assemblée nationale. Un règlement adopté au début des années 70 stipule qu'un parti doit faire élire 12 députés ou obtenir 20 % des votes pour être reconnu comme « groupe parlementaire ». On le sait, ce règlement a été plusieurs fois assoupli pour permettre à des partis de mieux représenter le point de vue de leurs électeurs. Ce fut le cas aux élections de 1976, alors que des avantages furent offerts, notamment à l'Union nationale, au Ralliement créditiste et au Parti national populaire. Même le Parti égalité, qui avait obtenu 3,7 % des voies en 1989, a eu droit à des aménagements pour faire écho au choix des électeurs qu'il représentait. En 2003, malgré un appui populaire de plus de 18 %, l'Action démocratique du Québec, le seul parti en progression dans les votes exprimés (une augmentation de près de 50 %), n'était pas un parti reconnu.

Politiquement, cette notion de groupe parlementaire n'apporte pas grand chose de plus, mais dans le fonctionnement quotidien, de nombreux avantages y sont associés : plus de temps de parole, droits de réplique réservés, budgets de recherche, masse salariale accrue, entre autres. À l'inverse, un parti qui n'obtient pas cet aval du Parlement doit se préparer à une traversée du désert, ce que nous vivons depuis le 14 avril 2003.

Cynisme et collusion

Dans notre système, depuis des décennies, deux partis contrôlent l'application des règles du jeu à l'Assemblée nationale. Ils sont donc juges et parties dans un match où l'arrivée d'un troisième joueur vient brouiller les cartes. Dans ce contexte, PQ et PLQ ne se sont pas privés de leur pouvoir pour tenter de nous museler. Il est clair qu'ils ont agi de concert pour nous barrer la route et pour protéger leurs acquis au détriment de l'équité démocratique la plus élémentaire.

Non contents de nous priver des ressources auxquelles avait droit une force politique porteuse du point de vue d'un électeur sur cinq, ils ont poussé leur cynisme encore plus loin en utilisant une finesse du règlement pour détourner l'esprit même de la représentation à l'Assemblée nationale. Le PQ et le PLQ ont décidé de considérer les quatre députés élus sous la bannière adéquiste le 14 avril 2003 (un autre s'est ajouté à l'élection partielle de septembre 2004) comme de simples députés indépendants, essayant par là de nier l'existence même de l'Action démocratique du Québec. C'était ne pas reconnaître l'espace que l'ADQ avait occupé dans le débat public durant l'année précédant l'élection !

> *Depuis des décennies, deux partis contrôlent l'application des règles du jeu à l'Assemblée nationale. Ils sont donc juges et parties dans un match où l'arrivée d'un troisième joueur vient brouiller les cartes. Dans ce contexte, PQ et PLQ ne se sont pas privés de leur pouvoir pour tenter de nous museler.*

Certains débordements partisans à la veille d'un scrutin sont compréhensibles. Je trouve par contre déplorable qu'une fois la poussière retombée, deux partis politiques bien implantés soient incapables de débattre sérieusement de la pertinence de reconnaître officiellement un autre parti que les leurs. Cette situation est même inquiétante.

Comme tous les Québécois, les dirigeants des deux vieux partis ont constaté la réalité démocratique du résultat de l'élection générale : des centaines de milliers de leurs compatriotes, soit près d'une personne sur cinq, ont appuyé l'ADQ, la seule formation qui a vu augmenter le nombre de ses appuis depuis l'élection de 1998. Mais ils ont refusé – et refusent toujours – d'admettre officiellement notre existence parlementaire. Pire encore, depuis l'automne 2004, un avant-projet de loi qui a obtenu l'aval des trois partis fixe dorénavant le pourcentage de votes pour être reconnu comme groupe parlementaire à 15 % (plutôt qu'à 20 %). Le PQ et le PLQ ont donc implicitement confirmé le bien-fondé de notre demande. Mais protégeant leurs intérêts communs, ils retardent notre accès aux budgets et aux avantages de l'Assemblée nationale.

À l'été 2005, au moment d'écrire ces lignes, l'ADQ ne constituait toujours pas un groupe parlementaire reconnu aux yeux du Parlement québécois. Notre système démocratique est manifestement malade. Et les vieux partis sont les grands responsables de la transmission du virus.

Où sont passés les démocrates de l'époque Lévesque ?

En 1973, 55 % des votes permettaient au Parti libéral d'élire 102 députés. À la même occasion, seulement six députés du Parti québécois étaient élus, mais avec 30 % des votes. Une injustice que ses membres avaient évidemment décriée, mais qui s'est corrigée d'elle-même par le fait que le PQ constituait l'opposition officielle. Trois ans plus tard, le parti de René Lévesque a amendé la *Loi sur la législature* afin de reconnaître l'Union nationale, même si ce parti n'avait obtenu – ironie du sort – que 18,2 % des voix, *soit exactement la même proportion que ce que l'ADQ a récolté près de 30 ans plus tard, le 14 avril 2003 !*

René Lévesque venait d'être élu pour la première fois comme premier ministre. Guidé par ses valeurs personnelles et celles qui habitaient encore son parti à cette époque, il a assumé l'obligation morale que lui dictait la situation. Il a donc modifié le règlement de l'Assemblée nationale afin de permettre à la population qui avait voté pour l'Union nationale d'être équitablement représentée. La légitimité l'a donc emporté sur l'approche légaliste partisane. À cette époque, le Parti québécois était encore proche de ses racines. Il défendait et posait des actions qui reflétaient ses idéaux.

> **Les vieux partis commettent un affront à l'intelligence de la population quand ils affirment ne pas pouvoir reconnaître l'ADQ à cause du règlement.**

Les vieux partis commettent un affront à l'intelligence de la population quand ils affirment ne pas pouvoir reconnaître l'ADQ à cause du règlement. Car le règlement qu'ils invoquent est lui-même le fruit d'un compromis auquel en sont arrivés quatre partis en 1970 !

Depuis près de 30 mois, en cette fin d'été 2005, les quelque 700 000 électeurs qui nous ont appuyés à l'échelle du Québec sont pénalisés. Quant aux cinq comtés qui ont choisi l'ADQ pour les représenter à l'Assemblée nationale, leurs députés sont traités comme des élus de seconde zone : une aberration démocratique. Un geste de mépris pour les contribuables qui ont appuyé l'ADQ, un parti qui sait s'occuper de tous ses commettants, qu'ils soient adéquistes, bien sûr, *mais aussi libéraux ou péquistes*.

Pendant ses 15 premières années d'existence, le PQ a toujours été très sensible aux enjeux démocratiques. René Lévesque lui-même plaçait cette préoccupation immédiatement après la souveraineté. Sa loi sur le financement des partis politiques le démontre bien. Mais après son départ, le PQ est devenu un parti d'arrière-garde. Il accepte désormais d'adopter des positions qui font fi de l'équilibre démocratique de la société québécoise au nom de son agenda politique ou de calculs partisans servant ses intérêts.

Le PQ a mal vieilli.

Quant au PLQ, comme par hasard, au moment où il se sent menacé par une importante baisse de popularité chez les francophones, alors qu'il réalise que la concentration traditionnelle de son vote s'apprête à le désavantager, il commence à s'intéresser à la représentation proportionnelle !

UNE PARTISANERIE INDIGNE D'UNE DÉMOCRATIE MODERNE

Depuis 2003, l'ADQ a essayé, par tous les moyens – mais sans succès – de négocier des aménagements reflétant sa position relative, dans le respect des règles de l'Assemblée nationale.

Devant l'intransigeance des deux vieux partis, nous avons emprunté la seule issue qui nous restait : une requête devant les tribunaux. Nous nous sommes toutefois butés à une résistance farouche ! Le PQ et le PLQ ont même poussé l'odieux jusqu'à voter une dérogation aux règles budgétaires en vigueur afin de permettre au président de l'Assemblée d'embaucher des avocats parmi les plus chers – jusqu'à 400 $ l'heure, une entorse aux normes établies – pour mettre en œuvre des mesures dilatoires. Nous avons réalisé rapidement que les délais qu'on nous imposait reporteraient inévitablement le règlement de notre cause au-delà de la prochaine élection, la dénudant de sens.

On a alors conclu qu'il était préférable, tant pour notre parti que pour l'ensemble des contribuables québécois, de laisser tomber les procédures afin d'éviter des dépenses inutiles. Malheureusement, une fois de plus, la mauvaise foi en matière de démocratie réussissait à triompher.

> *Pendant toutes ces années à l'Assemblée nationale, ce n'est que par la voie des tribunaux, et une seule fois, que l'ADQ a pu obtenir justice et arracher des concessions relatives aux privilèges consentis aux complices du Parlement.*

Pendant toutes ces années à l'Assemblée nationale, ce n'est que par la voie des tribunaux, et une seule fois, que l'ADQ a pu obtenir justice et arracher des concessions relatives aux privilèges consentis aux complices du Parlement. En 1998, nous avons réussi à faire invalider plusieurs articles de la Loi électorale. Le moins qu'on puisse penser, c'est que les vieux partis appliquent à notre démocratie la loi de la jungle la plus élémentaire : mieux vaut profiter de la situation quand un ennemi est vulnérable. Pas très rassurant en cas de crise politique majeure. Mais cet épisode a su nous montrer jusqu'où ils sont prêts à aller pour préserver les privilèges qu'ils s'échangent depuis des décennies, au mépris de toute éthique démocratique.

La médiocrité partisane affichée dans le dossier de la non-reconnaissance de l'ADQ comme groupe parlementaire ne nous a pas arrêtés. Nous avons continué de foncer et, en septembre 2004, lors d'une élection partielle dans la circonscription de Vanier, à Québec, nous avons fait élire Sylvain Légaré, notre cinquième député à l'Assemblée nationale.

Nous continuerons à nous battre avec la même détermination, parce que notre parti est fier. Même dans l'adversité, nos élus avancent chaque jour avec le sentiment de défendre la cause des Québécois qu'ils représentent : 700 000 citoyens que méprisent les vieux partis. Nous sommes l'Action démocratique du Québec.

Notre action est démocratique. Notre peuple est celui de tout le Québec.

25

CE QUI ME RÉVOLTE

Si, à long terme, c'est la recherche d'un mieux-être pour la société qui motive les personnes engagées en politique, au quotidien, c'est la révolte qui constitue, jour après jour, l'incitatif à l'action. Cela prend toutes sortes de formes : une nouvelle lue dans un journal, un coup de fil donné par un parent ou un collègue de travail, une injustice flagrante ignorée par une personne en autorité, du gaspillage, un mensonge...

Pour moi qui assume la fonction de député depuis maintenant plus d'une décennie, ce déclencheur revêt souvent les habits d'un citoyen de la circonscription de Rivière-du-Loup empêtré dans les méandres inextricables de la machine gouvernementale, impuissant devant un système aussi débordé qu'insensible.

Invariablement, ces constats éveillent en moi, à divers degrés, un sentiment de colère. Dénué d'agressivité, il est suffisamment fort pour m'animer dans ma quête de changement. Lorsqu'on nous ment effrontément ou qu'on trahit notre confiance en abusant des pouvoirs confiés par la population, je ne peux que me rebeller davantage.

Voici donc, résumés en quelques chapitres, les principaux enjeux de société qui choquent particulièrement mon sens civique.

26

Listes d'attente ou listes de rationnement ?

CLSC, CSST, hôpitaux, garderies, SAAQ, tribunaux administratifs, services sociaux, services aux citoyens... Il y en a partout ! Au Québec, les listes d'attente sont devenues un instrument entre les mains des gestionnaires pour boucler les budgets. Si elles existent, ce n'est pas toujours parce que le système est soudainement engorgé. C'est souvent parce que la machine bureaucratique les crée. Dans plusieurs cas, nos listes d'attente sont en fait des listes de rationnement.

Les listes d'attente gâchent la vie des gens. Certains attendent des mois, d'autres des années. Le prix à payer est effarant. Économiquement et socialement.

Les citoyens qui attendent vivent parfois des drames personnels, mais on les range dans les statistiques. Leurs drames sont banalisés. La bonne volonté ne peut pas avoir raison du système qui a ses limites. Il ne reste donc que le regret... et on passe au suivant.

En santé, c'est lorsque la statistique s'incarne dans un parent ou un proche qu'on réalise l'absurdité de la situation. Comment un traitement jugé nécessaire, et même urgent (une notion très élastique dans notre système), peut-il être retardé de plusieurs semaines ou de plusieurs mois ? Les nombreuses personnes qu'on peut interpeller pour essayer d'accélérer les choses n'ont aucun pouvoir. Le système est inflexible : si vous n'êtes pas content, vous n'avez qu'à sortir du pays avec votre proche, et aller le faire soigner là-bas à ses frais... ou aux vôtres ! Inutile de discuter, d'argumenter, de protester. La machine bureaucratique est plus forte que vous. En désespoir de cause, il ne vous reste qu'à essayer de court-circuiter la file. Vous résignerez-vous à gober l'inacceptable ? Les listes d'attente vous empêchent d'avoir accès aux services pour lesquels vous payez très cher par vos impôts. La colère qui monte en vous est directement proportionnelle à l'urgence de la situation, mais votre proche n'en est pas soigné pour autant !

Or, plus souvent qu'autrement ces listes sont générées par un modèle bureaucratique inefficace, totalement inapte à répondre aux besoins d'aujourd'hui. Une formule révolue.

NOUS NOUS MENTONS À NOUS-MÊMES

Tenus dans l'ignorance, les gens pensent qu'ils sont mis en attente à cause d'une « non-disponibilité » des services. S'ils connaissaient la vérité, ils seraient enragés. Je pense ici à quelqu'un qui attend pour une chirurgie : il est assis à côté du téléphone et il attend, inquiet, anxieux. Une semaine, un mois, deux mois... Mais l'appel de l'hôpital ne se fera pas de sitôt : dans bien des cas, non pas parce que le chirurgien qui doit l'opérer est placé devant un débordement de travail, mais bêtement parce qu'il se retrouve devant une impossibilité d'opérer. Pourquoi ? Parce qu'il a dépassé son quota de chirurgie ce mois-là et qu'il n'a plus le droit d'opérer. Pas au Québec, en tout cas ! Il ne peut alors que se résoudre à prendre des vacances ou à s'expatrier là où il peut travailler. Le mois suivant, lorsque le chirurgien pourra enfin recommencer à opérer, d'autres cas se seront ajoutés. Comme la liste sera encore plus longue et que des cas plus urgents viendront la court-circuiter, le malade en attente devra prendre son mal en patience. Et le non-sens continue...

Les listes d'attente s'allongent dans le but de contrôler les coûts. Les visites inévitables à l'urgence de gens en attente d'une intervention chirurgicale se multiplient, et ils sont obligés de prendre plus de médicaments. Pendant ce temps, les coûts augmentent de façon exponentielle. Qu'à cela ne tienne, on peut avoir recours à un autre budget, le défoncer même, du même ministère. Et c'est tout le réseau de la santé qu'on engorge... et qu'on égorge !

Depuis des années, on s'enlise, on refuse de faire face à la réalité. Des sommes phénoménales sont injectées dans le domaine de la santé, et les résultats ne s'améliorent pas.

En attendant, on paie cher pour ce qu'on a... et que bien souvent, on n'a plus !

Nouveaux problèmes mais vieilles solutions

Je suis à l'Assemblée nationale depuis plus de dix ans maintenant. J'ai vu agir six premiers ministres entourés de leurs cours d'attachés politiques et de hauts fonctionnaires. Je peux dire, aujourd'hui, que plus ça change, plus c'est pareil.

Voici un exemple d'incurie, pour ne pas dire de « soviétisation », de l'appareil québécois : tout est prêt pour une intervention chirurgicale majeure. La salle d'opération est disponible, le personnel sur appel aussi... mais le rationnement fait son œuvre. L'enveloppe négociée entre les médecins et le gouvernement est vide ! On remet donc l'intervention au mois prochain, quand il y aura des fonds. La liste d'attente s'allonge. Pendant ce temps, le malade reste chez lui sans travailler. Il est temporairement invalide. Il reçoit des chèques de la SAAQ ou du gouvernement et se gave de pilules anti-douleurs payées en bonne partie par l'assurance-médicaments. Éloigné de son milieu de travail, emprisonné chez lui, ce contribuable ne peut plus... contribuer !

> *La gestion des services publics avec l'attente comme outil numéro un de rationnement a été expérimentée par de nombreux pays qui sont allés au bout de l'expérience sociale-démocrate. Ces pays en sont arrivés à la conclusion que ça ne fonctionne pas.*

Autre cas : après une longue attente, un enfant est diagnostiqué dysphasique à l'âge de trois ans. Ses parents découvrent ensuite que la durée d'attente pour le soigner dans leur région peut varier entre un à deux ans. Le grand livre de l'orthophonie nous apprend que le traitement change de mois en mois et que plus on attend, plus les dysfonctions risquent de laisser des séquelles. Le cas de cet enfant pourrait donc s'aggraver, et on devra avoir recours à des classes spéciales pour pallier les retards d'apprentissage. On peut aussi penser au manque de ressources qui pourrait alourdir encore son cas, comme la tâche du professionnel qui le suivra. Si on n'a pas accès aux bons services, au bon moment, comment peut-on être efficace ? Une telle situation deviendra vite insoutenable pour l'enfant comme pour ses parents. Son enfance, sa vie même, seront hypothéquées.

La gestion des services publics avec l'attente comme outil numéro un de rationnement a été essayée par de nombreux pays qui sont allés au bout de l'expérience sociale-démocrate comme la Suède et d'autres pays d'Europe. Ces pays en sont arrivés à la conclusion que ça ne fonctionne pas. Nos propres tentatives en la matière se soldent par des échecs lamentables. Pourquoi continuer ? La sagesse élémentaire ne serait-elle pas d'apprendre des échecs des autres plutôt que de continuer à s'enliser ?

IL FAUT BRISER LES TABOUS

Depuis des années, l'ADQ prône un système de santé mixte. Depuis des années, je me suis personnellement battu pour qu'on adopte *le décloisonnement des services* : le recours à un système hybride où les médecins pourraient, une fois leur prestation de services obligatoire dispensée dans le système public, traiter d'autres patients prêts à défrayer le coût de l'intervention, avec ou sans assurance privée. Les professionnels effectueraient ainsi plus d'interventions, soigneraient davantage de malades. Le contraire de l'attente. Et on peut parier que ça freinerait, au moins en partie, l'exode de nos médecins vers le reste du Canada et les États-Unis.

Dans tous les milieux décloisonnés, là où il n'y a pas de rationnement, les professionnels font du surtemps quand ça déborde. Ils travaillent le soir et les fins de semaine, s'il le faut, pour désengorger les files d'attente. Ils répondent immédiatement au besoin et reprennent le rythme normal quand la période d'affluence est passée. Ce n'est que dans un système exclusivement public comme le nôtre que les listes d'attente perdurent, devenant d'authentiques listes de rationnement. Par ailleurs, il faut qu'on admette enfin, une fois pour toutes, que les cliniques privées existent *déjà*, qu'il va s'en ouvrir d'autres, et que faire payer ceux qui le peuvent et qui le veulent pour des services que le système public ne peut pas leur offrir immédiatement, c'est permettre à la majorité de la population d'être soignée encore plus rapidement.

24 M $ DE NOS IMPÔTS POUR ÉQUIPER UN HÔPITAL DE PLATTSBURG

Je me souviens encore de l'épisode où Pauline Marois, alors ministre de la Santé, a dû faire transporter des dizaines de femmes à Plattsburg pour qu'elles puissent enfin recevoir les traitements oncologiques qu'elles attendaient depuis plusieurs mois. Il est tout de même paradoxal de constater comment quelque 24 M $ de *nos impôts* ont permis à une toute petite institution de l'État de New-York de s'offrir des équipements médicaux de pointe, comme peu d'hôpitaux de chez nous ont les moyens de s'en procurer. Incroyable ? Malheureusement, c'est la triste réalité. Pour contrer les débordements de notre système de santé, la RAMQ a versé des millions qui auraient pu rester chez nous pour soigner un plus grand nombre de ces Québécoises atteintes du cancer du sein.

Je l'ai souvent dit dans mes allocutions : à l'ADQ, nous ne prétendons pas offrir toutes les solutions. Nous pouvons cependant nous demander pourquoi l'épisode absurde de Plattsburg n'a pas donné lieu à une réflexion plus poussée de la part du ministère de la Santé. Non seulement on n'a jamais fait état de conclusions qu'on en aurait tirées, mais quand la fondation d'un centre hospitalier de Montréal a voulu rentabiliser ses équipements de dépistage du cancer en les rendant disponibles « après les heures de fermeture » (lire : lorsque le système public n'est plus en mesure de payer), on lui a interdit de le faire au nom de *l'égalité dans l'attente*. Quel non-sens !

Dans l'affaire Chaoulli, un jugement rendu au printemps 2005, la Cour suprême a dit ce que notre parti a répété depuis plusieurs années : au Québec, parce qu'ils ne sont pas soignés à temps, des gens subissent des préjudices reliés à leur santé et leur qualité de vie. Parfois, les dommages sont irréparables. Et il arrive même qu'ils en meurent.

> *La Cour suprême a dit ce que notre parti a répété depuis plusieurs années : au Québec, parce qu'ils ne sont pas soignés à temps, des gens subissent des préjudices reliés à leur santé et leur qualité de vie.*

À bas les tabous. Et ça presse ! Nombreux sont nos concitoyens et nos proches qui souffrent au quotidien pendant qu'on gaspille une partie de nos impôts.

En ce qui me concerne, trouver les modes d'organisation efficaces, qui offrent des services rapides aux gens malades ou mal pris, devrait constituer une priorité pour tout gouvernement en place. Ça relève de l'humanisme le plus élémentaire.

Le gouvernement doit changer de cap, et ça presse.

S'il ne change pas de cap, changeons de gouvernement.

27

LES FOURBERIES DE NOS SCAPIN

Le Scapin de Molière était futé. Ce valet intelligent, rusé, usait de mensonges et de manigances pour protéger son jeune maître et soutirer de l'argent à son père. Mais il avait de charitables intentions : il voulait que triomphent l'amour et la jeunesse. Nos Scapin québécois ont toutefois des intentions moins nobles et surtout plus condamnables : ils trompent délibérément leurs concitoyens pour servir leurs intérêts... souvent électoralistes.

Je suis révolté par le mensonge, la malhonnêteté et les tromperies qui sont devenus une pratique courante dans trop de domaines de l'activité gouvernementale. On a fini par croire que c'était acceptable mais c'est un virus. Un sale virus dont on pourrait bien se passer. Voici des exemples qui me viennent à l'esprit :

SANTÉ

Oui, je le répète : plusieurs de ceux qui dénoncent l'apport des services privés dans le domaine de la santé sont les mêmes qui les utilisent en se cachant. Bref, ce qui est bon pour la masse n'est pas bon pour eux. Je l'ai évoqué plus tôt, et on pourra m'accuser de trop en parler, mais la contradiction est tellement grossière qu'il m'apparaît important de la documenter. À la veille de la dernière campagne, en plein débat, François Legault, ministre de la Santé du Parti québécois au pouvoir, et Jean Charest, chef du Parti libéral, se présentaient comme les plus grands avocats du système tout public. Pourtant, on a appris qu'ils se sont eux-mêmes fait soigner dans des cliniques privées. Je veux qu'on me comprenne bien : je ne leur reproche pas d'avoir eu recours à ces services, les délais engendrés par les listes d'attente étant inacceptables. Je les condamne pour leur hypocrisie. Ce qui est bon pour eux ou leur clique est mauvais pour les « masses » ? Ils font le contraire de ce qu'ils prêchent.

DISCRIMINATION ENVERS LES JEUNES

Les grands syndicats ont souvent protégé les intérêts et les acquis personnels de leurs membres plus anciens au détriment des derniers embauchés. Les jeunes employés subissent alors les clauses *orphelins*. On crée deux catégories de travailleurs dans la même entreprise et on détériore la situation financière de la nouvelle génération. Ces mêmes organisations syndicales, néanmoins, se présentent partout comme les principaux défenseurs du progrès social et de l'équité.

NOMINATIONS PARTISANES

Les postes de haut niveau dans les organismes gouvernementaux et les sociétés d'État sont des nominations partisanes pures et simples. Le *curriculum vitæ* du nouveau président est-il plein de lacunes ? On s'en accommodera, ce n'est pas grave. Pour sa loyauté envers le parti, on lui offrira un contrat doré dans un secteur d'activité qu'il ou elle n'a jamais effleuré dans sa carrière. Si cette personne est remplacée un jour par l'autre parti, elle sera *tablettée* ou retournée chez elle, payée plein tarif ou avec une généreuse prime de séparation. Avec l'argent des contribuables, évidemment. Si son parti revient au pouvoir, on la rappellera et on lui offrira un autre emploi de haut niveau. Cette personne sera payée deux fois, aux frais des contribuables provenant en majorité de la classe moyenne. Une pratique dénoncée par les partis lorsqu'ils sont dans l'opposition, mais toujours utilisée quand ils détiennent le pouvoir. Ce mode de nomination dépassé – inefficace et contraire à la démocratie – existe encore aujourd'hui !

CHIFFRES À GOGO

On se pète les bretelles avec le « déficit zéro », mais la dette continue d'augmenter. Voici comment on procède : on sort un organisme public du périmètre comptable du gouvernement lorsqu'il fait des pertes et on le ramène quand il fait un surplus. On pompe les surplus actuariels de la SAAQ pour amoindrir le désastre des finances courantes, mais quand elle a besoin de cet argent, il a été ingurgité par le monstre bureaucratique. La SAAQ n'a qu'à augmenter ses primes. Si une entreprise avait ce genre de comptabilité, le ministère du Revenu la mettrait immédiatement à l'amende. C'est cette comptabilité à géométrie variable de sociétés comme Enron qui a mené ses dirigeants en prison aux États-Unis. Le vérificateur général dénonce ce genre de pratique chaque année, mais les gouvernements se succèdent sans jamais changer les règles. Et plus il dénonce, plus ils défoncent !

LA GAUCHE CORPORATISTE

Ils gagnent de gros salaires et ils roulent en voiture de luxe, mais ils se proclament de la gauche, une étiquette à taille unique qu'ils portent comme on exhibe un vêtement griffé. Autour de fromages fins arrosés d'un grand porto, ils se racontent le caractère épique des combats d'hier, mais ferment les yeux sur les oubliés d'aujourd'hui.

Leurs idées progressistes ? En réalité, ils sont des tenants du *statu quo* : leur conception des choses est coulée dans le béton et ne supporte pas la remise en question. Ils disent participer aux efforts pour aider des gens dans le besoin mais ils diffusent leur discours officiel sur la solidarité sans jamais tenir compte des piètres résultats obtenus par leur modèle. Ce qui choque, c'est qu'ils tentent de s'arroger le monopole de la compassion et du progrès social. Hors de cette soi-disant gauche, les vrais progressistes n'existent pas ! Combien nous coûte leur écusson ?

40 % DES CONTRIBUABLES NE PAIENT PAS D'IMPÔTS

Les bien-pensants nous présentent cette statistique comme une preuve de la générosité de notre régime fiscal. La vérité, c'est que 40 % de gens ne paient pas d'impôts tout simplement parce qu'ils sont pauvres ! Ils n'ont même pas assez de revenus pour cotiser à un système de taxation dont les seuils de revenus non imposables sont déjà bas.

Par ailleurs, ce qui est encore plus préoccupant, c'est que notre classe moyenne est littéralement écrasée sous le poids des impôts. En effet, environ un Québécois sur deux paie des impôts et contribue aux services dont jouit l'ensemble de la collectivité. Quelle équité fiscale pour ces gens qui se retrouvent de moins en moins nombreux pour soutenir tout le système ! Il ne faut pas condamner les pauvres, mais la pauvreté !

A-t-on perdu le sens de la fierté associée à la prospérité au point de ne pas reconnaître dans cette statistique le signal d'alarme d'une économie qui se fragilise, d'une gestion gouvernementale qui a besoin d'un électrochoc pour recentrer ses paramètres économiques ?

La gestion à coup de promesses et de comités de travail

Quoi de mieux qu'un vieux film ! Avant les élections, les représentants des différents partis nous promettent tout et n'importe quoi. Dès qu'ils arrivent au pouvoir, ils nous annoncent qu'ils ne pourront pas tenir leurs promesses. Puis, ils se ménagent une voie d'évitement élégante en organisant des sommets, des grands spectacles de pseudo-consultations publiques. Que de promesses non tenues en comités de travail bidons ! Nous passons quatre ans à espérer du changement qui ne pourra venir que plus tard.

Je serai toujours étonné par notre capacité de répéter sans fin des promesses qu'on ne tiendra jamais et de pelleter en avant les problèmes en créant des structures bureaucratiques. On a également le don de créer des comités sur des problèmes graves qui n'arrivent à aucun résultat et ce, sans que personne ne soit vraiment sanctionné. Par exemple, au milieu des années 80, on avait mis en priorité de trouver des solutions au décrochage scolaire. Où sont les résultats, quelque 20 ans plus tard ? Aujourd'hui, comment le premier ministre peut-il encore se lever pour annoncer un groupe de travail sur le décrochage et être pris au sérieux ? Comme si c'était normal de faire semblant de s'attaquer aux problèmes une fois de temps en temps !

> *Au milieu des années 80, on avait mis en priorité de trouver des solutions au décrochage scolaire. Où sont les résultats, quelque 20 ans plus tard ?*

Entre les sommets économiques des péquistes et les forums des générations des libéraux, on tourne en rond. Ces événements ne servent qu'à créer des comités à la tonne, qui nomment des amis du régime, et qui dépensent des fonds publics. Comment peut-on célébrer ainsi l'impuissance des gouvernements à apporter les remèdes qui s'imposent ?

LA DÉRIVE DE LOTO-QUÉBEC

Après les loteries et les gratteux qu'on vend à coups de millions grâce à une publicité qui cible directement les gagne-petit, on a ajouté les casinos et les vidéopokers. Le crime organisé monopolisait l'offre aux joueurs compulsifs, disait-on ? Le gouvernement assume maintenant ce rôle peu reluisant à sa place. Tant pis pour les faillites, le taux d'absentéisme au travail, la petite pègre des casinos, les usuriers, les crises de ménage, les veuves et les veufs des vidéopokers... et j'en passe.

Chacun leur tour, les ministres des Finances, bleus ou rouges, affirment qu'ils ne sont pas responsables puisque le jeu « a toujours existé ». Là n'est pas l'enjeu : les joueurs compulsifs n'ont jamais été aussi nombreux depuis que les vidéopokers sont accessibles au bar du coin de la rue. Le journal *The Gazette* a d'ailleurs fait un travail remarquable, il y a quelques années, en démontrant que ces jeux sont concentrés, comme par hasard, dans les quartiers les plus démunis de Montréal, pendant qu'on n'en trouve pratiquement aucun dans les quartiers plus favorisés de la métropole.

Loto-Québec est maintenant considérée par le gouvernement comme une *machine à sous* aussi intéressante qu'Hydro-Québec. Ça rapporte tellement que notre gouvernement ne peut plus se passer du jeu. Et quand les ministres des Finances nous expliquent maladroitement qu'ils ne peuvent plus s'en passer, on comprend que notre gouvernement est à la dérive. Il est devenu un *empocheur* compulsif !

Et pendant que Loto-Québec dépense à fond les manettes pour inonder le marché publicitaire afin de vendre toujours plus de produits, on dépense encore l'argent des contribuables pour mettre en garde les gens contre le jeu compulsif. Logique, n'est-ce pas ?

Et vive « loto-mutilation » sociale.

27

28

LES ÉCHECS DE NOTRE SYSTÈME D'ÉDUCATION

Je m'imagine en 1965, en pleine Révolution tranquille. J'ouvre un journal à la page des petites annonces et je constate que plusieurs emplois n'exigent pas un diplôme d'études secondaires. J'ouvre le même journal en 1985. C'est plus corsé : le diplôme d'études secondaires est un « atout ». Mais plus rien dans la section Carrières et professions. Je saute encore 20 ans et je me retrouve aujourd'hui, en 2005. Le candidat n'a pas complété ses études secondaires ? Les emplois que je trouve sont beaucoup plus rares, pour la plupart moins bien rémunérés. Qu'est-ce que ce sera en 2025, au moment où les jeunes décrocheurs d'aujourd'hui auront 35 ans... et quelques enfants ?

L'éducation doit être la priorité des priorités dans toutes les sociétés tournées vers l'avenir. C'est particulièrement vrai pour nous qui faisons partie d'une minorité linguistique sur le continent. C'est encore plus vrai lorsqu'on est en pleine émergence de l'économie du savoir et du savoir-faire. C'est pourquoi, même si je n'ai jamais été un chaud partisan des grands plans de dépenses gouvernementales, j'ai toujours milité pour qu'on investisse davantage dans l'éducation et qu'on fasse preuve de plus de rigueur.

Il faut regarder la situation en face : en matière d'éducation, notre société ne se porte pas bien du tout. Dans certains milieux, le décrochage scolaire dépasse allègrement les 40 % chez les garçons du dernier cycle du secondaire. Il constitue probablement l'un des signes les plus révélateurs du profond malaise sévissant au cœur du système, et bien des observateurs considèrent que c'est une véritable bombe à retardement pour notre société.

À l'heure où tous vantent l'importance de l'éducation, on sort à pleines portes de nos écoles sans aucun diplôme. Ce n'est pas nouveau : c'était un des enjeux importants lorsque je me suis engagé en politique, dans les années 80. Comment se peut-il qu'on n'ait jamais trouvé de remède pour améliorer la situation ?

LE DÉCROCHAGE : UNE ABERRATION SYSTÉMIQUE

Les contribuables québécois se paient à grands frais un système d'éducation qui ne livre pas la marchandise. Résultats : un nombre imposant de jeunes sont sacrifiés sur l'autel d'un système sclérosé, dépassé. Je me rappelle avoir entendu un témoignage où on criait victoire parce que le taux de décrochage, chez les garçons, dans une commission scolaire de la métropole, était passé de 44 % à 42 % ! Je n'en croyais pas mes oreilles ! En vérifiant les statistiques du ministère de l'Éducation pour 2002-2003, j'ai dû constater que ce taux culminait même à 48,3 % sur l'Île de Montréal.

Je ne vise personne en particulier, mais nous devons reconnaître que nous avons un problème grave. Le réseau de l'éducation est là pour répondre aux besoins de tous les jeunes. Si 30 % ou 40 % d'entre eux ne franchissent pas toutes les étapes, je ne vais certainement pas accepter que le système – conçu pour répondre à tous leurs besoins – s'en lave les mains et rejette tout le blâme sur eux ou leur famille, comme on l'entend souvent. Dans le commerce, on ne condamne pas le client lorsqu'un produit ne fonctionne pas !

C'est un fait que la plupart des décrocheurs sont des garçons du dernier cycle du cours secondaire. Il faut freiner l'hémorragie maintenant, car c'est un drame. Si le taux de décrochage des garçons était aussi bas que celui des filles, le Québec se classerait au premier rang mondial pour la scolarité de ses jeunes. Il aurait de bonnes raisons d'être fier. Ses filles sont championnes dans plusieurs secteurs, pourquoi ne pas encourager les garçons à les suivre plutôt que d'abandonner.

En matière d'éducation, notre société ne se porte pas bien du tout. Dans certains milieux, le décrochage scolaire dépasse allègrement les 40 % chez les garçons du dernier cycle du secondaire.

L'école doit être un milieu de vie riche, dynamique et créatif, où les jeunes se découvrent et apprennent à vivre en société. C'est là qu'ils forgent leur personnalité et qu'ils développent leurs aptitudes. Si elle ne satisfait pas à ces besoins-là, plusieurs jeunes opteront pour l'école buissonnière, celle qui, à court terme, semblera mieux répondre à leurs attentes. Un piège énorme et fatal. On le leur a dit. Ils sont supposés le savoir. Mais ils mettent les deux pieds dedans, convaincus que ça ne peut pas être pire que l'école qu'ils quittent. Cette école qui, semble-t-il, est devenue l'assommoir de leur talent naissant.

On gaspille notre monde. Il faut y voir, et ça presse.

L'école sous évaluation

Parlons des palmarès. Depuis quelques années, le magazine *L'actualité* présente le palmarès annuel des écoles secondaires. Chaque fois qu'il paraît, on assiste invariablement à des débats, à des prises de position. Les écoles qui se classent mal crient à la malhonnêteté des auteurs de l'étude et critiquent leur méthodologie. Les autres savourent discrètement leur réussite. Les ministres de l'Éducation organisent des points de presse pour décrier l'exercice et défendre le réseau, même si on sent bien qu'ils ont pu tenir des propos différents derrière des portes closes !

Chaque année, une foule de directeurs d'écoles pourfendent la méthodologie du palmarès et affirment en cœur que c'est de la foutaise. Ce qui me fascine, c'est qu'on entend toujours quelques témoignages venant d'écoles qui ont amélioré leur performance et qui décrivent en entrevue les mesures prises pour que leurs écoles progressent au classement. Bref, quand une école avance, on considère que le palmarès est un bon étalon qui reflète bien les efforts investis. Quand elle recule, sa direction déclare que le palmarès n'est pas fiable.

À mon avis, ce classement est une source d'information privilégiée. Comme toutes les autres, il doit être traité avec discernement. Les personnes intéressées sont capables de faire leur propre évaluation.

Des bulletins sans notes !

Les parents qui, comme moi, ont de jeunes enfants à l'école, le savent : il n'y a plus de notes dans les bulletins.

Malheureusement, le bulletin est devenu un papier qui ne veut plus rien dire, composé de mots vides et de formules savantes, réservé aux initiés. Un bulletin « non compétitif » et complaisant, une évaluation sans en être une qui arrive à briser le lien entre efforts et résultats. Avec cette « nouvelle approche », tous les élèves sont égaux, les meilleurs comme les pires, les plus travaillants comme les plus paresseux. Pas question de heurter l'ego des enfants et des parents. Ainsi, au nom d'une idéologie qui interdit la comparaison, on propose un bulletin qui prépare mal le jeune à son entrée dans la vie adulte où la compétition sera omniprésente, voire féroce.

> *Le bulletin est devenu un papier qui ne veut plus rien dire, composé de mots vides et de formules savantes, réservé aux initiés. Un bulletin « non compétitif » et complaisant, une évaluation sans en être une qui arrive à briser le lien entre efforts et résultats.*

S'ajoute à cela un autre problème. En établissant ce type de bulletin, on prive les parents d'une source d'information compréhensible qui permet de mesurer la progression de l'enfant et de bien l'accompagner dans l'amélioration de ses points faibles. Privés de repères d'évaluation, les parents se retrouvent maintenant complètement dans le noir relativement à l'évolution de leurs enfants.

De façon générale, les parents aimaient les anciens bulletins tout comme les élèves qui les ont déjà connus. Lucien Bouchard, premier ministre à l'époque de cette réforme, s'était lui-même vivement élevé contre cette forme d'évaluation. Il trouvait, comme parent, que ça n'avait pas de bon sens. Le point de vue du premier ministre n'a été finalement qu'une simple voix de plus s'ajoutant à la vague de protestations venues s'échouer sur le mur de la bureaucratie.

Surprenant que les plus hautes instances politiques, dont le premier ministre, n'aient pu infléchir le diktat idéologique d'une bureaucratie en principe vouée au service des orientations données pas les élus. Une aberration que j'ai bien l'intention de corriger le premier jour où l'occasion se présentera, je l'assure !

TWO FIVE FOUR SIX...

Plus d'un élève sur deux, sur l'île de Montréal, est d'origine étrangère. La très grande majorité d'entre eux sont bilingues et souvent trilingues ou quadrilingues. Motivés à réussir dans leur pays d'accueil, ils travaillent fort à l'école et sont, évidemment, parmi les premiers au classement des examens du ministère. Lorsqu'ils termineront leurs études, en plus de quitter l'école avec un diplôme bien mérité, ils auront une longueur d'avance sur beaucoup d'autres parce qu'ils parleront couramment plusieurs langues.

La loi 101 oblige les enfants immigrants dont la langue maternelle n'est pas l'anglais à fréquenter les écoles francophones. Cette mesure instaurée en 1977 par le ministre Camille Laurin a été un véritable tournant dans l'histoire du Québec. Elle a permis d'affirmer hors de tout doute que nous vivions dans un État francophone. Les francophones ont l'obligation d'envoyer leurs enfants à l'école française. Les anglophones, toutefois, ont le choix entre l'école anglaise ou française. Plusieurs anglophones choisissent donc d'envoyer leurs enfants à l'école française, les équipant ainsi encore mieux pour le marché du travail.

L'effet pervers de cette approche est que les enfants francophones sont les moins « outillés » pour entrer sur le marché du travail : l'anglais est une matière secondaire.

LES ÉCHECS DE NOTRE SYSTÈME D'ÉDUCATION

En tant que francophone, je ne peux pas accepter, ni comme père ni comme contribuable, qu'au terme des études primaires et secondaires, des élèves *baragouinent* l'anglais au lieu de le parler correctement. L'anglais n'est pas une personne ni un ennemi. C'est un moyen incontestable et même obligatoire de s'ouvrir les portes du monde et du marché du travail.

> *Je ne peux pas accepter, ni comme père ni comme contribuable, qu'au terme des études primaires et secondaires, des élèves baragouinent l'anglais au lieu de le parler correctement.*

Sur tous les continents, aujourd'hui, on envisage l'enseignement d'une troisième langue. Pendant ce temps, au Québec, on discute encore de notre échec dans l'apprentissage d'une deuxième langue ou même de la pertinence de l'enseigner davantage.

Nos jeunes voient des portes se fermer à cause de leur incapacité à s'exprimer correctement en anglais, la langue du commerce international ! En 2005, cela n'a aucun sens. Pour moi, un tel échec correspond à se tirer collectivement dans le pied.

LA FORMATION DONNE MÉTIER

Un jour, le Québec a décidé que l'enseignement professionnel de courte durée n'était pas bon, qu'il n'était pas suffisant. La théorie : il fallait offrir un meilleur bagage de formation fondamentale pour les jeunes et de meilleurs outils. La réalité : un paquet de jeunes, en majorité des garçons, qui ont des habiletés manuelles et qui suivent difficilement les cours théoriques, décrochent complètement. Après un temps, on essaie de les ramener aux études par l'entremise de l'éducation des adultes. Il leur faut des diplômes !

Soyons donc réalistes plutôt que dogmatiques. Si chacun pouvait aller au bout de lui-même, de ses forces et de son talent, il pourrait réussir ses études et œuvrer dans le domaine qui lui convient le mieux. Les éléments de la formation fondamentale qui seront nécessaires pour qu'un jeune réussisse sa vie peuvent facilement être intégrés à un mode d'apprentissage qui accorde une plus grande place aux travaux pratiques. Le potentiel d'une personne comprend des aptitudes et des habiletés dont la collectivité peut toujours profiter, qu'elles soient conceptuelles ou pas.

Quand j'ai joint le mouvement des jeunes libéraux, il y a presque 20 ans, notre système d'éducation était déjà un enjeu de premier plan. J'ai pourtant l'impression d'assister au même débat année après année. Environ le tiers de tous les garçons québécois nés dans ces années-là ont décroché de l'école en 2004. Qu'on trouve des moyens pour les ramener, et vite ! Combien de jeunes hommes ont été emportés par cette catastrophe ? 8000 ? 10 000 ?

Les vieux partis n'ont-ils pas démontré à répétition leur incurie et leur manque de vision ?

On a déjà perdu assez de temps !

29

LES JEUNES PERDENT ESPOIR

Ta sœur est aux États, ton frère est au Mexique
Y font d'l'argent là-bas pendant qu'tu chômes icitte
T'es né pour un p'tit pain c'est ce que ton père t'a dit
Chez les Américains c'pas ça qu't'aurais appris
Ent'deux joints tu pourrais faire qu'qu'chose
Ent'deux joints tu pourrais t'grouiller l'cul

— Entre deux joints, 1973
(Paroles et musique : P. Bourgault, R. Charlebois)

Un enfant qui n'apprend pas à faire son lunch lui-même avant d'aller à l'école, à l'âge où il serait capable de le faire, développe une dépendance excessive envers sa mère ou son père. Comme il n'apprend pas à préparer son repas du midi, il n'apprend pas non plus à choisir ses aliments, à les emballer, à équilibrer son menu et à s'organiser. Si on ne lui offre pas la chance d'être fier d'avoir créé quelque chose, plus tard il croira que tout peut être demandé, et même exigé d'autrui. En le *gâtant*, on l'infantilise et on le déresponsabilise à l'âge où il doit apprendre à se responsabiliser.

On reconnaît assez rapidement, dans un groupe d'élèves, ceux et celles qui ont appris à être autonomes, ces enfants à qui on a confié des responsabilités très tôt dans la vie. Ils sont les premiers à prendre des initiatives. Ils ont manifestement plus confiance en eux que les autres. Plus tard, ça se voit déjà, ils ne se sentiront pas obligés de demander la permission chaque fois qu'ils auront envie de faire autrement. On les verra devant plutôt qu'à la fin de la file.

Apprendre à être responsable, c'est le premier pas pour prendre sa vie en main.

Comme société, nous devons aider nos jeunes à avancer, à accéder à un plus grand éventail de possibilités et faire tomber les barrières qui empêchent l'émergence de leur talent.

Nos jeunes ont besoin d'être encouragés dans leurs entreprises. Ils doivent être valorisés autant dans les emplois qu'ils occupent que dans la contribution qu'ils peuvent apporter à notre société. Nous devons les soutenir quand la vie leur est plus difficile, car ils sont notre avenir. Nous devons en prendre soin comme ce que nous avons de plus précieux. Or, plusieurs dossiers chauds qui les concernaient ces dernières années ont démontré notre peu d'intérêt à leur égard : les exigences sans fin de l'appareil bureaucratique envers les nouvelles entreprises, l'exode des cerveaux, les clauses *orphelins*, le suicide... autant d'occasions ratées pour nos gouvernements d'aider nos jeunes à prendre leur place pour mieux préparer notre avenir collectif.

Pas surprenant, dans ce contexte, que des jeunes perdent espoir.

Les bâtons dans les roues

Version officielle : « Tu es jeune, l'avenir t'appartient. Démarre ton entreprise. Le gouvernement te soutient ! »

Réalité : « Voici le premier formulaire. Le deuxième. Le troisième. Le quatrième. Lorsque qu'ils seront tous remplis, revenez me voir. Vous devrez sans doute payer le permis X et la taxe Y, tout dépendant de la catégorie de l'entreprise définie dans le répertoire BCD du ministère du Revenu. Entre-temps, il faudra que vous contactiez le bureau Z de la municipalité. Il se pourrait bien que vous n'ayez pas le droit d'y opérer votre entreprise, même si c'est dans le sous-sol de la maison. Question de zonage. Je joins ici quelques brochures produites par le gouvernement. Elles vous aideront à démarrer votre projet. Nous avons plusieurs conseillers au service des jeunes entrepreneurs qui n'arrivent pas à se démêler dans tout ça. »

> *Notre société n'est pas particulièrement accueillante pour le jeune qui commence sa vie d'adulte avec le désir d'innover. Il devra faire face à la lourdeur du système de l'État qui se complait à décourager les initiatives individuelles*

Dès qu'un Québécois décide de fonder une entreprise, il se met, malgré lui, en position de combat contre le gouvernement, le démarrage étant une véritable bataille. La première d'une longue série, comme si tout le système était organisé pour décourager l'initiative. Le pire, c'est que la bureaucratie est parvenue à faire en sorte que ceux et celles chargés de la mettre en œuvre n'en voient plus la complexité ! Ils sont convaincus qu'un des premiers devoirs d'un entrepreneur, c'est de remplir des formulaires gouvernementaux. De leur point de vue, il n'est pas plus compliqué de faire affaire avec le gouvernement que de mettre une lettre à la poste. Ils ne voient pas tout le temps que doit consacrer un entrepreneur à chercher, calculer, rédiger, valider, vérifier ou classer. Ils sont devenus incapables de comprendre la réalité de la petite entreprise, la structure organisationnelle que de plus en plus de jeunes doivent se donner, faute d'emplois traditionnels.

Le rapport Lemaire a démontré que la bureaucratie nécessitait facilement entre 10 et 12 permis ou autorisations pour les entreprises de certains secteurs comme l'hôtellerie, par exemple. Je me rappelle le cas d'un terrain de camping qui devait obtenir plus de 20 permis ou formulaires pour ouvrir trois mois par année. Cette entreprise saisonnière intéressait 10 ministères différents. Oui, 20 permis, 10 ministères ! C'est révoltant de constater comment des gens qui créent de l'emploi sont soumis à des niveaux de contrôle aussi absurdes. Quand on dit que la machine bureaucratique s'emballe, c'est ça. Ça me rappelle cette fameuse scène du film *Les douze travaux d'Astérix*, dans « la maison qui rend fou ». C'était l'une des pires épreuves à passer pour notre Gaulois qui ne devait pourtant qu'entrer dans cette maison et en ressortir avec un formulaire...

On constate que de plus en plus de Québécois instruits, qui ont voyagé, qui sont bilingues et capables de bien gagner leur vie à peu près n'importe où, votent « avec leurs pieds », comme disent les Américains.

Notre société n'est pas particulièrement accueillante pour le jeune qui commence sa vie d'adulte avec le désir d'innover. En plus des nombreux obstacles qu'il aura à affronter, il devra faire face à la lourdeur du système de l'État qui se complait à décourager les initiatives individuelles et l'éclosion de nouvelles idées. Cette lourdeur est aussi particulièrement dommageable à la créativité des jeunes Québécois qui est maintenant reconnue ici comme ailleurs. Il n'est donc pas étonnant que beaucoup de jeunes décident de quitter le pays après leurs études. Au lieu de leur faciliter la vie pour démarrer leur carrière, on ralentit leur élan à coup de formulaires, on hypothèque leurs aspirations à force de permis. « Salut mon jeune, bienvenue dans le labyrinthe de la bureaucratie ! »

C'est triste de dire cela, mais il y a des jours où je les comprends...

L'EXODE DES CERVEAUX

Former une personne du cours primaire jusqu'à la fin de ses études universitaires coûte à l'État près de 200 000 dollars en moyenne. Dans certains domaines, ça peut représenter plus de 250 000 dollars. Lorsque, à la sortie de l'université, cinq étudiants diplômés décident d'aller travailler à l'extérieur du Québec, c'est comme si un placement collectif d'au moins un million de dollars allait fructifier ailleurs plutôt que chez nous.

La société québécoise *investit* dans l'éducation plus de 11 milliards de dollars par année pour préparer la génération montante. Le cas échéant, l'emploi qu'ils occuperont dans un autre État que le nôtre leur fera gagner de l'argent, et c'est là qu'ils paieront leurs impôts.

Déboursé collectif : plus d'un million. Retour sur investissement : zéro. Perte : incommensurable.

Car la question comptable n'est, en fin de compte, qu'un aspect très secondaire d'une réalité bien plus grave : ces Québécois d'une grande valeur priveront le Québec de leurs compétences et de leur savoir-faire, ce dont notre société a besoin pour se développer, évoluer, progresser et faire face à la concurrence internationale.

L'ADQ sonne l'alarme depuis longtemps.

Beaucoup de professeurs d'université m'ont dit, complètement découragés, que les cerveaux sortent de chez nous. Combien ? C'est difficile d'en faire le calcul, et les chiffres sont parfois trompeurs. Je ne veux pas entrer dans une guerre de chiffres ni être alarmiste. Mais je me dois de le dénoncer.

Nous ne pouvons pas banaliser l'exode des cerveaux car ceux qui partent sont souvent les meilleurs. Dans un club de hockey, tous les joueurs sont importants, mais si on laisse aller les plus grands marqueurs, ou un gardien de but surdoué, on risque de ne jamais remporter la Coupe Stanley.

Dans l'économie du savoir et du savoir-faire où nous sommes entrés, une société qui ne retient pas son élite recule par rapport aux autres. Celle qui l'accueille fait des progrès. Par exemple, une chercheuse de haut niveau formée à Montréal crée une nouvelle technologie en Californie. Cette nouvelle technologie devient la base de la création d'une entreprise de pointe. Cette entreprise de pointe, à son tour, peut créer jusqu'à des centaines d'emplois bien rémunérés. L'État de la Californie en profite. Il vient de se créer de la richesse pour toute une communauté. Et le Québec, dans tout ça ? Nous avons de quoi être « fiers » : un jour, un magazine de chez nous publie un article au sujet de cette chercheuse formidable, une jeune Québécoise qui a réussi en Californie. Il n'y a pourtant pas de quoi se réjouir de la perte qu'elle représente dans une perspective de développement de notre économie.

Pourquoi certains de nos fils et de nos filles quittent-ils le Québec ? On constate que de plus en plus de Québécois instruits, qui ont voyagé, qui sont bilingues et capables de bien gagner leur vie à peu près n'importe où, votent « avec leurs pieds », comme disent les Américains. À leurs yeux, le Québec n'est plus « le meilleur endroit où vivre dans le monde ». Les offres sont moins intéressantes. Les salaires sont moins élevés et les taxes démesurées. On ne peut pas travailler à sa guise à cause des quotas, dans le secteur de la santé en particulier. L'attachement naturel aux racines cède finalement la place au désir de se réaliser pleinement dans un environnement moins contraignant. La décision est encore plus facile à prendre quand on est jeune.

Lorsque, à la sortie de l'université, cinq étudiants diplômés décident d'aller travailler à l'extérieur du Québec, c'est comme si un placement collectif d'au moins un million de dollars allait fructifier ailleurs plutôt que chez nous.

À mon avis, l'exode de nos cerveaux est un signal d'alarme important, le symptôme d'un dysfonctionnement de notre société. Anglophones et francophones y participent. Ce n'est donc pas une question de langue ou de culture.

Mon frère est docteur en immunologie. Il m'a souvent parlé du problème. Dans les domaines scientifiques de pointe, beaucoup de jeunes envisagent de quitter le Québec. Des offres alléchantes leur parviennent de partout au Canada et des États-Unis. Par ailleurs, ils constatent un peu plus chaque jour à quel point notre société sous-investit dans le haut savoir. On pourrait facilement conclure que l'inertie de nos gouvernements résonne pour eux comme un message clair : les chercheurs ne sont pas une priorité pour le Québec. À tout le moins, la vision des gouvernements n'y est pas. Dans les rares sphères où les scientifiques de haut niveau ont déjà été bien accueillis, les biotechnologies, par exemple, les apprentis sorciers libéraux sont en train de tout démolir.

Nos scientifiques, des jeunes pour la plupart, ont de bonnes raisons de croire que le Québec ne leur accorde pas le traitement qu'ils méritent puisque d'autres États et pays leur offrent des conditions plus intéressantes. Encore là, l'horizon se ferme devant eux sans que nous réagissions.

Après l'entrepreneurship qu'on dissuade, c'est l'exode qu'on favorise. Deux à zéro, contre les jeunes.

CLAUSES « ORPHELINS »

De tous les conflits intergénérationnels, les clauses orphelins sont probablement le symbole le plus évident de l'injustice envers les jeunes. Une discrimination institutionnalisée : deux échelles salariales dans la même organisation.

Quand je me suis engagé en politique, ce sujet était déjà brûlant à la Commission-Jeunesse du Parti libéral. C'est même un des enjeux qui m'ont attiré lors de mon premier congrès des jeunes libéraux. Que le problème n'ait pas encore été réglé, presque 20 ans plus tard, est difficilement concevable. Il s'agit d'une discrimination claire et nette basée sur l'âge. Une réalité qui va à l'encontre de nos valeurs de société, sur laquelle tous les acteurs sociaux ferment les yeux.

Le dossier a frôlé l'inadmissible quand, dans le contexte de l'atteinte du « déficit zéro », le gouvernement du PQ a ordonné à toutes les créatures gouvernementales (ministères, organismes, sociétés d'État, municipalités, réseaux public et parapublic) de couper la masse salariale de 6 %. Dans quelques cas extrêmes, voici ce qui a été fait : on a coupé le salaire des employés en place depuis longtemps de ZÉRO pour cent, et celui des nouveaux employés, ou de ceux sur le point d'être embauchés, d'un pourcentage énorme allant jusqu'à 24 %. Globalement, la réduction de 6 % requise « pour la masse salariale » était respectée. Astucieux ? Courte vue, protectionnisme et discrimination, plutôt. En imposant cette mesure, les nouveaux employés étaient condamnés – presque tous des jeunes – à des réductions salariales draconiennes. Et comme les échelons salariaux sont calculés en fonction du pourcentage du salaire à l'entrée, les jeunes se sont retrouvés refoulés dans une situation dans laquelle il leur sera impossible de rattraper les plus vieux.

> *Dans cette opération consistant à arriver à un déficit zéro, les jeunes ont donc payé pour les dépenses excessives de leurs aînés. Un bel exemple d'injustice d'une génération envers celle qui la suit.*

Dans cette opération consistant à arriver à un déficit zéro, les jeunes ont donc payé pour les dépenses excessives de leurs aînés. Un bel exemple d'injustice d'une génération envers celle qui la suit.

L'ADQ a présenté son propre projet de loi pour combattre les clauses orphelins il y a quelques années. Victoire pour les jeunes ? Pas tout à fait : le gouvernement péquiste s'en est inspiré pour déposer une version « améliorée »... pleine de trous ! Mais, en s'assurant, évidemment, que les clauses de disparité salariale déjà signées ne soient pas corrigées, ce que l'ADQ demandait pourtant dans son projet original. Encore une fois, les vieux partis nous ont montré qu'ils doivent toujours protéger les intérêts de leurs alliés.

Malgré tout, son combat sur les clauses orphelins constitue pour l'ADQ l'une de ses grandes victoires politiques. En ayant provoqué ce débat, notre parti a rendu plus gênante toute volonté de créer de nouvelles clauses de disparité salariale autour des tables de négociation, tant pour les employeurs que pour les syndicats qui craignaient de se retrouver à la une des journaux. Des associations de jeunes employés se sont même formées à l'intérieur de certaines centrales syndicales. Un regroupement de jeunes enseignants a ainsi gagné sa cause devant la Commission des droits de la personne. Même si tout n'est pas réglé, l'injustice a reculé.

Plusieurs ténors syndicaux m'en ont longtemps voulu pour les avoir fait mal paraître dans ce débat. Au nom de la paix qu'ils voulaient garder avec leurs cotisants de longue date, ils ont accepté de sacrifier toute une génération de nouveaux employés. On a entendu des perles comme : « Les jeunes n'avaient pas leur permanence ou n'avaient pas de job encore, alors de quoi se plaignaient-ils ? » Ou encore, « 24 % de moins que les autres, c'est encore mieux que pas de job du tout ! » Quelle vision de l'équité !

Notre parti reste toujours vigilant face aux clauses orphelins car nous n'avons pas réussi à forcer le gouvernement à corriger toutes les iniquités. Une chose est certaine : l'ADQ a fait changer les choses du tout au tout dans ce dossier, et nous en sommes particulièrement fiers.

Mais notre société continue, encore aujourd'hui, à fermer les yeux sur cette discrimination inadmissible envers notre jeunesse.

Trois à zéro contre les jeunes.

LE SUICIDE, L'ULTIME PERTE D'ESPOIR

Le Québec est en tête du peloton des États occidentaux en ce qui concerne le suicide chez les jeunes. C'est la plus grande cause de mortalité chez les jeunes de 15 à 30 ans, avant les accidents de la route.

Je me revois, à la veille de l'élection de 1994, à la porte du *Nouvelliste* de Trois-Rivières. Mon téléphone cellulaire sonne : on m'apprend qu'un de mes amis vient de se suicider. Silence. Néant.

J'ai les jambes sciées. Le cœur en compote. Le cerveau au neutre.

Ça m'a pris du temps avant d'être en mesure d'y repenser sereinement. J'ai été bouleversé. Choqué. Hanté. Pourquoi s'était-il enlevé la vie ? Mal-être viscéral ou perception d'un avenir bouché ?

Quand un de nos jeunes concitoyens met fin à ses jours, c'est la collectivité qui est amputée prématurément d'une partie de son avenir. Quand le suicide est considéré comme un remède, c'est le signe clair et net d'une société qui a mal à l'âme. C'est tragique. On ne doit pas prendre ça à la légère.

En 1998, quatre ans après le geste fatal de mon ami, j'ai présenté le sujet au cours du débat des chefs. Le suicide d'un de mes proches n'était pas, pour moi, une simple anecdote. C'était, comme aujourd'hui, le signe d'un problème de société grave et profond. Nous avons hésité, mes conseillers et moi, mais nous nous sommes dit que si nous n'en parlions pas, personne d'autre ne le ferait. Il fallait briser un tabou. Pour moi, un leader a le devoir de toujours affronter une situation, sans faux-fuyant. C'est ce que j'ai fait en utilisant cette occasion unique de sensibiliser mes concitoyens.

Je ne pense pas connaître quelqu'un de moins de 35 ans qui n'a pas, dans son réseau de connaissances, ou n'a pas entendu parler, d'un jeune qui s'est suicidé. Pourquoi a-t-il interrompu tragiquement son existence ? Avait-il perdu la faculté de rêver ?

Il y a un malaise. Nous n'avons pas le droit de l'ignorer, même si c'est difficile.

Un taux de suicide comme celui que nous connaissons au Québec est une manifestation douloureuse de notre incapacité d'ouvrir des lendemains qui chantent à ceux qui grandissent. Un signe que beaucoup de jeunes vivent une absence d'espoir.

À l'ADQ, nous croyons qu'il faut agir sur deux fronts. D'abord, il faut se rendre sur le terrain, afin de raccrocher les décrocheurs. Pas ceux qui ont seulement décroché de l'école, mais ceux qui ont décroché de tout. Ensuite, il faut faire connaître les ressources disponibles en cas de crise et publier des numéros de téléphone permettant d'y accéder. Cette information doit être si bien publicisée que le premier réflexe de celle ou de celui tenté de commettre l'irréparable sera de prendre la perche qui lui est tendue. Il est démontré que la décision de se suicider est presque toujours impulsive et que si une bouée est à la portée, l'irrémédiable peut être évité.

> *Nous n'avons jamais été foutus de diffuser et de bien faire connaître un numéro 1.800.SUICIDE pour aider nos jeunes en proie à une crise de désespoir.*

On a posé toutes sortes de petites actions indépendantes, à gauche et à droite, sans véritable plan d'ensemble. Évidemment, ça n'a rien donné de significatif, du moins de façon visible. Pourtant, le gouvernement a communiqué avec succès un numéro de téléphone pour les obligations d'épargne et des entreprises ont réussi à nous incruster dans la tête leurs numéros de téléphone à coup de ritournelles publicitaires. Mais nous n'avons jamais été foutus de diffuser et de bien faire connaître un numéro 1.800.SUICIDE pour aider nos jeunes en proie à une crise de désespoir. Heureusement, des villes et des fondations sans but lucratif n'ont pas attendu que le gouvernement du Québec prenne l'initiative ; elles se sont attaquées au problème en offrant à ceux qui en ont besoin une aide téléphonique immédiate.

Qu'on ne me raconte pas d'histoires : le suicide n'a jamais été une priorité pour aucun gouvernement depuis mon arrivée à l'Assemblée nationale. Je me souviens d'ailleurs d'un plan d'action sur le suicide qui a été promis 100 fois et qui a traîné pendant des années. Il traîne encore. Les gouvernements ont décidément oublié les jeunes plus souvent qu'à leur tour.

On laisse aller notre avenir. Dites-moi que ce n'est pas révoltant !

29

30

TROP DE MACHINES À DÉPENSER

Chaque dollar qui entre au gouvernement a été prélevé dans le portefeuille de quelqu'un qui a travaillé pour le gagner. Cet argent est souvent traité avec bien peu de respect. Il y a toujours une bonne raison pour dépenser : le système informatique est à renouveler, les véhicules doivent être remplacés. Et quand on arrive au bout de tout ça, apparaissent, comme par magie, de nouveaux besoins pour lesquels il faut acheter de nouveaux équipements. Ça n'a pas de fin. Voilà pour les dépenses « justifiées », « nécessaires ». C'est déjà un très lourd fardeau pour les contribuables. Et il y a tout le reste : dépenses somptuaires, subventions à des multinationales, dépassement systématique des coûts de projets... et j'en passe.

La Révolution tranquille a été une grande époque : elle nous a collectivement permis de faire un bond prodigieux dans la modernité. Au moment d'écrire ces lignes, il y a au Québec 2450 écoles primaires et secondaires, 400 en formation professionnelle ou pour l'éducation aux adultes, ainsi que 80 institutions d'études postsecondaires. Tout cela, sans compter les 300 établissements du réseau de la santé. Des services précieux que nous nous sommes donnés et qui font du Québec l'une des sociétés privilégiées de la planète.

Petit à petit, pernicieusement, les Québécois se sont fait tout promettre autour du mirage de l'État providence. Car au-delà des 3230 établissements énumérés plus haut et des quelque 20 ministères pour coordonner les politiques gouvernementales, ce sont plus de

150 organismes gouvernementaux, en plus des sociétés d'État, qui dépensent chaque jour, dans le cadre de leur fonctionnement, des milliers et des milliers de dollars. L'argent sort de partout dans ces organisations dont plusieurs ne rendent aucun service direct à la population.

En incluant les bureaux, les filiales et autres services, notre gouvernement essaie de gérer au quotidien 3400 véritables machines à dépenser. À la tête de chacune se trouve une équipe convaincue de la justesse de sa cause, des personnes désireuses de proposer de nouveaux services

> *Notre gouvernement essaie de gérer au quotidien 3400 véritables machines à dépenser. À la tête de chacune se trouve une équipe convaincue de la justesse de sa cause, des personnes désireuses de proposer de nouveaux services.*

qu'il serait, de leur point de vue, souhaitable de dispenser à la population. La providence a toujours une demande à satisfaire. Belle illustration que l'enfer est pavé de bonnes intentions.

Ce qui me révolte, c'est la façon dont les politiciens, en voulant à tout prix assurer leur réélection, encouragent la machine gouvernementale à répondre à tous les besoins exprimés. Une situation évidemment sans limite. On promet de tout régler par l'État, avec les résultats désastreux qu'on connaît. En abdiquant ainsi, par aveuglement ou par simple opportunisme électoral, les choix que leurs responsabilités imposent, ces politiciens sans vision sont arrivés à enliser nos services publics dans un bourbier quasi inextricable.

Tous les observateurs s'entendent sur un point : notre gouvernement est devenu trop gros. Au-delà de ce quasi lieu commun, un constat s'impose : la résistance au changement de notre bureaucratie se nourrit de sa force d'inertie. Même le gouvernement Charest, qui avait annoncé sa « réingénierie » de l'État, n'a jamais pu mettre de l'avant les réformes qu'il a promises.

Il a maintenant été clairement démontré qu'il sera impossible d'instaurer une transformation de l'appareil gouvernemental sans une vision claire, soutenue par une volonté de fer.

Depuis des années, l'ADQ dénonce la taille abusive de l'État québécois, non pas pour des raisons idéologiques, mais parce que cette situation présente des conséquences extrêmement néfastes pour les contribuables du Québec. D'abord, il va sans dire que toutes ces dépenses sont financées par nos taxes. Or, notre population a déjà atteint sa limite de capacité de payer : quand on a payé les impôts sur le revenu, la TPS, la TVQ, les taxes municipales et scolaires (que ce soit directement à l'Hôtel de Ville ou indirectement par une part du loyer), les factures d'électricité, les frais d'immatriculation, le permis de conduire, les taxes sur les produits pétroliers, les taxes spéciales sur les

> *Depuis des années, l'ADQ dénonce la taille abusive de l'État québécois, non pas pour des raisons idéologiques, mais parce que cette situation présente des conséquences extrêmement néfastes pour les contribuables du Québec.*

télécommunications et sur l'hôtellerie – et j'en oublie sûrement quelques autres – on réalise qu'environ les trois-quarts des revenus du citoyen sont consacrés à « alimenter » les divers paliers de gouvernements ou leurs organismes affiliés. La classe moyenne, la vache à lait du système, se retrouve complètement écrasée par le fardeau fiscal. Elle a du mal à le supporter. Lui demander de se saigner davantage pour le maintien de structures gouvernementales superflues relève de l'indécence.

En plus d'être « la plus efficace cure d'appauvrissement » jamais inventée pour les finances personnelles de nos citoyens surtaxés, l'hypertrophie de la machine gouvernementale réussit l'inimaginable : manquer d'argent pour l'essentiel. On nous dit qu'on abolit des services d'aide aux élèves en difficulté dans une commission scolaire, ou des appuis aux personnes handicapées dans un CLSC, alors qu'au même moment, dans l'organisme voisin, on dépense des dizaines de milliers de dollars pour des études de faisabilité en ce qui concerne l'implantation d'une nouvelle bâtisse qu'on aimerait bien construire, mais qu'on n'aura pas, de toute façon, les moyens de s'offrir.

Dans la fable de La Fontaine, la grenouille voulait devenir aussi grosse que le bœuf. Elle a éclaté.

STOPPER LA TENDANCE

Il faut qu'il y ait moins de machines à dépenser, moins d'organismes. On a juste à aller sur le site internet du gouvernement. En faisant défiler la liste de plusieurs pages des différents offices gouvernementaux, on peut mesurer l'ampleur des dépenses encourues, sachant que chacun d'eux doit payer, entre autres, un loyer, un compte de téléphone, un parc informatique, des salaires, des frais de déplacements, des voyages et des congrès, des fournisseurs de services. Il suffit de parcourir ces répertoires, d'imaginer les millions de dépenses qu'ils représentent, pour ressentir aussitôt un immense vertige comptable.

Dans cet Himalaya administratif, l'argent coule de partout, puisé par des mains qui n'ont pas besoin de le produire, mais souvent prodigué par des dirigeants qui ont, par contre, un solide instinct de survie : ils savent que la seule façon d'assurer leur emploi, c'est de dépenser jusqu'au dernier sou les sommes qui leur sont confiées sous peine de voir leur organisation considérée comme non essentielle. Voilà pourquoi il est utopique de demander à l'appareil gouvernemental de s'autodiscipliner. C'est dans la nature même d'un organisme de services de dépenser

> *Les fonds de l'État sont le fruit des milliards d'heures que les citoyens contribuables consacrent à leur travail chaque année. Chaque dollar public mal dépensé ou mal investi équivaut à faire travailler une femme ou un homme pour rien.*

toujours plus. Pensons-y : il restera toujours un besoin de plus à satisfaire.

Seul le coup de barre décidé d'une nouvelle génération de gouvernants convaincus de la nécessité d'un changement de fond pourra faire dévier cette tangente effrénée. C'est cette vision de l'État que l'Action démocratique défend depuis tant d'années. Et c'est celle qu'elle mettra en application le jour de son arrivée au pouvoir.

GASPILLER NE SERA JAMAIS ACCEPTABLE

Les fonds de l'État sont le fruit des milliards d'heures que les citoyens contribuables consacrent à leur travail chaque année. Chaque dollar public mal dépensé ou mal investi équivaut à faire travailler une femme ou un homme pour rien. Je pense qu'on devrait afficher cette réalité en grosses lettres dans tous les bureaux d'organismes publics ! Pour l'État, le gaspillage ne peut jamais être acceptable.

« Quels bénéfices tireront le Québec, les Québécois, de telle dépense ou de tel investissement public ? » C'est à cette question qu'il faut répondre de façon satisfaisante avant de dépenser. « Ai-je absolument besoin de ceci maintenant, ou pourrais-je faire autrement ? », se demande chaque jour un citoyen face à une dépense prise à même son budget personnel. L'État fait-il de même avec l'argent qu'on lui confie ?

Comment peut-on justifier et expliquer un dépassement de coûts de 200 % pour le siège social des gestionnaires de nos épargnes collectives ? C'est pourtant ce qui s'est passé avec le siège de la Caisse de dépôt et placement du Québec – un bâtiment imposant et magnifique, tout le monde s'entend là-dessus – dont le coût de construction est passé de 100 M $ à... 300 M $!

Imaginons une jeune famille aux revenus modestes qui, par ses impôts de toute une année, verse près de 5000 dollars à l'État québécois. Une somme vite dépensée par un organisme public, qu'il s'agisse d'une participation à un congrès à l'étranger, l'achat d'un nouveau gadget informatique ou le montant qu'il faut pour payer de nouveaux meubles pour le bureau du pdg ! Pendant ce temps, cette petite famille continue à mettre de l'argent de côté pour se procurer éventuellement un ensemble laveuse-sécheuse... d'occasion. Quelques centaines de dollars qu'elle aura épargnés petit à petit, en renonçant à des sorties ici et là.

Je crois qu'il faut toujours garder cette réalité à l'esprit. Quand on y pense, ça remet les choses en perspective.

Les « mégalomanes » de l'État devraient être ramenés sur terre. Pourquoi ne pourrait-on pas les tenir personnellement responsables s'ils ont dépensé des millions comme s'il s'agissait de sous noirs ? Pourquoi ne pourrait-on pas les blâmer personnellement pour avoir injecté des millions de *NOS* dollars dans des projets douteux, surtout quand ils ont manipulé ces montants comme si c'était de l'argent de Monopoly, comme les amis du PQ l'ont fait à la Caisse de dépôt, à la SGF et dans nombre d'autres organismes où ils avaient été nommés ? Pourquoi leur verserait-on des primes au rendement malgré les pertes qu'ils ont fait encourir à leurs organisations – qui sont en fait les *nôtres* ?

Et après cela, on se demande pourquoi ce cher contribuable a perdu confiance en son gouvernement.

UNE POMPE AUTOMATIQUE DANS NOS POCHES

Chaque année, la classe moyenne a beau verser intégralement un montant équivalent à huit ou neuf mois de ses revenus aux différents paliers de gouvernement en frais, en impôts et en taxes (TPS, TVQ, taxes et surtaxes) de toutes sortes, ce n'est pas encore assez ! Les contribuables sont quasiment saignés à blanc, mais il y a toujours un nouveau truc de l'État pour extirper les derniers huards qui brillent encore dans leurs mains. « Encore un petit dollar, allez, encore, encore ! »

On a même inventé un nouveau mécanisme d'augmentation systématique de certains tarifs. Le ministre des Transports vient de statuer qu'à l'avenir, les permis de conduire et immatriculations seront haussés *automatiquement* pour couvrir les dépenses de la SAAQ. Les élus de l'Assemblée nationale n'auront plus à répondre de cette action ou à annoncer la mauvaise nouvelle.

Un comité obscur a le pouvoir d'autoriser les hausses. En gros, on dit à des organismes qui, à mon avis, dépensent déjà trop que, dorénavant, ils auront un accès direct à la poche du contribuable. Et celui-ci n'a plus le moindre recours pour sanctionner la décision : ce n'est plus la faute de personne.

> *On a même inventé un nouveau mécanisme d'augmentation systématique de certains tarifs. Les élus de l'Assemblée nationale n'auront plus à répondre de cette action ou à annoncer la mauvaise nouvelle. Un comité obscur a le pouvoir d'autoriser les hausses.*

Empruntée au puits sans fond qu'est l'assurance-médicaments, cette méthode a été jugée si astucieuse que le gouvernement est tenté de l'appliquer à tous les organismes. Non seulement il renonce ainsi à son devoir de reddition de compte face à la population, mais il enlève toute pression en faveur d'une gestion plus serrée des fonds qui lui sont confiés. Pourquoi se casser la tête sur la colonne des dépenses quand la colonne des revenus est à portée de main ! C'est le principe de la pompe submersible, la bonne vieille *sump pump*, avec le petit flotteur au bout du levier : dès que le niveau des dépenses augmente et fait monter le petit levier, ça part tout seul ! Et ça pompe le fric directement de la poche du payeur pour l'envoyer dans celle de l'organisme gouvernemental en mal de fonds. Votre poche, on finira bien par la mettre au sec !

DILAPIDER NOS TAXES POUR CÉLÉBRER UN SAUVEUR

Il peut arriver qu'une crise économique frappe une région dans un contexte particulier, comme celui qui prévaut depuis quelques années dans le domaine du bois d'œuvre. La solidarité impose alors que soit mis de l'avant un plan de développement spécifique où, collectivement, on décide d'investir, si tel est le besoin, pour stimuler la diversification de l'économie d'une région.

Mais dans ces cas, on doit agir avec prudence et se donner un plan, des objectifs et trouver les meilleurs moyens pour produire des résultats. Les projets « sauveurs » générés spontanément, surtout à la veille des élections, nous réservent presque toujours un réveil brutal lorsqu'on constate que des millions se sont perdus dans la nature.

Le désastre de la Gaspésia constitue un exemple frappant. Une tragédie régionale impardonnable, dans laquelle on a englouti des sommes colossales sans plan d'affaires, sans un projet réel, pour laisser les Gaspésiens et une foule d'entrepreneurs de l'Est du Québec *Gros Jean comme devant*. Plus aucun des anciens emplois ne peut être sauvegardé et, en prime, ce drame régional a acculé des entreprises locales à la faillite. Quelle catastrophe !

Un premier ministre veut-il se faire reconnaître comme le sauveur d'une région ? Après avoir sollicité et obtenu la participation d'un investisseur privé à coup de faveurs gouvernementales, son cabinet tord le bras d'un ou deux organismes d'investissements publics, ses attachés de presse rassemblent sur une estrade une brochette de ministres et de députés pour donner bonne bouche au projet, et hop ! Le tour est joué ! Il réussit finalement à tromper tout le monde pour arriver à ses fins, le temps d'une élection. « Un investisseur privé est prêt à embarquer. Ça doit être un bon projet », se dit la population. Mais on ne lui a pas dit toute la vérité.

> *Le gaspillage prend souvent sa source dans le contexte d'une élection que quelques politiciens traditionnels veulent gagner à tout prix.*

Lors du lancement de la « relance » de la Gaspésia, tout juste à la veille des Fêtes en 2001, alors qu'il était entouré du premier ministre et de sept ministres, le patron de la SGF, Claude Blanchet, a admis avoir subi d'énormes pressions de la part de l'entourage de Bernard Landry : « J'en ai entendu parler beaucoup de votre projet. D'abord par M. Landry, M. Arsenault, M. Baril qui m'appelait à tous les deux jours *(sic)*, M. Brossard... et ma chère Pauline ! » (Pauline Marois, alors ministre des Finances, est l'épouse de Claude Blanchet). Peu de temps auparavant, M. Blanchet disait pourtant ne pas croire au projet de relance piloté par le Fonds de solidarité de la FTQ, organisme dont il a été le premier président-directeur général.

L'annonce à une semaine de Noël était-elle une coïncidence ? Avec un peu de cynisme, on pourrait conclure que Bernard Landry voulait se donner des airs de rédempteur, entre la messe de minuit et le réveillon ! Mais les contribuables ne savaient pas que la poche du Père Noël était percée et qu'ils devraient éventuellement débourser des centaines de millions de dollars en pure perte. Cela sans compter les nombreuses faillites des fournisseurs laissés en plan.

Pourtant, on aurait pu faire tellement plus avec bien moins. Tous les économistes, entrepreneurs et gestionnaires de portefeuilles savent que 100 millions versés à 100 petites entreprises auraient généré bien plus d'emplois que les centaines de millions littéralement dilapidés dans la Gaspésia. Les risques auraient été répartis entre différents types d'activités, et plusieurs de ces PME auraient pu, éventuellement, connaître une véritable réussite. Autre avenue : si on avait prêté 100 millions de dollars à 1000 petites entreprises en leur donnant à chacune la mission de créer deux emplois, on se serait retrouvé avec 2000 emplois diversifiés, mieux intégrés à l'économie locale, et plus durables. Et on aurait certainement recouvré la majeure partie de ces prêts ! Mais les dizaines de petites annonces qui en auraient résulté n'auraient pas permis au premier ministre de se retrouver à la une des journaux régionaux comme LA PHOTO officielle du grand sauvetage a pu le faire ! Il aurait juste fait son travail en outillant efficacement une communauté pour l'aider à rester autonome et à se développer dans la diversité.

Ce qui est triste à pleurer, au fond, c'est qu'on n'ait pas appris de nos erreurs. Comme GM qui bénéficie, jusqu'en 2017, d'un prêt sans intérêt de 200 M$. En 2005, l'usine de Boisbriand est démolie et GM garde les 200 M$ en poche ainsi que les intérêts annuels épargnés (entre 5 et 10 M$ par année, soit entre 50 et 100 M$ additionnels). Alors qu'on n'a plus le bénéfice des emplois, on finance une multinationale qui a décidé d'aller investir ailleurs.

Généreux les Québécois pour une pauvre multinationale multimilliardaire comme GM. Habiles les politiciens qui veulent à *tout prix*, l'espace d'un instant, devenir des sauveurs pour leur clientèle.

Et le contribuable continue à payer pour ces incuries à répétition.

LES PROMESSES ÉLECTORALES :
LE GASPILLAGE INSTITUTIONNALISÉ

Le gaspillage prend souvent sa source dans le contexte d'une élection que quelques politiciens veulent gagner à tout prix. Même mis en garde par de nombreux experts, ils ne peuvent s'empêcher de succomber à la tentation de promettre le projet du siècle qui fera voter les gens « du bon bord » ! Le métro de Laval fait partie de ces projets-là.

L'annonce de sa construction a été faite peu avant le déclenchement des élections. Mais son cas est encore plus pathétique puisqu'il a servi d'appât pour quatre élections différentes, tant pour les péquistes que pour les libéraux. Voici l'extrait d'un article de *La Presse* qui en dit long sur le sujet :

> Le rapport de la vérificatrice démontre clairement que la décision d'aller de l'avant avec le prolongement du métro ne s'appuyait sur aucun document justifiant ce projet. À cette absence de motif, autre que celui de séduire les électeurs de la couronne nord de Montréal, s'ajoutait une évaluation complètement farfelue du coût des travaux. Comment les péquistes ont-ils pu soutenir que le projet ne coûterait que 179 millions, alors que les études dont ils disposaient à l'époque prouvaient qu'ils étaient dans l'erreur. C'est choquant de constater à quel point on a maquillé la réalité pour gagner des votes. La facture s'élève aujourd'hui à 809 millions de dollars, c'est

630 millions de plus qu'en 1998, soit un écart de 351 %.

Ça fait cher le vote.

— Michèle Boisvert, *La Presse*, 9 juin 2004

Pour se faire élire, ou pour satisfaire leur besoin de reconnaissance, des politiciens sont prêts à endetter leurs concitoyens pour des générations. En 2006, trente ans après sa construction, on achève de payer le stade olympique qui devait, foi de promesse politique, s'autofinancer.

Au cours des dernières décennies, on croyait sans doute pouvoir s'offrir le luxe d'hypothéquer l'avenir des contribuables grâce à une structure démographique où les jeunes étaient plus nombreux que leurs aînés. Dans le contexte du vieillissement de la population que l'on connaît, cette possibilité n'existe plus.

Gouverner c'est prévoir, dit-on. Mais on a l'impression que la nouvelle réalité qui s'apprête à nous rattraper n'est pas encore intégrée dans les grilles de décision des administrateurs de l'État québécois.

POURQUOI UN VÉRIFICATEUR GÉNÉRAL SANS POUVOIR D'AGIR ?

Je viens d'en traiter abondamment, le gaspillage est un sport extrême, particulièrement prisé dans l'appareil de l'État québécois. Une tradition vieille de plusieurs décennies, la conséquence d'habitudes prises pendant les années florissantes de la Révolution tranquille où se passait une vaste opération de rattrapage collectif. Mais, nous le savons tous maintenant, les temps ont changé et notre capacité de dépenser s'est non seulement réduite, mais elle s'apprête à rétrécir encore avec le choc démographique qui a déjà commencé à nous frapper.

Nous devons, sans retarder inutilement le processus, prendre des mesures de rationalisation des dépenses de l'État, sinon nous risquons de ne même pas pouvoir préserver nos acquis sociaux. Pourquoi ? Parce que nous n'aurons même plus les ressources financières pour y faire face.

Et la contraction des dépenses commence par un resserrement de la rigueur dans la gestion.

Chien de garde du bon sens et des saines pratiques administratives, le vérificateur général (VG) est là pour jeter un regard d'expert sur les sommes dépensées et pour évaluer les résultats obtenus. Car, on le sait, le gouvernement dépense parfois l'argent des contribuables d'une façon qui suscite bien des questionnements. Mais passons !

Actuellement, dans le cadre du mandat qui lui est conféré par l'Assemblée nationale, le VG dénonce, mais il n'a pas les moyens de forcer le redressement de situations inacceptables. Pourquoi ?

Actuellement, dans le cadre du mandat qui lui est conféré par l'Assemblée nationale, le vérificateur général dénonce, mais il n'a pas les moyens de forcer le redressement de situations inacceptables.

Immanquablement, dans son rapport annuel, le vérificateur général traite d'une situation où l'argent sort par les fenêtres. Contrôle insuffisant ou mauvaises pratiques ? Quatre ans plus tard, il confirme que le ministère ou l'organisme en question a donné des explications, mais que, malheureusement, aucun correctif n'a été apporté. Le VG n'a aucun autre pouvoir que celui d'ameuter l'opinion publique. Pas de compétence pour convoquer un ministre ou un pdg, pas de capacité d'intervention autre que pour constater et dire : « L'argent coule, il faudrait rectifier le tir. »

Je ne comprends pas pourquoi le vérificateur général n'a aucun levier pour agir.

La vision adéquiste veut élargir le mandat du VG afin d'y ajouter un volet « Bureau prévisionnel » qui serait responsable de présenter le portrait réel des finances publiques ainsi que les besoins d'investissements sur une plus longue période. De manière périodique et au moins six mois avant le déclenchement d'une élection, le Bureau prévisionnel du vérificateur général publierait les prévisions économiques et budgétaires ainsi que l'état des déficits et de la dette du Québec. Cela éviterait des mascarades comme celles qui nous sont servies à chaque changement de gouvernement, et qui permettent invariablement au nouveau parti élu de nous expliquer pourquoi il ne respectera pas ses engagements électoraux.

L'ADQ voudrait un vérificateur général avec plus de pouvoir, un arbitre capable d'intervenir de façon efficace pour corriger les manquements de ministères ou d'organismes gouvernementaux à la volonté exprimée par les élus.

Le citoyen bénéficierait grandement d'analyses économiques et budgétaires non partisanes, de prévisions démographiques ou de prévisions de dépenses de programmes existants par le vérificateur général. Puisqu'il est reconnu et respecté par les citoyens à cause de son statut indépendant du gouvernement, il pourrait ainsi jouer un rôle de premier plan dans les finances de l'État. Il serait, en quelque sorte, le *comptable indépendant* engagé par les contribuables. Car, on le sait, les Québécois en ont bien besoin.

L'ADQ voudrait un vérificateur général avec plus de pouvoir, un arbitre capable d'intervenir de façon efficace pour corriger les manquements de ministères ou d'organismes gouvernementaux à la volonté exprimée par les élus de l'Assemblée nationale.

Pourquoi le vérificateur général est-il incapable d'intervenir rapidement pour mettre le doigt sur les situations abusives, et même pour les corriger ? Car c'est bel et bien de l'argent du monde qu'il s'agit ! On a perpétué une tradition qui donne une latitude pour dépenser sans être inquiété. Les vieux partis le savent depuis longtemps, mais ils n'ont jamais agi.

Obésité étatique, gaspillage, projets sauveurs improvisés, promesses électorales irresponsables, vérificateur général sans pouvoir exécutoire... Péquistes et libéraux se sont échangés la balle de mandat en mandat, se relayant tour à tour dans ces déficiences institutionnalisées leur permettant de dépenser et surdépenser à leur discrétion des fonds publics difficilement gagnés par les contribuables. Un manque de vision qui nous a déjà entraînés dans un marasme économique et sociétal dont on ressent chaque jour un peu plus les effets.

Mais je suis persuadé que le bon sens finira par venir à bout de toutes ces inconséquences.

Les solutions alternatives de l'ADQ trouveront bientôt leur chemin.

Notre révolte aura joué son rôle.

30

31

LA FACTURE DU LENDEMAIN DE PARTY

Pendant des années, les politiciens ont entretenu l'idée qu'endetter l'État n'était pas grave. Que le temps allait tout régler. On pelletait donc vers l'avant, et en masse ! Pas d'appel à la responsabilité, pas d'appel à la prise de conscience. Plusieurs des personnes qui gouvernent aujourd'hui étaient de jeunes attachés politiques à l'époque. Héritiers de cette culture de l'insouciance, ces gens continuent de reporter le paiement des factures tout en continuant à nous endetter. Mais un instant ! Plus on tarde, plus ça coûte cher. Qui va payer pour tout ça ?

J'ai une connaissance dont le destin financier n'a rien à voir avec ce qui était prévu pour sa vie. Dès l'âge de 25 ans, il était plutôt à l'aise et il était respecté dans son domaine. Il s'est marié cette année-là, et deux ans plus tard, il a eu son premier enfant. Il roulait pas mal. Il faisait déjà plus de 60 000 dollars par année à 28 ans, ce qui serait presque le double en dollars d'aujourd'hui. Il n'était pas riche, mais il était loin d'être dans la rue. Quand il allait manger dans les restaurants, il ramassait les factures.

Sa période de prospérité a duré moins de 10 ans. Pendant cette décennie-là, il a eu deux enfants. Il a eu le temps d'acheter une petite maison unifamiliale qu'il a revendue quelques années plus tard, quand il est arrivé à la fin de ses années fastes. Mais à perte, parce que l'immobilier était au creux de la vague. Pourquoi s'en est-il débarrassé ? Parce qu'il n'arrivait plus à payer son hypothèque. Une raison aussi bête que ça. Ses revenus avaient baissé des deux tiers. Ses enfants coûtaient de plus en plus cher. Ses cartes de crédit étaient surchargées. Cet homme n'arrivait plus à joindre les deux bouts. Il est devenu locataire en payant un loyer de moitié moins élevé que ses anciens paiements hypothécaires. Les sorties au restaurant sont devenues un luxe. Il a coupé un peu partout. Il n'avait pas le choix. Par la suite, chaque fois qu'il faisait une dépense, il se demandait si c'était un caprice ou une nécessité. Dur, dur !

Il m'a dit que le début de la fin est arrivé le jour où il est tombé malade. Ça a pris des mois pour qu'il s'en remette. Ça peut arriver à tout le monde. Mais pour un gars comme lui, sans sécurité d'emploi, un ralentissement de ses activités entraînait automatiquement une baisse de ses rentrées d'argent.

Aujourd'hui, il reconnaît lui-même que, mises à part ses mésaventures de santé, il n'a pas été une victime de quiconque, sauf de lui-même. Pendant ses meilleures années, un plus sage aurait dû le prévenir : pendant la saison des récoltes, on engrange pour les durs mois d'hiver. C'est une simple question de planification.

Il vit maintenant plutôt modestement dans un triplex où il est locataire. Ses enfants, de jeunes adultes, ont leur propre appartement. Avec une légère pointe de regret, il m'a déjà confié qu'il n'était pas conscient de la chance qu'il avait eue, « à l'époque », de faire de l'argent si facilement : « Mario, si j'avais la chance de revenir en arrière, tu sais ce que je ferais ? Je mettrais au moins la moitié de mes revenus dans des REER et dans l'immobilier. Je placerais mon argent et je m'arrangerais pour le faire fructifier. Ce serait mon assurance pour l'avenir. À 25 ans, on a l'impression que le monde nous appartient, alors on fonce en étant convaincu que ça ira toujours de mieux en mieux. J'étais comme ça. »

Son histoire, c'est un peu celle du Québec.

Québec s'est bien nourri... un peu, beaucoup

Le Québec, comme la plupart des États en Occident, a connu une croissance économique phénoménale, dans les années 60 et 70, qui lui a permis d'avoir une grande capacité d'emprunt. Et il a emprunté ! Nos gouvernements, tels de nouveaux riches qui n'auraient pas appris à vivre avec l'abondance, ont dépensé et surdépensé en croyant qu'un creux n'arriverait jamais. Il n'y avait pas de limites : le buffet était ouvert. Les politiciens remplissaient la table. Il n'en restait plus ? On en remettait. On en remettait encore. On puisait dans les marges de crédit sans retenue parce qu'on croyait que la croissance économique et démographique du moment était la norme et non le fait d'une époque passagère.

Évidemment, tout a été tordu et amplifié par le débat politique. Pendant des périodes d'opulence comme celles que nous avons connues, le gouvernement, riche mais déjà endetté, s'est présenté comme une solution à tous les problèmes. Jolie période pour se faire élire : vous pouvez faire n'importe quelle promesse et il se pourrait même qu'elle se réalise. Plutôt que de montrer à sa population comment pêcher, le gouvernement l'a gavée de poissons. En d'autres mots : « Chers contribuables, confiez-nous vos problèmes et on va les régler. ».

Le gouvernement est devenu interventionniste, pas seulement pour aider ceux qui étaient dans le besoin et partager la richesse, ce qui est normal, mais aussi pour régler tous les problèmes et régir toutes les sortes d'activités. Nous sommes tombés dans le piège de l'État providence.

En deux décennies, on a vidé les réserves de cet État providence et nous sommes maintenant au lendemain du party. Les factures des vieilles dépenses continuent d'arriver. On s'endette pour en payer une partie. Il ne reste que des miettes pour la nouvelle génération de contribuables, les jeunes qui sortent des collèges et des universités. Un emploi dans la fonction publique ? Non. Tout est barré et bloqué. L'industrie de la pêche ? Oups ! Plus de poissons. La forêt ? Elle est rasée ! Payer des taxes et des impôts extrêmes ? Ça oui, par exemple. Parce qu'il faut payer les factures d'hier en même temps que celles d'aujourd'hui.

Contrairement à l'idée généralement répandue, une grande partie de notre dette collective n'a pas été contractée pour construire des routes ou des hôpitaux, le genre d'actifs qu'on peut juger normal d'hypothéquer. Trop souvent, malheureusement, elle a servi à payer l'épicerie, les dépenses courantes.

Je dessine à gros traits et je sais la réalité plus nuancée car on a construit, durant la même période, beaucoup d'institutions importantes dont on va longtemps bénéficier. Mais il y a une évidence qui s'installe et il faut pouvoir le dire : les générations montantes ont le sentiment général d'avoir été invitées à un gros buffet après tout le monde, vers neuf ou dix heures le soir. Que reste-t-il ? Des assiettes dégarnies, quelques sandwichs à moitié mangés, des restes séchés, des fonds de bouteilles vides renversées, du ménage à faire... et la facture salée, qu'on a laissée sur le coin de la table.

LA DETTE TRANSMISE À CEUX QUI NE SONT PAS ENCORE NÉS

Cette année, jeunes, vieux, bébés ou moins jeunes, chaque Québécois, sans exception, doit 16 425 $ aux créanciers de l'État du Québec, sans compter ceux du Canada. En plus, il a l'obligation d'assumer environ 1000 dollars, en moyenne, pour payer les intérêts – seulement les intérêts ! – sur la dette du gouvernement québécois. Et l'an prochain, ceux qui ne sont pas encore nés devront faire face à la même situation. Quel cadeau de bienvenue !

Ce qui est triste, c'est que – contrairement à l'idée généralement répandue – une grande partie de notre dette collective n'a pas été contractée pour construire des routes ou des hôpitaux, le genre d'actifs qu'on peut juger normal d'hypothéquer. Trop souvent, malheureusement, elle a servi à payer l'épicerie, les dépenses courantes. Un dérapage de la gestion publique injustifiable ! Ça démontre un manque de vision spectaculaire des gestionnaires de l'État qui auraient dû savoir qu'avec le déclin de la natalité, il y aurait bientôt moins de contribuables dans la population active pour se partager le remboursement. Aujourd'hui, une bonne partie de la population vieillit et on assiste à un gigantesque transfert de factures : ceux qui ont contracté la dette la refilent à l'autre génération. Au fil des ans, cette dette est devenue si importante que le paiement des intérêts est le troisième poste de dépenses du budget du gouvernement québécois, tout de suite après la santé et l'éducation. Et encore, les taux d'intérêt très bas des dernières années ont contribué à alléger ce fardeau.

Cela nous rend d'ailleurs extrêmement vulnérables face à des fluctuations importantes de ces taux d'intérêt, justement, ou de celui des taux de change. Une situation qui pourrait, dans certaines conditions, forcer le gouvernement du Québec à couper des centaines de millions, voire des milliards, en services à la population pour arriver à couvrir les besoins de liquidités pour des paiements supplémentaires d'intérêts sur la dette. Dans cette perspective, le gouvernement doit être vigilant et

> *Notre dette de 120 milliards, même gouvernementale, est une vraie dette. Nier cela, c'est faire trop de politique et pas assez d'économie.*

s'assurer de ne pas mettre à risque des services véritablement essentiels. On ne peut pas l'ignorer, nos finances doivent obligatoirement être gérées d'une façon plus responsable pour ceux qui viennent après nous. Déjà entendu ? Jamais arrivé.

Peut-on vraiment compter sur les vieux partis pour une gestion différente des finances publiques ? Poser la question c'est y répondre : ils sont les Laurel & Hardy de la mauvaise farce. C'est dans le décor qu'ils ont dessiné que se joue le film actuel. Soyons attentifs en les écoutant : dans la même phrase, ils nous diront que nous sommes mûrs pour de grands changements et que tous les systèmes qu'ils ont mis en place au fil des années sont les meilleurs au monde ! Il faut reconnaître que pour leurs partis politiques, le système actuel semble assez payant.

LOURDE HYPOTHÈQUE SUR L'AVENIR

Quand ma fille Angela est née, en 1996, la dette du Québec s'élevait à moins de 80 milliards de dollars. Quand mon fils Charles est arrivé, en 1999, la dette dépassait déjà 100 milliards. Aujourd'hui, elle atteint les 120 milliards de dollars. Qu'est-ce qui attend Juliette, la plus jeune, en 2020, quand elle aura 18 ans ?

On entend toutes sortes de théories plus ou moins artistiques sur la comptabilité et l'endettement public, allant jusqu'au fait qu'une dette gouvernementale n'est pas une vraie dette. Je suis sans nuances : notre dette de 120 milliards, même gouvernementale, est une vraie dette. Elle entraîne des paiements d'intérêt bien réels (environ sept milliards de dollars en 2005-06), elle est due à des créanciers bien réels eux aussi et elle doit être remboursée. Nier cela, c'est faire trop de politique et pas assez d'économie.

Actuellement, le Québec est, en dollars réels, la plus endettée des provinces canadiennes. Une des trois plus endettées relativement à son PIB. C'est de l'argent qui a été emprunté et que nous devons rembourser collectivement. Le Québec est hypothéqué comme une maison, une auto, un immeuble... Et le Québec, c'est l'ensemble des sept millions de citoyens qui l'habitent.

UNE ÉNIGME : LA COMPTABILITÉ DES VIEUX PARTIS

Maintenant, une énigme. Comment peut-on déclarer avoir atteint le déficit zéro tout en ayant sur les épaules une dette qui continue d'augmenter ? Dans mon dictionnaire, un déficit est une situation financière où les dépenses excèdent les gains. Si les gains sont insuffisants pour combler les dépenses et qu'on est obligé d'emprunter pour « équilibrer le budget », je trouve que ça ressemble pas mal à un déficit. Un vrai déficit. Et surtout pas un « déficit ZÉRO » ! Seule la comptabilité gouvernementale peut en arriver à des résultats pareils. Essayez dans votre comptabilité familiale pour voir. Votre directeur financier va vous rappeler rapidement à l'ordre, croyez-moi !

Un déficit gouvernemental devrait avoir un caractère tout à fait exceptionnel. Il n'est justifié que dans le cadre d'une importante récession où l'on utiliserait temporairement l'emprunt pour accélérer des investissements publics et éviter ainsi que la situation de l'emploi ne se détériore trop. Au Québec, année après année, à l'époque où on connaissait une belle croissance, l'État a dépensé plus que ce qu'il gagnait au lieu d'en mettre peu à peu de côté et de l'investir là où ça valait son pesant d'or : dans l'avenir. Aujourd'hui, notre argent sert à rembourser des factures des années 70, 80 et 90 pendant que les besoins actuels nous passent déjà par-dessus la tête. Quand on comprend cette réalité, on peut mieux mettre en perspective les difficultés que nous vivons

Ce qu'on ne dit pas, c'est que derrière cette dette officielle – qui augmente d'environ 1,5 million de dollars par jour – le gouvernement camoufle les déficits accumulés des universités, des cégeps, des hôpitaux, des commissions scolaires et d'autres organismes publics.

actuellement, notamment en santé et en éducation. On peut constater de façon tangible les effets d'une irresponsabilité politique ayant longtemps prévalu et dont nous payons collectivement le prix.

Avec la gestion à court terme des ressources naturelles, le décrochage scolaire et la détérioration de notre environnement, la dette représente probablement la plus grosse hypothèque qu'on s'apprête à transférer à la prochaine génération.

La dette officielle en cache une autre

Je le rappelle, en 2005, la dette du Québec frise les 120 milliards de dollars. Ce qu'on ne dit pas, c'est que derrière cette dette officielle – qui augmente d'environ 1,5 million de dollars PAR JOUR – le gouvernement camoufle les déficits accumulés des universités, des cégeps, des hôpitaux, des commissions scolaires et d'autres organismes publics. Des milliards de plus. Ce n'est pas tout ! On devrait aussi inclure l'état pitoyable des infrastructures comme les routes, les réseaux d'aqueducs et d'égouts, en manque chronique d'entretien, qui constituent une autre forme d'endettement léguée aux générations futures : il est connu sous l'expression de « déficit enfoui » !

Mais je ne veux pas donner davantage de maux de tête. Je laisse ici parler un document officiel du gouvernement qui confirme le niveau déplorable du service de la dette :

> « La dette totale du gouvernement représente aujourd'hui
> 44 % du PIB. (...) Service de la dette : *6 995 milliards*
> de dollars »
> — *Discours sur le budget* 2005-2006, 21 avril 2005

Près de sept milliards de dollars en intérêts seulement !

Sept milliards de dollars, c'est plus que *quatre stades olympiques chaque année*, un stade qu'on a pris plus de 30 ans à payer, collectivement.

Ça n'a plus de bon sens d'hypothéquer ainsi l'avenir, Monsieur le ministre des Finances !

Ça fait dix ans qu'à l'ADQ on sonne l'alarme.

31

MES CONVICTIONS

32

JE SUIS UN QUÉBÉCOIS
AUTONOMISTE

Un jour, le Bloc québécois, pour des raisons de stratégie préélectorale, a demandé qu'un vote soit pris à la Chambre des communes pour reconnaître le caractère distinct du Québec. Objectif évident : obtenir un refus qui servirait son agenda politique. Ce faisant, il nous plaçait dans une situation difficile où nous demandions une fois de plus au reste du Canada de reconnaître notre existence comme peuple.

Je me suis posé beaucoup de questions suite à cet événement. Au fond, je n'avais aucun besoin – et je ne l'ai toujours pas – de me faire confirmer par les gens de la Saskatchewan, de la Nouvelle-Écosse ou des autres provinces du Canada ce que nous sommes. Le Québec est une nation.

Et si les Québécois n'avaient qu'à foncer... sans demander la permission pour exister ?

Les Québécois forment une nation. Une nation qui a su, tout au long de son histoire, prendre sa place et convenir, avec ses voisins et le gouvernement central, d'arrangements lui permettant de défendre sa spécificité tout en s'intégrant dans sa réalité géopolitique. Le Canada de 1867 a été accepté par le Québec dans l'esprit d'une confédération, c'est-à-dire une union d'États, porteurs de leur destinée propre et gardiens de leurs droits. Malheureusement, il est maintenant évident que le Canada n'a pas évolué dans cette voie, et cela de façon particulièrement marquée durant l'ère Trudeau-Chrétien.

En défendant le rapport Allaire au point de quitter un parti pour fonder l'ADQ, j'ai exprimé on ne peut plus clairement mon adhésion au concept d'une vraie confédération décentralisée. Un ensemble canadien dans lequel le Québec contrôlerait ses affaires et éliminerait une foule de dédoublements coûteux. Un système politique souple où notre société distincte retrouverait un niveau d'autonomie conforme à ses besoins. Je croyais alors – et je crois encore aujourd'hui – que les Québécois gagneraient à se retrouver au sein d'un authentique État autonome qui serait partie prenante d'un ensemble économique avec ses voisins. Dans une telle dynamique, les relations entre les partenaires canadiens deviendraient nettement plus fonctionnelles et porteuses d'avenir.

Voilà pour le modèle idéal. La réalité politique s'avère cependant plus complexe au quotidien. Elle évolue beaucoup plus lentement. Rome ne s'est pas bâtie en un jour, dit-on. Quand on est engagé dans une démarche politique de fond, on doit garder ses idéaux en vue tout en composant avec le déroulement des événements. C'est ainsi que, jour après jour, on doit prendre position et poser des gestes qui, un à un, nous rapprochent de nos objectifs. C'est la voie que je m'applique à suivre depuis maintenant près de 20 ans. Celle qui constitue pour moi le principe même de la cohérence en politique.

C'est par principe que j'ai quitté leur parti lorsque les libéraux ont tourné le dos à mon idéal. C'est par cohérence que j'ai voté OUI au référendum de 1995, en dépit de mon appréhension naturelle face aux concepts dogmatiques du PQ. J'étais alors convaincu qu'il valait mieux casser le cadenas de la marginalisation du Québec dans le Canada et provoquer un nouveau partenariat – négocié par Lucien

Bouchard, faut-il le rappeler – que de laisser au centralisateur Jean Chrétien l'occasion de nous passer une autre fois sur le corps.

Aujourd'hui, en accord avec la vision que nous défendons depuis sa création, l'Action démocratique du Québec propose la voie autonomiste pour permettre au Québec de réaliser des gains concrets dans le sens de notre idéal. C'est aussi en conformité avec cette démarche que nous rejetons l'idée d'un autre référendum, un troisième en bien peu de temps, une démarche qui risquerait d'affaiblir encore plus le Québec.

Être « adéquiste » ou « autonomiste », c'est être héritier du *Rapport Allaire* qui proposait de récupérer d'Ottawa des responsabilités et des pouvoirs importants que le Québec considère depuis longtemps comme les siens. Depuis sa fondation, le cœur du projet de l'Action démocratique consiste à faire du Québec une nation forte et autonome sur son territoire. Il ne faut pas perdre de vue que nous devons évoluer dans un monde de plus en plus *interdépendant*, une réalité incontournable. C'est d'ailleurs pour cette raison que l'ADQ a exigé que le partenariat économique soit une condition essentielle, directement liée à la question qui était alors posée à la population, avant d'accepter de joindre le camp du OUI lors du référendum de1995.

> *Être « adéquiste » ou « autonomiste », c'est être héritier du Rapport Allaire qui proposait de récupérer d'Ottawa des responsabilités et des pouvoirs importants que le Québec considère depuis longtemps comme les siens.*

Comme son nom l'indique, notre formation politique est démocrate. C'est un parti rassembleur. Or, les Québécois ont indiqué deux fois qu'ils ne veulent pas de rupture avec le Canada. Pour l'ADQ, il faut comprendre ces résultats, bien enregistrer la conclusion démocratique qui en découle et travailler à répondre aux aspirations de l'ensemble de notre peuple. Il ne faut surtout pas présumer que nos concitoyens n'ont pas « compris » et penser à un troisième référendum qui tenterait de « passer » de force une option déjà rejetée deux fois. Les adéquistes ont décodé les résultats référendaires de 1980 et de 1995 comme un désir d'autonomie résolue, au sein d'un ensemble économique plus décentralisé, soit une véritable confédération.

Je suis convaincu qu'il s'agit là de la meilleure voie pour nous.

Le Québec, État autonome

Dans mon esprit, le Québec est un État qui a des partenaires, comme tous les États du monde. L'alliance avec les provinces fondatrices du Canada a évolué. Cette évolution est constante, et nous en sommes arrivés à une étape-clé au tournant de ce millénaire : le Québec n'est pas un territoire *propriété* du Canada, mais l'un des *États partenaires de la Confédération canadienne*. C'est très différent. De plus, il n'est pas le seul : chacune des provinces du Canada a le droit d'exiger qu'on reconnaisse sa différence et ses droits.

C'est pour nous outiller dans l'expression de notre différence que nous proposons aux Québécois la voie autonomiste.

L'approche autonomiste consiste à utiliser tout l'espace de liberté politique présent dans la Constitution canadienne, notamment en se dotant d'une Constitution québécoise. Elle annonce nos couleurs relativement à un Canada décentralisé. En accord avec le rapport

Allaire, cette approche consiste à récupérer des pouvoirs, par exemple ne remplir qu'une seule déclaration de revenus au Québec. Le gouvernement du Québec verserait ensuite son dû à Ottawa, selon les règles de l'art, comme cela se fait déjà pour la taxe sur les produits et services (TPS).

> *Le Québec n'est pas un territoire propriété du Canada, mais l'un des États partenaires de la Confédération canadienne. C'est très différent.*

La vision autonomiste veut unir les Québécois dans une position de force, non les diviser. Elle affirme notre capacité d'avancer de notre propre chef, comme l'a fait Jean Lesage avec la création de la Caisse de dépôt. Sans soumission ni rupture avec le reste du Canada, la voie autonomiste assure au peuple du Québec une continuité dans sa marche pour prendre fièrement sa place dans le monde.

Pour l'ADQ, voilà le meilleur chemin à suivre.

La pérennité de notre société francophone d'Amérique

Enclavé dans une mer anglo-saxonne, le Québec a développé des réflexes propres à toute communauté minoritaire : il a appris à se battre sans relâche pour préserver son identité. C'est un enjeu fondamental pour assurer sa pérennité comme société de langue française en Amérique.

Les Québécois francophones ont aujourd'hui plus de leviers économiques qu'ils n'en n'ont jamais eus. Ils ont atteint des sommets dans différents domaines, qu'il s'agisse de la science, des affaires et de la culture, pour ne nommer que ceux-là. Des réussites exportées partout dans le monde.

Pour s'affirmer, notre collectivité n'a demandé la permission à personne. Et elle l'a fait, souvent de brillante façon.

L'émergence du projet souverainiste est survenue dans un contexte de revendications légitimes des francophones qui avaient peu accès aux universités, aux emplois supérieurs et aux leviers financiers de leur propre société. Ce projet s'appuyait par-dessus tout sur l'appréhension fondée de voir s'étioler, de façon irréversible, la langue française chez nous. Mais ces prémisses ont changé. Aujourd'hui, Jean Coutu possède l'une des plus grandes chaînes de pharmacies aux États-Unis. Les jeunes francophones, mes enfants par exemple, n'ont pas moins de chances d'accéder aux études supérieures que les jeunes anglophones. Avec la loi 101, la fragilité linguistique a été balisée et endiguée, même si elle existera toujours. On est dans un autre univers que celui des années 60 et 70. À tel point que, dans 15 ans, lorsqu'on leur parlera de la libération économique des Québécois, les jeunes devront consulter leurs livres d'histoire !

Les élans d'autonomie et la volonté d'émancipation du peuple québécois constituent des principes durables, permanents, qui traversent les siècles. Mais le contexte change et les besoins politiques aussi.

Depuis sa fondation, l'ADQ porte les préoccupations légitimes d'une société en changement, comme la responsabilisation des citoyens et le questionnement du modèle étatiste tout puissant que nous connaissons depuis plusieurs décennies. Et il y a plus. L'ADQ inspire un nouveau nationalisme : un sentiment d'appartenance pragmatique au Québec, basé sur l'affirmation sereine de nos pouvoirs et l'expression fière de ce que nous sommes devenus. Ce sentiment s'appuie sur une volonté inébranlable de développer notre économie et de perpétuer notre société.

> *Le combat que mènent les Québécois pour affirmer leur culture et leur différence sur toutes les tribunes de la planète est une quête commune à tous les peuples du monde.*

Le combat que mènent les Québécois pour affirmer leur culture et leur différence sur toutes les tribunes de la planète – par leurs films, leurs cirques, leurs artistes – est une quête commune à tous les peuples du monde. Ce combat ne se fait pas face au Canada ni contre le Canada. Il se fait simplement parce que notre identité explose de vitalité.

Peuple adulte, nous sommes ce que nous sommes et nous l'affirmons haut et fort.

UN QUÉBEC PROSPÈRE ET PAR CONSÉQUENT PUISSANT

La péréquation est la « formule de soutien équitable » de la Confédération canadienne : elle permet de donner aux provinces pauvres de l'argent prélevé des provinces riches. Contrairement à ce que plusieurs croient, le Québec n'est pas, en 2005, une province riche du Canada. Le fait que nous recevions des transferts de péréquation témoigne que d'autres provinces plus prospères soutiennent chaque année notre économie.

On peut être assuré que je me battrai toujours contre le déséquilibre fiscal et pour que le Québec obtienne tout ce qui lui revient d'Ottawa. Mais je refuse d'être *dépendant* du reste du Canada. Il est inconcevable pour moi d'accepter de voir le Québec condamné à demeurer pour toujours sur la liste des provinces en attente de l'aide des autres.

Nous avons un potentiel remarquable de richesses naturelles. Notre État est aussi une pépinière de talents. Un jour, lorsque l'Ontario et certains États américains en auront besoin, le Québec pourrait devenir un plus grand exportateur d'énergie non polluante. La profusion des bénéfices engendrés permettrait au Québec de reprendre son pouvoir d'antan avec un poids incontournable dans les discussions avec le reste du Canada. Car qui a le plus de pouvoir autour d'une table de négociation ? Celui qui a faim ou celui qui est indépendant de fortune ?

La zone d'influence d'un État se base sur des leviers concrets. *Money talks !* Soyons de vrais leaders. En focalisant sur notre réussite et notre prospérité, nous serons bien plus écoutés, non pas par pitié pour une province pauvre, ou de guerre lasse à l'égard du mouton noir revendicateur, mais par respect pour un État fort.

LA DÉMOGRAPHIE : NOTRE PLUS GRAND DÉFI

Depuis des années, notre poids démographique diminue face aux autres provinces du Canada. En 2005, moins d'un Canadien sur quatre habite au Québec. Or, notre pouvoir politique dans la confédération est directement lié à cette réalité. De plus, nous avons besoin d'une masse critique pour recevoir des immigrants qui pourront harmonieusement s'agglomérer à notre collectivité et ainsi contribuer au rayonnement et à la pérennité de la culture québécoise.

Nous avons l'un des taux de natalité les plus bas en Occident. Il n'y a pas de quoi se pavaner. Des couples ne font pas d'enfants parce qu'ils craignent de ne pas avoir les moyens de les élever. Ils n'ont pas confiance en l'avenir. C'est un fait, mais on n'ose pas le crier sur toutes les tribunes. C'est fascinant de constater le peu de préoccupation des ténors nationalistes pour la natalité. Dès qu'on parle du projet national, on crie haut et fort notre différence comme peuple et on est prêt à tout chambarder : les aspects juridiques et institutionnels de la souveraineté, la répartition des pouvoirs, l'importance de joindre « le concert des nations »... Mais lorsqu'il s'agit du peuple lui-même, de sa survie, de sa pérennité, pas un mot.

> *Pour la survie du Québec et du français, il est plus important d'avoir un taux de natalité qui renouvelle les générations que d'avoir un siège à l'ONU.*

Avons-nous oublié qu'un peuple n'existe pas s'il n'assure pas sa descendance ?

N'en déplaise aux chantres du PQ, pour la survie du Québec et du français, il est plus important d'avoir un taux de natalité qui renouvelle les générations que d'avoir un siège à l'ONU. C'est une question de gros bon sens. Il nous reste à être conséquents et à adopter les mesures sociales et économiques qui s'imposent.

UN TERRITOIRE NATIONAL À CULTIVER

Les Québécois forment une nation et ils occupent un territoire : le Québec. Un espace qui n'a rien à voir avec la Nouvelle-France de nos manuels d'histoire, ni avec les deux rives de quelques dizaines de kilomètres de largeur qui longeaient le fleuve Saint-Laurent, l'année de la fondation du Canada. Les Français ont occupé près de la moitié du continent nord-américain à l'époque des colonies, dont une bonne partie des États-Unis. On l'oublie. Le Texas a été une république, au milieu du 19e siècle, avant d'être annexé aux États-Unis. La province de Terre-Neuve a joint la confédération canadienne il y a un peu plus de 50 ans, en 1949. Une bonne partie de ses habitants ont connu le Canada comme un pays *voisin*.

Le Québec existait avant la Confédération. Tous en conviennent, nous pourrions fort bien exister sans le Canada, et vice et versa. L'Histoire du monde est remplie de revirements inconcevables en d'autres temps, mais avec lesquels nous vivons confortablement maintenant.

> *Il faut donner aux régions l'autonomie nécessaire pour leur permettre de s'épanouir et les leviers indispensables pour qu'elles puissent réussir à nouveau. Un passage obligé pour que tout le Québec renoue avec la prospérité.*

Les pays ne sont plus ce qu'ils étaient il y a 100 ans. Ils se transforment constamment. L'information et les gens circulent. Chaque année, des centaines d'accords se signent entre États ou groupes d'États. Si le vent amène chez nous des nuages toxiques en provenance des États-Unis, ou vice-versa, on peut être sûr que l'autre va réagir.

L'Europe est un territoire qui réunit des dizaines d'États *interdépendants* plutôt que totalement indépendants. On s'est rendu compte, après des siècles d'histoire et de guerres, qu'il valait mieux considérer le continent comme un grand ensemble de nations et de cultures qui se voisinent, qui font des échanges, qui mettent certaines de leurs ressources en commun, plutôt que comme un espace plein de pays totalement fermés.

Le Canada est-il comparable à l'Union européenne ? Pas vraiment, mais cette confédération européenne sert bien pour illustrer une tendance : les États du monde trouvent des modèles nouveaux pour vivre leur interdépendance en préservant des identités forgées par des siècles d'histoire.

Le Québec possède un vaste territoire qui doit être exploité par une population incitée à l'habiter. Pour ce faire, il faut donner aux régions l'autonomie nécessaire pour leur permettre de s'épanouir et les leviers indispensables pour qu'elles puissent réussir à nouveau. Un passage obligé pour que tout le Québec renoue avec la prospérité.

NOTRE NATION DOIT VIVRE AVEC SES VOISINES

On n'a pas besoin d'un cours d'histoire moderne pour savoir qu'un Québec « souverain » ne serait pas aussi indépendant qu'on voudrait bien le prétendre. Nous serions liés par toutes sortes d'accords avec toutes sortes de pays, d'États, de républiques et, bien sûr, avec la super-puissance des États-Unis d'Amérique. Nous serions *interdépendants* comme toutes les entités politiques du monde, et nos premiers partenaires économiques seraient le Canada et les États-Unis. *Exactement comme aujourd'hui.*

Les États-Unis, au sud, forment une gigantesque puissance économique et militaire. Ils ont les réflexes tentaculaires de tous les empires de la planète : tantôt ils sont nos clients, tantôt nos compétiteurs. Nos rapports sont relativement amicaux et cordiaux. Tant mieux. Chacun y trouve son compte. Mais cette imposante présence n'est probablement pas étrangère au fait qu'un Québécois sur deux ait choisi de rester accroché au bloc du nord, la Confédération canadienne.

Les Québécois en ont ras-le-bol de l'évolution centralisatrice du Canada, mais ils gardent une conscience éclairée de la réalité géopolitique dans laquelle nous devons évoluer. Notre nation doit continuer à vivre en harmonie avec ses voisines.

En quinze ans, de 1980 à 1995, soit moins d'une génération, le peuple québécois s'est prononcé deux fois, par référendum, sur la définition de son pays. Chaque fois, la moitié « plus un » a choisi de demeurer dans l'ensemble canadien. Ces référendums ont néanmoins permis de faire retentir le puissant mouvement de quête d'autonomie qui habite le Québec. Un « oui » à 49,5 % doit être entendu comme une volonté que des responsabilités et des pouvoirs soient assumés pleinement par le gouvernement du Québec. Nous voulons nous occuper de nos affaires tout en acceptant d'appartenir à un ensemble plus grand.

Mais rien n'est réglé. Le Québec était divisé en deux en 1995 et il l'est encore. La cuisine constitutionnelle brassée par les chefs du PQ et du PLQ continue à apporter *confusion* plutôt que *solutions*...

L'ADQ propose de jeter un regard neuf sur notre situation, de changer l'angle d'approche pour y voir plus clair.

Édifier l'État autonome du Québec

Commençons par affirmer haut et fort tous les pouvoirs que nous avons déjà, et maximisons ensuite toutes nos marges de manœuvre. Le Québec est assez grand pour faire ce qu'il a à faire et accomplir sa destinée. Notre rayonnement, partout dans le monde, en est une démonstration éloquente. Le succès nous attend à condition que nous posions les gestes appropriés pour ancrer solidement nos jalons sur la route de notre destinée collective. Lorsque des forces extérieures voudront nous empêcher de nous gouverner dans le meilleur de nos intérêts, nous leur dirons simplement de nous laisser nous occuper de nos affaires. Nous trouverons bien alors le moyen de faire valoir notre point de vue : en démocratie, une prise de position politique soutenue par la volonté populaire est plus forte que n'importe quoi.

Soyons ce que nous sommes. Vivons. Épanouissons-nous. Affirmons-nous. Devenons plus libres et de plus en plus prospères. C'est déjà pas mal comme projet !

Aujourd'hui, si un Québécois se voit empêché d'avancer et de vivre ses rêves, si on l'*enfarge* quand il veut prendre des initiatives personnelles, ou s'il se sent appauvri et privé de moyens, qu'il se pose la question suivante : ces blocages viennent-ils d'Ottawa... ou de Québec ?

S'il se voit plutôt *encouragé* à concrétiser ses rêves, à faire autrement, à sortir des sentiers battus, à grandir et à réussir, ici comme ailleurs, je souhaite de tout cœur qu'il puisse crier sa fierté et témoigner avec bonheur que c'est sa société à lui, le Québec, qui l'a poussé dans le dos, l'a accompagné et lui a permis de se réaliser.

L'ADQ ouvre toutes grandes ses portes à ceux qui reconnaissent la place de premier choix que nous pouvons occuper dans le grand ensemble économique nord-américain. Notre parti accueille tous ceux qui croient en l'autonomie du Québec, un État libre de ses choix et capable d'assumer son destin comme tous les peuples arrivés à maturité. Nous proposons une avenue claire et déterminée pour faire grandir et assurer la pérennité de notre société francophone d'Amérique.

J'en suis convaincu : l'approche autonomiste constitue la meilleure voie pour l'avenir du Québec.

Le monde nous appartient. À nous de bouger.

32

33

NOTRE CULTURE AU PLURIEL

Quelle richesse pour un enfant d'avoir la chance de visiter un musée, d'assister à un concert, de voir un spectacle de danse ou d'écouter un récital ! Lorsque ses parents, son école ou son milieu lui permettent d'être en contact quotidien avec les arts et la culture, l'enfant change sa vision du monde pour la vie. Comment ferons-nous éclore le talent de nos jeunes Québécois s'ils n'ont aucun modèle auquel se référer ?

Notre désir bétonné à perpétuer notre culture et l'identité de notre société distincte nous conduit à des choix.

Culture et identité sont indissociables.

La culture se partage et se propage, de gré ou de force, au contact de nos semblables. Les livres autant que les émissions de télévision qui reflètent notre réalité plutôt qu'une autre, nos habitudes de consommation, nos références communes et un certain nombre de caractéristiques qui nous distinguent des autres nations du monde sont des manifestations de notre culture.

L'identité culturelle, à mon avis, c'est l'appropriation de la culture. Quand un Québécois se lève et dit « nous sommes différents du reste de la planète, nous nous reconnaissons entre nous », il clame son identité culturelle. Il parle alors de quelques grands dénominateurs communs qui nous rassemblent. Mais nous ne sommes pas des clones dans nos goûts et nos références culturelles. La culture québécoise n'est pas tout d'un bloc. Avec son histoire, son immigration et son vaste territoire, je dirais que le Québec a une culture au pluriel, pour paraphraser l'historien et anthropologue Michel de Certeau. Une richesse dont on évalue encore mal la portée.

Pour plusieurs raisons, je suis convaincu que le gouvernement doit promouvoir notre culture et y investir énergie et argent. Tout gouvernement au Québec doit se rappeler qu'il demeure le seul dépositaire officiel de l'identité distincte des Québécois. De surcroît, c'est rentable. Comme économiste, je suis toujours fasciné de constater l'impact formidable que peut avoir, sur la société entière, tout investissement dans la culture et, plus particulièrement, dans ce qu'on appelle les industries culturelles. Le gouvernement doit donc tout mettre en œuvre pour que la culture se propage au sein de la population, et qu'elle se *diversifie*, reflétant son époque et le dynamisme du peuple qui la porte.

> *Le gouvernement doit promouvoir notre culture et y investir énergie et argent. Tout gouvernement au Québec doit se rappeler qu'il demeure le seul dépositaire officiel de l'identité distincte des Québécois.*

Le gouvernement québécois réserve annuellement autour de 500 millions de dollars au ministère de la Culture et des Communications. Néanmoins, depuis des lustres, le dossier « culture » est traité comme une patate chaude par les gouvernements. Étant donné que les associations et les organismes sont nombreux dans l'univers culturel au Québec, les gouvernements ont toujours manœuvré pour éviter de les irriter. C'est ainsi qu'on a eu droit à la politique dite du « 1 % », à des programmes promis mais non livrés ou à des politiques livrées mais non appliquées. « Qu'est-ce qui pourrait bien faire plaisir aux lobbys culturels sans qu'on n'y consacre une trop grande part de notre budget ? » semblent-ils jauger.

Mais au-delà de ces réalités comptables et politiques, l'identité culturelle exige du gouvernement qu'il voit à long terme et, surtout, qu'il tienne compte du fait que la culture est moins tangible que les produits culturels qu'elle engendre. Que les citoyens doivent en arriver à ressentir cette fierté de vivre dans une communauté de gens partageant des valeurs communes à travers les mots, la musique, les images et les histoires qu'ils se racontent.

CHAQUE CITOYEN EST UNE « ÉPONGE CULTURELLE »

La culture fait partie de la vie quotidienne. À la maison, Marie-Claude et moi accordons une importance primordiale au fait que nos enfants doivent être mis en contact avec la culture : apprentissage d'instruments de musique, spectacles, musiques d'hier et d'aujourd'hui, visites à la bibliothèque ou au musée. Toutes les occasions sont bonnes. Nos petites « éponges culturelles » ne demandent qu'à élargir leurs horizons.

Comme eux, chaque citoyen du Québec est exposé à la culture de ses semblables et contribue à la rendre vivante et à la propager. « As-tu écouté le dernier disque de France D'Amour ? Il faut que tu l'achètes ! » ; « Faut que t'écoutes Jorane ! » ; « Wow ! J'ai vu le film C.R.A.Z.Y., hier soir. Génial ! ». Le bouche à oreille, la tradition orale, sont de puissants propagateurs de la culture.

Mais ça doit commencer quelque part. Pour les enfants, c'est d'abord à la maison et à l'école que tout débute. Une bibliothèque, par exemple, plutôt que de ressembler à un grand musée, doit être située à proximité de sa communauté. Elle doit être vivante : ouverte sept jours sur sept, jours fériés inclus, et devrait être perçue comme un repère (les bibliothèques fermées pendant les congés des enfants, c'est une aberration !). La télévision et la radio, on le sait, sont au centre de la vie familiale dans bien des foyers. Leur influence est colossale. Quant à l'école, que les enfants fréquentent cinq jours par semaine, elle m'apparaît comme un véhicule essentiel des valeurs de notre société. Là, les arts et la culture doivent être présentés abondamment. Je crois aussi qu'il importe de donner à ceux qui ont un talent particulier la chance de s'épanouir grâce à des programmes arts-études, un peu sur le modèle des programmes sports-études. Ce type de programmes existe à petite échelle ; il devrait être plus accessible et répandu.

Nous devons prendre les moyens pour que la culture québécoise puisse « imbiber » chaque jour un peu plus les millions de porteurs de notre identité.

L'INDUSTRIE CULTURELLE

Au Québec, des milliers d'emplois dépendent de l'industrie culturelle. Toutes les régions en bénéficient. Et ici, on doit parler d'argent : d'aide financière. Un coup de pouce de l'État est essentiel parce que le marché québécois constitue, en termes de consommation, un petit marché.

Lorsque notre porte-parole en matière de culture aux dernières élections, François Pratte, a annoncé que l'ADQ injecterait 140 millions de dollars de plus dans la culture, beaucoup d'observateurs du milieu ont applaudi, bien sûr. Quand il a déclaré à une journaliste spécialisée qu'il y aurait éventuellement plus d'argent, venant d'une plus grande « consommation » de nos produits culturels, elle n'a pas saisi : « Vous avez donc l'intention de donner encore plus que les 140 millions ? ». Il était tout simplement inconcevable, pour cette journaliste, qu'éventuellement, il y aurait plus d'argent parce que *plus* de gens liraient *plus* de livres québécois

> *Un coup de pouce de l'État est essentiel parce que le marché québécois constitue, en termes de consommation, un petit marché.*

ou se déplaceraient *en plus grand nombre* dans les cinémas pour voir *plus* de films produits ici. C'était avant les succès de *Séraphin, un homme et son péché*, de *La Grande séduction*, des *Invasions barbares*, de *Camping sauvage* ou de *Ma vie en cinémascope*, pour ne citer que ces exemples tout récents qui illustrent cette réalité.

La culture aura toujours besoin d'un appui de la collectivité sous diverses formes d'investissements publics. Cette aide doit cependant déboucher sur des produits culturels qui doivent être vus, lus, écoutés par leur premier public : les Québécois. Car à long terme, aucune industrie ne peut être soutenue qu'artificiellement, même si elle est culturelle. Quand on voit les succès que les Québécois produisent ici comme ailleurs dans le monde, on a toutes les raisons de croire que l'avenir nous sourit.

Le gouvernement doit jouer son rôle de catalyseur pour que des produits de qualité se créent et que de plus en plus de gens aient envie de les consommer. Dans cette veine, et puisqu'il s'agit là d'un de ses champs de compétence fondamentaux, le gouvernement du

Québec doit stimuler la fréquentation des arts dès la petite enfance et à l'école, et multiplier les occasions d'exposition aux produits culturels d'ici, afin que les Québécois y prennent goût le plus tôt possible. C'est de leur identité culturelle qu'il s'agit ! Et même de culture générale ! Notre réseau de bibliothèques est parmi les plus pauvres en Amérique du Nord. Les lieux de diffusion de la culture sont les premiers à subir les coupures de budget. C'est une erreur.

LA DIFFUSION

À l'occasion des fêtes entourant la présentation du nouveau spectacle du Cirque du Soleil, au printemps 2005, son président, Daniel Lamarre, était très fier de déclarer que l'entreprise n'avait plus besoin de subventions. Elle était rentable depuis nombre d'années déjà, et il souhaitait que beaucoup d'autres entreprises de l'industrie culturelle puissent éventuellement atteindre la même autonomie.

Un beau rêve, un objectif louable que, malheureusement, beaucoup de compagnies québécoises du secteur ne pourraient pas encore réaliser, et encore moins certains artistes qui œuvrent en solitaire pendant des mois, voire des années, avant que leur création ne voie le jour. Quand on constate la réussite du Cirque du Soleil, on comprend que les subventions de l'époque furent un bon placement. Si nous voulons voir émerger d'autres histoires à succès, il faut savoir donner le bon coup de pouce au bon moment.

Nos réseaux de diffusion, par exemple, avec leurs ramifications aux quatre coins du Québec, doivent favoriser la connaissance des œuvres de nos artistes. Ils ont un rôle fondamental dans la mise en marché réussie des différents produits que notre culture propose. Or, les petites salles de spectacles en arrachent. Les musées, malgré l'essor que certains ont connu ces dernières années, sont continuellement à la recherche de financement et de mécènes. Les orchestres, les grands comme les petits, sont aux prises avec des soucis financiers parfois insurmontables. Et la liste, déjà impressionnante, s'allonge avec l'arrivée en force d'une relève qui déborde de créativité.

> *Quand on constate la réussite du Cirque du Soleil, on comprend que les subventions de l'époque furent un bon placement.*

L'argent versé à la culture pour en encourager le succès n'est pas une dépense, c'est un investissement dans ce que nous sommes. Le Québec doit pouvoir compter sur des réseaux forts et des collaborations solides entre les acteurs du milieu. La culture est une matière vivante, en constante évolution, et elle dépend de l'apport de Québécois de *tous les milieux, de toutes les régions, langues ou origines*. Elle ne doit jamais être contrôlée par des cercles fermés qui auraient tendance à protéger leurs intérêts plutôt qu'à s'ouvrir à l'ensemble des artistes.

LE SOUTIEN DE LA COLLECTIVITÉ

Les créateurs, les artistes, ceux et celles qui ont choisi d'être les témoins de leur temps en se servant des arts pour communiquer, ont besoin de soutien. Le mécénat privé, encore embryonnaire et trop peu répandu au Québec, n'est pas suffisant pour permettre à ces talents d'éclore. Le gouvernement, par le biais de divers programmes et de son guichet presque unique, le Conseil des arts et des lettres du Québec (le CALQ), joue donc le rôle de mécène. Et c'est tout à fait justifié.

Qui bénéficie de ce soutien financier ? Comment les sommes sont-elles attribuées ? Depuis longtemps, on considère que les gens du milieu sont les mieux placés pour juger de la pertinence d'offrir une aide monétaire à tel ou telle artiste. Considérés comme des autorités dans leur domaine, ils sont conviés, dans le cadre de jurys, à faire l'évaluation de projets ou d'artistes, en se basant, notamment, sur la présentation, le dossier de presse, la région... et le talent. On ne verse pas des bourses et des subventions au hasard. Des critères sont nécessaires.

> *J'ai le souci que toute action gouvernementale soit un moteur pour la richesse et la diversité culturelle des Québécois.*

Dans le domaine des arts cependant, plus que dans tout autre, la part de subjectivité est élevée. Certains films reçoivent des fonds publics mais lorsqu'ils sortent dans les salles, le public et les critiques les démolissent. D'autres sont applaudis. Nul ne peut prévoir un succès à coup sûr.

Certains artistes de talent, et même des génies, se voient refuser une aide monétaire parce qu'ils ne sont pas dans les bons « réseaux » du milieu pour recevoir bourses et subventions. Un cliché exagéré ? Non. Un tabou ? Oui. C'est sur cela qu'il faut travailler pour redonner à tous le goût de se surpasser. La raison d'être de l'aide de l'État aux arts et aux artistes est de voir à la vitalité et à la diffusion de notre culture, ici, et à sa promotion, ici et à l'étranger. Je n'ai pas envie qu'un « Robert Lepage » en devenir choisisse une autre vie parce que quelqu'un, quelque part, a décidé qu'il n'avait pas le droit d'être un metteur en scène de génie.

J'ai le souci que toute action gouvernementale soit un moteur pour la richesse et la diversité culturelle des Québécois.

La culture du peuple québécois représente l'expression de tout ce que nous avons bâti au cours des siècles. Les gouvernements ont donc la responsabilité et le devoir d'assurer le lien – la continuité – entre le passé et l'avenir. Briser la chaîne identitaire, c'est risquer de faire disparaître l'essence même de ce qui distingue notre peuple du reste de l'humanité.

Le combat de la « société distincte » est bien réel, et il est quotidien. Son arène principale est la culture. Sa victoire tient à la vitalité de l'identité culturelle des Québécois. Je me ferai toujours le défenseur de cette métaphore.

33

34

PRÉPARONS-NOUS AU CHOC DÉMOGRAPHIQUE

Gouverner, c'est prévoir. — *Émile de Girardin (1806-1881)*

Pendant la Révolution tranquille, les baby-boomers arrivaient en force sur le marché du travail. À cette époque, parler de démographie, c'était parler de croissance. Aujourd'hui, les mêmes baby-boomers sont en train de prendre leur retraite et de laisser la place aux générations moins nombreuses qui les suivent. Une nouvelle métamorphose de la société québécoise doit se mettre en place afin de réorganiser les services publics et de les adapter à une nouvelle réalité incontournable : il y aura une demande accrue pour des services, mais moins de contribuables pour payer.

En 2003, le choc démographique était le principal thème de notre campagne électorale. Marotte de l'ADQ depuis presque 10 ans, cet enjeu est maintenant décliné sur toutes les tribunes, même celles de nos adversaires. Une illustration de plus de notre contribution au débat politique du Québec.

Je considère que c'est le plus grand défi de la société québécoise pour les prochaines décennies. Les calculs sont assez faciles à faire : moins de monde au travail donc moins de contribuables pour payer, mais plus de monde à la retraite, plus de soins de santé à livrer et plus d'hébergement à fournir pour des personnes en perte d'autonomie. Au moment d'entrer de plain-pied dans cette réalité, nous sommes surendettés. Rien n'a été préparé, dans cette perspective, par les gouvernements du passé.

Toutes les politiques de l'ADQ, toutes les propositions que nous avons faites dans la campagne électorale de 2003, étaient basées sur cette inéluctable réalité qui s'apprête à nous rattraper : plan de remboursement de la dette, modernisation du système de santé, nouveaux modes d'hébergement pour les personnes âgées. L'idée consiste à préparer le Québec à vivre le plus harmonieusement possible ce contrecoup du *babyboom*, à éviter les conflits de générations et à ménager pour chacun une place dans cette nouvelle réalité.

> *Les calculs sont assez faciles à faire : moins de monde au travail donc moins de contribuables pour payer, mais plus de monde à la retraite, plus de soins de santé à livrer et plus d'hébergement à fournir pour des personnes en perte d'autonomie.*

Nous avons répété à maintes reprises à quel point il était important de rembourser la dette en insistant sur la marge de manœuvre que cela pouvait potentiellement nous donner. En effet, au lieu de verser des milliards en pure perte sous forme d'intérêts, ces sommes pourraient constituer une marge de manœuvre pour investir dans la préservation ou même l'amélioration de certains services sociaux.

En 2005, le gouvernement Charest se voit régulièrement confronté au bien-fondé de la vision adéquiste. Même lorsqu'il commande des études et des analyses auprès des plus éminents chercheurs pour documenter ses propres groupes de travail, il se retrouve invariablement devant les réalités crues et incontournables dont l'ADQ parle depuis longtemps. Voici ce que proposait une annexe du rapport Ménard sur l'avenir des soins de santé, déposé à l'été 2005 :

> Étant donné le niveau d'endettement de la province, l'option de rembourser la dette apparaît équivalente et préférable à l'établissement d'une caisse-santé. En plus d'éviter les coûts associés à l'établissement d'un fonds séparé, le remboursement de la dette aurait le même effet que d'investir dans une caisse-santé. Cette politique est souvent perçue comme contradictoire avec le besoin d'accroître les ressources, plutôt que comme un moyen de les financer à plus long terme. Cependant, le remboursement de la dette permettrait de dégager une marge de manœuvre dans les dépenses publiques en diminuant les dépenses allouées au service de celle-ci (paiement des intérêts). Les fonds ainsi dégagés amortiraient les pressions associées au vieillissement de la population au moment où celles-ci se feront le plus sentir. De plus, cette approche assure une plus grande équité intergénérationnelle.
>
> — J. Castonguay, V. Giroux, C. Montmarquette,
> *Pour un financement durable de la santé au Québec*,
> pp. 48-49. Annexe au rapport Ménard, juillet 2005

Les vieux partis ont décrié les positions de l'ADQ sur toutes les tribunes pour prétendre que le remboursement de la dette ne constituait pas une mesure fiscale judicieuse. On comprend maintenant qu'ils ne faisaient que dénigrer à des fins électoralistes une approche cohérente et responsable. Ils nous ont attaqués sur notre compétence en matière de fiscalité, pour se faire dire quelques années plus tard par les plus grands experts que nous avions raison.

Juste retour des choses. Tout comme l'obsession adéquiste qui désire établir des ponts entre les générations. L'équité intergénérationnelle est au cœur du contrat de solidarité que nous devons nous donner collectivement pour affronter le choc démographique qui s'annonce.

> *L'équité intergénérationnelle est au cœur du contrat de solidarité que nous devons nous donner collectivement pour affronter le choc démographique qui s'annonce.*

Les régions éloignées des grands centres qui ont perdu beaucoup de leurs jeunes commencent déjà à sentir les contrecoups sociaux d'une population vieillissante. En conséquence, des entreprises ferment leurs portes, il y a de moins en moins de projets, l'économie dépérit. Les écoles se vident et il manque de jeunes pour prendre la relève. Les communautés s'appauvrissent et s'enfoncent dans une économie de plus en plus anémique.

Mes enfants commenceront leur vie d'adulte au cœur même de la période difficile du vieillissement de la population, vers 2020. Ce n'est pas loin devant nous. Quinze ans, c'est demain dans la vie d'un peuple.

Je voudrais qu'ils puissent vivre ce moment le plus harmonieusement possible. Qu'ils puissent tirer leur épingle du jeu sans être inquiets pour nous, leurs parents, et surtout leurs grands-parents. Je voudrais qu'ils puissent se construire une vie aisée tout en assumant leurs responsabilités de solidarité sociale. Si la fiscalité les écrase encore plus que nous le sommes avec des impôts toujours plus élevés, ils partiront. Comme les jeunes de leur époque, ils seront bilingues, trilingues, peut-être même polyglottes, ils auront le choix d'aller où leur carrière peut le mieux progresser et où ils pourront gagner leur vie plus confortablement.

Poser un regard optimiste sur notre avenir

Comment concilier les obligations financières accrues de notre société avec nos moyens limités ?

Nous devons arrêter de penser « petit ». Posons plutôt un regard optimiste sur l'avenir et demandons-nous quels leviers nous pouvons utiliser pour augmenter notre richesse. Le Québec a du potentiel, notre population est relativement scolarisée par rapport au reste du monde et nous avons du capital disponible. Bref, nous avons ce qu'il faut pour mieux réussir.

Si nous refusons de donner un coup de barre, nous ne récolterons rien d'autre que ce que nous connaissons maintenant. Il faut regarder comment nous pourrions atteindre notre plein potentiel.

On construit toujours sur ce qui existe déjà. Près d'un demi-siècle après la Révolution tranquille, la vague du choc démographique risque de nous faire perdre des acquis sociaux que nous avons mis deux générations à bâtir. Soyons ouverts et créatifs.

Ayons de l'imagination et mettons-la au travail.

GÉNÉRER DE LA RICHESSE AVEC NOS RESSOURCES

Il est possible de générer de l'argent neuf au Québec. Dans mon esprit, nos clés maîtresses résident dans le développement massif de notre capacité énergétique et dans notre potentiel *entrepreneurial*.

On observe l'économie florissante de l'Alberta avec une certaine envie. Certains considèrent que leur richesse collective n'est que pur coup de chance, dû essentiellement à la présence du gaz et du pétrole. Mais le Québec n'a-t-il pas, lui aussi, des ressources énergétiques extraordinaires ? C'est de l'énergie propre, de plus en plus en demande pour l'énorme marché *énergivore* que représentent les États du Nord-Est américain, nos voisins qui sont coincés dans le contexte environnemental que l'on connaît.

L'hydroélectricité et, dans un proche avenir, l'énergie éolienne, font du Québec un État potentiellement *extrêmement* riche.

Par ailleurs, nous habitons un État parmi les plus favorisés en matière d'eau potable, ce que quelques-uns appellent, à juste titre, « l'or bleu » et dont je traiterai plus à fond dans un prochain chapitre. Cet or bleu pourrait fort bien représenter un pan important de notre prospérité.

Je crois en un développement durable des ressources, une façon de concevoir l'environnement comme un levier de développement économique plutôt que comme un frein. La pérennité de la qualité de notre milieu de vie sera toujours pour moi non négociable. Il ne faut surtout pas répéter les erreurs du passé comme l'a été le saccage de nos forêts.

Pour que notre milieu de vie demeure sain et florissant, nous avons tout intérêt, maintenant et dans l'avenir, à faire en sorte d'exploiter nos ressources. Augmenter notre richesse, oui, mais de manière responsable pour en assurer le renouvellement pour les générations à venir. C'est une question de lucidité et de prévoyance.

C'est à nous d'y voir.

FAIRE ENTRER DE L'ARGENT NEUF EN SANTÉ

Il ne faut pas se mettre la tête dans le sable : le déclin démographique et la collection de problèmes qui vont l'accompagner ont déjà commencé à se manifester. En santé, notre plus important réseau de services publics, l'argent manque. Mais nous ne pouvons pas en prélever davantage des contribuables puisqu'ils sont déjà surtaxés et qu'ils sont de moins en moins nombreux à pouvoir contribuer. On a donc besoin de nouvelles sources de financement.

J'en ai déjà abondamment traité, l'ADQ propose un système mixte pour faire entrer de l'argent neuf dans le système tout en en augmentant sa capacité. Cette vision ne se veut pas dogmatique, mais pragmatique. En effet, dans 15 ans d'ici – une période très courte dans la vie d'un peuple,

> *En 2005, la santé accapare déjà plus de 43 % des dépenses de l'État québécois. L'augmentation inéluctable de cette proportion menace d'autres fonctions fondamentales des services gouvernementaux.*

faut-il le répéter – la pyramide des âges se sera inversée et il y aura moins de gens pour contribuer que de personnes retraitées, qui seront, elles, appelées à « consommer » plus de soins de santé. Si rien n'est fait, le système pourrait théoriquement imploser, une situation impossible puisqu'il est branché directement dans la poche des contribuables par le biais des revenus fiscaux liés à l'impôt sur le revenu des particuliers.

En 2005, la santé accapare déjà plus de 43 % des dépenses de l'État québécois. L'augmentation inéluctable de cette proportion menace d'autres fonctions fondamentales des services gouvernementaux. Au premier plan, l'éducation, qui est déjà elle-même négligée depuis plusieurs années.

Quels que soient les moyens envisagés, il faut fournir de l'argent neuf aux services de santé, c'est incontournable, et c'est urgent !

ADOPTER DES POLITIQUES FAVORISANT LA FAMILLE

Si la pyramide des âges est en train de s'inverser au Québec, ce n'est pas que les gens d'ici vieillissent en plus grand nombre chaque année ! C'est simplement parce que notre taux de natalité a chuté de façon particulièrement abrupte – certains démographes disent critique – au sortir du *babyboom*.

Sous le vieillissement de la population se cache donc le problème criant de la dénatalité.

Au Québec, faire vivre décemment plusieurs enfants tout en trouvant le temps nécessaire pour les élever correctement est difficile. J'en sais quelque chose. Le contexte, le rythme de vie... Peu d'éléments sont réunis pour aider les familles à trouver leur équilibre dans notre société.

Pourtant, parler de politiques familiales encourageant la natalité est devenu politiquement incorrect, depuis quelques années. Tabou !

L'idée n'est pas de revenir aux sermons moralisateurs ni d'inciter l'un des deux parents à rester au foyer pendant que l'autre conjoint travaille. Mais il me semble qu'on ne devrait pas avoir peur de parler ouvertement du besoin fondamental de notre collectivité. Une société a besoin de se reproduire pour assurer sa pérennité ! Je crois qu'il faut faciliter la venue d'un premier, d'un deuxième ou d'un troisième enfant. On sait par ailleurs à quel point la condition économique de la nouvelle génération de contribuables québécois est précaire et que les dettes d'études ne cessent de s'alourdir. Quand les règles de la société ne sont pas adaptées à la vie des familles du 21e siècle, on ne doit pas s'étonner du peu d'enthousiasme des jeunes à faire des enfants. Malgré de timides tentatives, les incitatifs actuels ne sont pas très convaincants.

Regardons la situation en face : nous ne vivons pas dans une société qui encourage la famille. Point. On en parle, on en cause. Ce thème revient souvent dans la bouche des ténors de tous les gouvernements, mais quand vient le temps de bouger, de faire preuve d'audace, on passe à autre chose. Impossible d'envisager des solutions novatrices comme celles adoptées au Luxembourg, où les mesures fiscales font en sorte que le troisième enfant ne coûte pratiquement rien aux parents. Il faut pourtant réagir ! Notre démographie s'en va à la dérive. Depuis longtemps notre niveau de renouvellement stagne sous les 2,1 enfants par couple.

Revaloriser la famille est la base de la solution au choc démographique.

ATTAQUER LE PROBLÈME SUR PLUSIEURS FRONTS

Les politiques d'immigration ont contribué à amoindrir l'effet négatif de la dénatalité. Quand on en fait le bilan au Québec, on voit que la venue de nouveaux arrivants n'a pas été en mesure de compenser cet effet. Alors que la population augmente de façon marquée dans tous les États d'Amérique du Nord, nous tirons de l'arrière. Notre poids démographique relatif diminue et nous nous affaiblissons d'autant du point de vue économique.

Nous devons donner un coup de barre important en matière d'immigration.

Nous devons attaquer sous tous les angles possibles le choc démographique, en combattre les effets à la source. Il menace nos acquis sociaux.

Le phénomène, il est vrai, est étendu à plusieurs des pays fortement industrialisés de la planète et il y a plusieurs facteurs en jeu. Mais notre situation est particulièrement alarmante.

Je l'ai dit, nos politiques d'immigration doivent être revues en profondeur. La base du problème d'une baisse de population restera toujours notre incapacité à favoriser le renouvellement générationnel. Une question de fond à laquelle nous devons, comme société, trouver la réponse.

Notre taux de natalité est l'un des plus bas en Occident. Or, après 40 ou 45 ans, les gens n'ont plus d'enfants, en général. Ils en sont à une autre étape de leur vie. Comme notre population vieillit, il n'est pas difficile de prévoir qu'il y aura encore moins d'enfants dans un proche avenir. Moins de monde à l'école. Moins d'emplois dans les services. Et de plus en plus de maisons unifamiliales mises en vente pour lesquelles il y aura moins d'acheteurs. Il faudra une nouvelle vague de familles pour que le besoin d'acheter des maisons se fasse à nouveau sentir.

Notre taux de natalité est l'un des plus bas en Occident. Comme notre population vieillit, il n'est pas difficile de prévoir qu'il y aura encore moins d'enfants dans un proche avenir.

Un effet domino remettant en cause plusieurs marchés auxquels on ne pense pas, en première analyse, et plein de conséquences qu'on ne perçoit pas encore.

La baisse de notre population et le choc démographique qui en résulteront constituent des problèmes extrêmement graves. La natalité doit devenir une priorité.

REVOIR LES FAÇONS DE FAIRE DANS LA FONCTION PUBLIQUE

Le choc démographique va changer nos façons de faire dans plusieurs domaines, dont la livraison des services publics. Notre fonction publique et parapublique sera fortement sollicitée dans les années à venir pour dispenser les services que demandera une clientèle de plus en plus nombreuse.

Or, la fonction publique elle-même n'échappera pas au vieillissement de la population. Là, comme ailleurs, on quittera le marché du travail par cohortes entières parce qu'on a engagé par cohortes. Des erreurs du passé qu'on ne doit pas répéter, telles ces mises à la retraite massives et sauvages, dont la dernière qui a compromis notre système de santé. Quelles magnifiques conditions « gagnantes » le PQ nous a-t-il infligées !

Autre drame, la perte d'expertise. Un beau matin, la direction d'un hôpital annonce à l'un de ses employés qu'il sera mis à la retraite le mois suivant. Un salaire de moins à payer, restrictions budgétaires obligent. Un beau vendredi, on lui fait un *party* pour son départ, et c'est fini. Que fera l'ex-employé de sa vie ? Et tout son savoir et son expérience, partiront-ils avec lui ?

Ceux qui restent, les plus jeunes avec moins d'expérience, viennent de perdre une source irremplaçable d'expertise, de connaissances, des choses que l'on n'apprend pas dans les livres. Faute d'un mentor, ils apprendront sur le tas. Tout le monde finit par apprendre, mais les patients auraient pu être mieux soignés avec un meilleur transfert d'expertise. Tant pis pour les patients et pour les jeunes qui vivent une insécurité inutile, et tant pis pour la qualité du système.

Tout ça parce nos gouvernements, menés par des premiers ministres d'expérience, n'ont jamais prévu le coup. Pourtant, gouverner, c'est prévoir.

On n'a jamais pris le temps d'évaluer que notre nouveau retraité, encore plein de ressources, pourrait faire le pont avec la nouvelle génération, prendre une retraite progressive pour qu'on profite de son expertise, qu'on forme un jeune pour le remplacer à même ses connaissances acquises durant quelques décennies de travail. Il y a toujours des trucs qu'on n'apprend que par la pratique.

Du même souffle, la retraite progressive donne le temps à la personne qui s'en va de s'organiser une nouvelle vie, de nouvelles activités, de nouveaux projets. On se rappelle des nombreux cas de dépression qui ont suivi des mises à la retraite en rafales. Mais a-t-on pensé à ces choses-là ? Si on y a pensé, on n'a pas encore agi.

On n'a jamais pris le temps d'évaluer que notre nouveau retraité, encore plein de ressources, pourrait faire le pont avec la nouvelle génération, prendre une retraite progressive pour qu'on profite de son expertise, qu'on forme un jeune pour le remplacer à même ses connaissances.

Pourtant, le temps presse. Dans moins de cinq ans, combien d'employés de la fonction publique auront atteint l'âge de la retraite ?

La livraison des services publics doit changer pour s'adapter à un nouveau contexte. Donnons-nous une vision d'ensemble plutôt que d'attendre passivement que la vague nous frappe.

VOIR PLUS LOIN QU'UNE ÉLECTION

Les gouvernements passés détiennent depuis longtemps les renseignements et les statistiques permettant de voir venir le séisme démographique tout proche. Pourtant, nous n'y sommes pas préparés. Pourquoi ? Parce que la très grande majorité des décisions politiques sont prises en fonction de la prochaine élection.

De grands défis de société tel le vieillissement de la population ne peuvent trouver leurs solutions dans une vision à court terme, dans un horizon politique qui n'a aucun intérêt à dépasser la prochaine élection. Le cas de la surexploitation de la forêt boréale en est une belle illustration. Les gouvernements successifs n'ont jamais pris les moyens pour prévenir les catastrophes annoncées, et le Québec tout entier va en payer le prix. On n'est pas sorti du bois !

Baser une élection sur une vision à long terme en disant la vérité aux gens représente tout un défi. Même si tout le monde est au courant de l'état lamentable de nos finances publiques, de notre dette et du vieillissement de la population – j'en passe –, on déroule encore le tapis rouge des grandes promesses dans l'euphorie d'une campagne électorale. Les mêmes citoyens qui ont littéralement blasphémé contre des engagements irresponsables pendant trois ans et onze mois succombent tous à la plus grosse promesse, le match électoral venu. Comme si la campagne déclenchait un tsunami d'optimisme nous faisant croire collectivement que nous pouvons nous payer des projets dont nous n'avons pas les moyens. Tout ça sans augmenter les impôts, et en gardant tous les services intacts.

Ces ballons électoraux crèvent toujours au lendemain des élections. Mais à force de duperies, viendra bien le jour où la population sera prête à un vrai changement.

Je continue de penser que pour mieux vivre demain, sans arrêter de croire en nos rêves d'avenir, il faudra arrêter de se raconter des histoires et faire enfin face à la vérité, afin d'amorcer les changements nécessaires sans délai.

Nous avons l'obligation morale de laisser derrière nous davantage que ce que nous avons reçu.

Si nous ne nous préparons pas adéquatement à affronter le choc démographique qui vient, nous aurons failli à ce devoir envers nos descendants.

34

35

L'OR BLEU NOUS COULE ENTRE LES DOIGTS

Présentement, les économistes sérieux reconnaissent qu'il nous manque un bout de ficelle pour rejoindre 2020 avec tous nos morceaux et être en mesure de protéger nos acquis sociaux. Pourquoi ne pas envisager la situation sous un angle différent plutôt que de nous embourber dans la vieille recette éprouvée de toujours « hyper-re-sur-taxer » ? Pourquoi ne pas regarder la possibilité d'augmenter les entrées d'argent, plutôt que de saigner les contribuables au point qu'ils rêvent de déménager ?

Par exemple, on pourrait décréter que l'eau, la richesse clé de notre patrimoine naturel et ressource renouvelable d'intérêt national, soit gérée, comme l'hydroélectricité, à la fois dans la perspective d'assurer sa pérennité et d'optimiser ses retombées économiques. Ce faisant, on générerait de nouvelles entrées de fonds dédiées à des projets d'avenir impossibles à financer autrement. L'Alberta a créé le Heritage Fund, il y a des années déjà, pour l'aider dans sa recherche d'une économie et d'une qualité de vie meilleures pour ses habitants. C'est une initiative que le Québec aurait intérêt à imiter !

L'histoire se répète. Rappelons-nous. Au début du siècle dernier, on découvrait que l'électricité pourrait éventuellement concurrencer le charbon et l'huile, deux sources d'énergie qui dominaient alors le marché. À cette époque, le gouvernement du Québec ne mesurait pas tout le potentiel de cette nouvelle source d'énergie propre. De facto propriétaire de ses ressources hydrauliques, il a aliéné graduellement cette richesse naturelle en la cédant, petit à petit, à de grandes sociétés, la plupart américaines. Il leur a consenti des droits sur des cours d'eau pour des décennies, parfois même à perpétuité, leur permettant ainsi de produire et de vendre de l'électricité. En raison du peu de demande en énergie, entre autres, à ce moment, peu de gens s'en sont souciés. Tranquillement, le Québec a continué de céder, rivière par rivière, son pouvoir hydroélectrique à des intérêts privés.

Plusieurs décennies plus tard, dans les années 50 et 60, l'hydroélectricité était devenue une des plus performantes sources d'énergie, mais le Québec avait abandonné son bien, souvent pour une bouchée de pain. Il a fallu que la société québécoise vive toute l'épopée de la nationalisation de l'électricité, une élection quasi référendaire sur le sujet et la création d'Hydro-Québec, version moderne, pour rétablir une situation qui n'aurait jamais dû dériver. Sans nous en rendre compte, nous avions « privatisé » un pan complet de notre patrimoine naturel. Nos gouvernements avaient manqué de vision et notre société en a payé le prix.

Nous sommes en train de revivre le même scénario dans le dossier de l'eau.

Tout le monde convient que l'eau nous appartient. Bon, d'accord. Que fait-on avec ? À force de ne pas agir de façon réfléchie et planifiée, nous sommes en train de la laisser aller, sans que cela ne paraisse, à des intérêts privés, comme nos arrière-grands-parents l'ont fait avec l'hydroélectricité. Mais ils avaient l'excuse d'être moins renseignés à cette époque. Pas nous. Qu'est-ce qu'on attend pour réagir ? Et surtout pour aller de l'avant ?

L'eau, ressource nationale

L'accès à l'eau est un droit fondamental et inaliénable. Son gaspillage et sa contamination sont inacceptables, condamnables. L'eau, bien que renouvelable, n'est pas une ressource inépuisable. Il y a quelque temps, je lisais dans le journal *La Presse*, au sujet de la nappe phréatique Ogallala, sous-jacente aux grandes plaines des États-Unis : « La plus grande nappe phréatique de l'Amérique du Nord, de dimension gigantesque, se vide quatorze fois plus rapidement qu'elle ne se remplit. » Si la tendance se maintient, cette véritable mer souterraine d'eau douce va irrémédiablement se tarir.

Au Québec, nous avons le privilège d'avoir de l'eau de qualité et en quantité. Encore faut-il nous donner des balises afin de le préserver jalousement.

Fleuve Saint-Laurent, rivières, lacs, eaux de surface ou éaux souterraines, eau de consommation urbaine ou agricole, eau utilisée pour l'embouteillage ou pour usage en vrac... L'eau est partout autour de nous. L'eau, à force d'être à tout le monde, finit par n'être la propriété de personne. Aujourd'hui cependant, au-delà des généralités, nous devons nous poser la question « à qui appartient l'eau ? ».

> *Si nous détenons un réel droit de propriété sur l'eau, comment quelqu'un peut-il prendre ce bien qui nous appartient sans payer un seul sou ?*

Les péquistes ont beau se péter les bretelles avec leur politique de l'eau, elle ne nous en garantit pas la propriété. En effet, contre toute attente légitime, malgré le coûteux spectacle sons et lumières de leur publicité gouvernementale qui nous a promis mer et monde, nous ne sommes pas *réellement* propriétaires de notre eau. Si nous détenons un réel droit de propriété, comment quelqu'un peut-il prendre un bien qui nous appartient sans payer un seul sou ? Qu'on m'explique pourquoi des grandes entreprises d'embouteillage peuvent encore, en 2005, pomper notre eau sans en payer le prix.

L'eau doit être notre propriété collective. Nous devons l'affirmer haut et fort. L'eau est un bien commun. Un bien à protéger. Un bien tout bleu qui vaut son pesant d'or. Une ressource à laquelle on attribue, à juste titre, le surnom « d'or bleu ».

Au Québec, contre toute décence, cet or bleu nous coule entre les doigts. Littéralement. Des doigts que nous

Résidences privées, institutions, municipalités, exploitations agricoles... Ceux qui ont besoin d'eau pour leurs besoins vitaux doivent pouvoir compter sur elle. Son abondance nous donne l'assurance de pouvoir continuer, comme c'est le cas actuellement, de leur fournir un approvisionnement garanti.

nous mordrons si nous ne nous occupons pas de nos affaires. Il ne faut pas répéter avec l'eau les dérives que nous avons connues avec la forêt boréale ou la morue du Golfe Saint-Laurent, parce que notre eau recèle une valeur inestimable. Ça coule de source !

Résidences privées, institutions, municipalités, exploitations agricoles... Ceux qui ont besoin d'eau pour leurs besoins vitaux doivent pouvoir compter sur elle. Son abondance nous donne l'assurance de pouvoir continuer, comme c'est le cas actuellement, de leur fournir un approvisionnement garanti. Sur ce plan, nous avons un avantage formidable sur les populations du reste de la planète. Un atout sur lequel nous devons tabler pour préparer notre avenir.

NOUS EXPORTONS NOS DOLLARS POUR BOIRE NOTRE EAU

Il n'y a pas si longtemps, l'eau n'était même pas considérée comme une ressource naturelle à part entière, tant elle était abondante sur notre territoire. Lorsqu'on nous disait que les Français achetaient leur eau en bouteille au lieu de boire celle du robinet, on restait bouche bée. Pour des Québécois, c'était difficile à concevoir, tout comme, j'imagine, des Bédouins du désert ont peine à croire que de l'eau potable puisse être toujours à portée de main.

Aujourd'hui pourtant, même si c'est difficile à concevoir, nous payons pour acheter de l'eau en bouteille qui, souvent, a été puisée ici sans qu'un seul sou de redevance ne soit versé. En 2004, la revue *Protégez-Vous* titrait : « Le cartel de l'or bleu : Une poignée de multinationales, des milliards de profits, une seule ressource... qu'on s'arrache encore gratuitement au Québec ». On y apprenait que ce sont des multinationales des États-Unis et d'Europe qui ont la mainmise sur plus de 80 % du marché québécois de l'eau embouteillée.

Nous le savons tous, l'eau sera bientôt une ressource naturelle convoitée. Déjà, la demande est à la hausse. Le Québec la laissera-t-elle couler, se gaspiller, s'évaporer... ou allons-nous *surfer* dessus ? Quand la demande augmente, la ressource prend de la valeur. C'est un principe élémentaire en économie. Pas étonnant que des gens d'affaires perspicaces aient flairé l'occasion. Traduit en approche collective, il y a là des perspectives d'avenir prometteuses. En effet, on peut penser que l'exploitation sage d'une ressource renouvelable comme l'eau pourrait permettre de générer de nouveaux revenus en mesure de profiter à toute notre population. Au risque de me répéter, l'eau de qualité est particulièrement abondante au Québec.

L'or bleu sera l'un des principaux enjeux du 21e siècle. À nous d'en tirer profit.

SOURCE DE FINANCEMENT POUR LES RÉGIONS

L'abondance de l'eau peut représenter, pour l'ensemble de notre société, une source de financement pour favoriser le développement des régions : les utilisateurs commerciaux de notre eau, notamment les embouteilleurs, devraient être assujettis à des normes précises pour s'assurer qu'ils ne *surutilisent* pas la ressource. Ils devraient également payer des redevances afin de permettre aux régions de se doter d'outils pour diversifier leur économie et devenir ainsi financièrement plus autonomes. D'ailleurs nous assistons, en ce domaine, à la projection d'un film déjà vu. Propriété d'intérêts américains, l'eau Esker, reconnue pour sa qualité, est puisée sans que l'Abitibi n'ait jamais perçu un sou de redevances. Ce n'est là qu'un exemple, mais voilà un modèle québécois que l'on reconnaît bien !

Le prélèvement des ressources naturelles n'est pas, à la base, très générateur d'emplois. Cependant, si les régions pouvaient recueillir des redevances sur ces activités, elles seraient plus autonomes face au gouvernement et mieux armées pour se développer à long terme. Elles pourraient diversifier leur économie et, éventuellement, créer une industrie de la transformation. C'est le début de l'autonomie, le contraire de la dépendance.

La perception de redevances présenterait aussi l'immense avantage de responsabiliser les collectivités à propos de la valeur de l'eau. On peut être certain que, fortes de ce levier économique, les régions agiraient comme un gardien consciencieux et jaloux du patrimoine naturel. Quand on est sur place, on sait ce qui se passe. En plus, lorsque l'avenir économique d'une communauté est intimement lié à la saine gestion d'une ressource, on peut être assuré de la préoccupation constante des autorités locales face à sa pérennité, de la motivation des leaders de la région à défendre bec et ongles les intérêts des générations à venir.

ASSURER LA PÉRENNITÉ DE LA RESSOURCE

Nous devrions avoir appris de nos erreurs et éviter de tuer la poule aux œufs d'or. Il ne faut pas répéter avec l'eau ce que nous avons fait au 20e siècle avec d'autres ressources naturelles, soit laisser agir sans contrôle des exploitants assoiffés de profits puis se réveiller brutalement en s'apercevant que nos réserves ont été surexploitées. La pérennité de l'eau elle-même et la préservation de sa qualité doivent passer avant tout.

Dans le passé, la surabondance de nos ressources nous a parfois aveuglés. On ne se le rappellera jamais assez, on a graduellement épuisé nos stocks de poissons en permettant la surpêche. On a coupé du bois au même rythme. On a rejeté nos déchets dans le fleuve et les rivières. Nous ne nous sommes pas assez questionnés sur les conséquences. Sous le prétexte passe-partout de « l'importance prioritaire du développement économique » et du « si on oblige cette entreprise à dépolluer, elle va s'en aller et mettre du monde au chômage », tout y est passé. Souvent, les entreprises sont parties de toute façon, quelques années plus tard, après avoir saccagé la ressource et enfoui un amas de déchets contaminés. Des régions entières ont ainsi été vidées de leurs richesses, et comble du manque de vision, pas la moindre compensation financière ne leur a été laissée. Rien pour préparer la suite. On a jeté le bébé avec l'eau du bain, au nom d'un bénéfice à court terme.

Sur les bateaux, dans les romans d'aventure de mon enfance, quand on rationnait les vivres, celui qui trichait était mis aux arrêts et jeté à la cale ou même carrément passé par-dessus bord. C'était clair : puiser dans les réserves était inacceptable parce que c'était le meilleur moyen de faire crever de faim tout l'équipage. Sans avoir à pousser aussi loin, les leaders politiques ont le devoir de bien faire comprendre la teneur des enjeux tant aux grandes entreprises qu'à la population.

Nous ne pouvons pas accepter, comme société, qu'une ressource renouvelable puisse disparaître ou devenir polluée au point de perdre sa valeur. Nous devons prendre les moyens pour assurer la pérennité de notre eau. Nous n'avons aucune excuse. Les chercheurs universitaires documentent tout. Nous savons ce qui peut arriver. Nous devons tout mettre en œuvre pour préserver l'eau, en quantité et en qualité.

Dans cette perspective, l'autorité responsable du patrimoine aqueux du Québec devrait assurer le développement d'une expertise nationale en matière d'eau, comme celle d'Hydro-Québec en matière d'électricité. Une expertise et un savoir-faire dans le domaine de la préservation de l'eau qui seraient exportables pour générer des retombées économiques, et aussi pour assumer notre solidarité envers certains pays en voie de développement.

L'EAU, FORCE MOTRICE DE DÉVELOPPEMENT ÉCONOMIQUE

Un autre combat urgent des Québécois dans le dossier de l'eau est celui du développement hydroélectrique. Le potentiel de l'eau comme force hydraulique reste considérable. Notre savoir en la matière nous place dans une position concurrentielle enviable. Nos besoins, comme ceux du monde, demeurent croissants.

Dans une perspective éclairée de développement durable, nous avons le devoir, comme société, de convenir ensemble des balises optimales de la gestion de notre eau.

Certains voudraient arrêter tout développement hydroélectrique, d'autres voudraient harnacher toutes les rivières importantes du territoire. Pour moi, la juste mesure se situe quelque part entre ces deux extrêmes. Il suffit d'asseoir les principaux acteurs dans ce débat autour de la table de l'intérêt national et de convenir de ce qui est le plus souhaitable pour le Québec. Toute la collectivité québécoise doit être partie prenante de cette décision, qu'il s'agisse des gens des villes, des villages, des régions, du sud comme du Grand Nord, des autochtones. Le territoire du Québec appartient à tous les Québécois. Le débat de l'eau est trop important. Nous devons ensemble dégager le plus large consensus possible. En partageant la même vision collective, nous pourrons considérer l'eau – et la richesse qu'elle recèle – comme la pierre angulaire d'une nouvelle relance de projets inscrits dans une démarche concertée de développement durable.

Le Québec détient, *per capita*, les plus grandes réserves hydroélectriques du monde. Actuellement, l'approvisionnement en électricité sur le territoire est assuré, à 93 %, par des sources hydroélectriques. D'après Hydro-Québec, notre société deviendra éventuellement un *importateur* d'électricité, parce que nous n'en produirons pas assez. Et même si nous faisions appel à l'énergie éolienne – ce que nous devrions privilégier massivement – il n'est pas démontré que cela pourrait suffire aux besoins du Québec. Du moins, pas à court et moyen terme. Par ailleurs, envisager une autre source d'énergie soulèverait des débats qui nous feraient faire du surplace pour plusieurs années. On n'a qu'à se rappeler la levée de boucliers à propos de la pertinence de la centrale thermique du Suroît pour imaginer la teneur des discussions animées qui nous attendent.

Une réalité s'apprête à nous rattraper : si la tendance actuelle se maintient, on se retrouvera dans la situation paradoxale où le Québec, qui possède un potentiel d'énergie hydroélectrique parmi les plus riches au monde, devra éventuellement débourser pour acheter son électricité à l'extérieur. Une situation d'autant plus aberrante que nous serions obligés de l'importer de voisins dont la production d'électricité repose massivement sur des centrales vieillissantes au charbon, qui nous recrachent souvent leurs émissions sur la tête, ou sur des centrales nucléaires produisant des déchets inquiétants pour les générations futures.

Nous avons le devoir de développer au maximum notre capacité énergétique propre. Pour nos approvisionnements d'abord, mais aussi pour exporter à nos voisins et ainsi limiter leur dépendance à une énergie polluante qui menace notre environnement. Une situation où nous sommes, encore une fois, bénis des dieux, puisque nous sommes situés à proximité de l'un des plus importants marchés de consommateurs d'énergie au monde : le Nord-Est des États-Unis, l'Ontario et le Midwest américain. Nous pouvons et nous devons en profiter.

Je rêve d'un nouvel élan de développement de l'énergie électrique – qu'elle soit hydroélectrique ou éolienne – qui nous garantirait un approvisionnement à long terme et qui nous permettrait d'exporter de l'énergie propre. On maximiserait par la même occasion notre contribution au protocole de Kyoto.

Les profits ainsi réalisés nous aideraient, par exemple, à financer certains programmes sociaux mis en péril par le resserrement inéluctable de l'étau financier généré par l'inversion de la pyramide des âges.

> *Je rêve d'un nouvel élan de développement de l'énergie électrique – qu'elle soit hydroélectrique ou éolienne – qui nous garantirait un approvisionnement à long terme et qui nous permettrait d'exporter de l'énergie propre.*

Afin de capitaliser sur cette force que le Québec a développée depuis maintenant près d'un demi-siècle, nous devons cependant, je le répète, adopter une vision nationale commune concernant la gestion de l'eau. Le jour venu, le Québec remplira alors l'une de ses missions : devenir un leader mondial de l'eau et de l'énergie propre.

Au moment où je rédigeais le premier jet de cet ouvrage, Jean Charest était un opposant à cette vision. Il a d'abord tout fait pour pousser la production thermique aux dépens de l'hydroélectricité dans le dossier du Suroît. De plus, dans son livre, *J'ai choisi le Québec*, il a banalisé l'importance de l'hydroélectricité pour le Québec, en traitant notamment de « l'impact négatif que le projet de Grande-Baleine avait eu sur la réputation du Québec ».

Or, au moment de réviser ces pages, un an et quelques mois plus tard, je constate qu'il s'est converti à notre vision, devenu un ardent défenseur de l'hydroélectricité et de son exportation. En effet, comment comprendre autrement cette envolée dans son discours de clôture du congrès du Parti libéral de novembre 2004 : « Je vois une porte, une fenêtre vers le sud, un potentiel énorme pour exporter notre énergie... Pourquoi est-ce qu'on devrait avoir des scrupules à s'enrichir collectivement en vendant à nos voisins une électricité propre, fiable, renouvelable ? »

Quoi qu'il en soit, dans le contexte actuel des finances publiques, ignorer le potentiel de développement lié à la richesse de l'eau, et au premier chef son potentiel hydroélectrique, relève de l'inconscience, compte tenu des importants bénéfices financiers que cela pourrait éventuellement engendrer. Dans la même veine, je crois qu'il faut arrêter de percevoir Hydro-Québec uniquement comme une garantie d'électricité à bas prix mais davantage comme un levier pouvant nous permettre de créer de nouveaux revenus.

> *Je crois qu'il faut arrêter de percevoir Hydro-Québec uniquement comme une garantie d'électricité à bas prix mais davantage comme un levier pouvant nous permettre de créer de nouveaux revenus.*

Je crois aussi que nous devons regarder encore plus loin en matière d'énergie.

MAXIMISER NOTRE POTENTIEL GRÂCE À L'EFFICACITÉ ÉNERGÉTIQUE ET À L'ÉNERGIE ÉOLIENNE

Non seulement l'approche du développement durable nous enjoint à éviter le gaspillage, mais le projet avorté de la centrale au gaz du Suroît a éveillé la conscience des Québécois en matière d'énergie. Nous avons découvert l'importance d'économiser l'énergie et nous avons été sensibilisés aux conséquences positives de la consommation modérée, à l'urgence d'implanter des mesures d'efficacité énergétique partout sur le territoire. En signant le protocole de Kyoto, nous nous sommes engagés à participer aux efforts de réduction de l'effet de serre à l'échelle de la planète.

Le développement hydroélectrique, comme celui des éoliennes, va dans ce sens.

Notre territoire, selon beaucoup de spécialistes, est considéré comme l'Eldorado de l'énergie éolienne. Il en a le potentiel. Je vois là, et je ne suis pas le seul, une occasion de développement remarquable pour les régions qui pourraient bénéficier non seulement des retombées économiques liées à la construction des infrastructures de production mais aussi du versement éventuel de redevances aussi renouvelables que le vent lui-même. Ainsi, l'électricité douce constituerait l'un des leviers-clés de notre salut économique.

La mise en œuvre de cette vision pourrait représenter, pour tous les Québécois, l'occasion d'un essor économique retrouvé, permettant d'envisager l'avenir avec le dynamisme de l'entrepreneur. Nous devons arrêter de tergiverser ou de faire du surplace. Osons. L'Alberta a si bien canalisé ses revenus tirés de la production d'énergie qu'elle est la seule à avoir effacé sa dette au Canada – engrangeant même un surplus de cinq milliards $ en 2005 – sans compter le taux de taxation remarquablement bas qu'elle offre à ses contribuables.

> *Notre territoire, selon beaucoup de spécialistes, est considéré comme l'Eldorado de l'énergie éolienne. Je vois là, et je ne suis pas le seul, une occasion de développement remarquable pour les régions*

Toute comparaison est boiteuse, bien sûr. Nous ne sommes pas non plus à l'abri des fluctuations des marchés ou de l'émergence de nouvelles sources d'énergie. Mais nous pourrions nous assurer de nouvelles perspectives d'avenir en nous servant de l'eau comme levier économique, de la même façon que nous l'avons fait depuis des décennies avec notre électricité pour attirer des investisseurs. Les redevances sur l'eau pourraient, en quelque sorte, représenter les intérêts que nous prélèverions sur le capital de notre patrimoine, et constituer une base économique pour préparer l'avenir des régions et des générations futures.

AVEC L'EAU, L'AVENIR NOUS APPARTIENT

Encore aujourd'hui, nous ne prenons pas tous les moyens nécessaires et disponibles pour protéger nos nappes phréatiques contre les polluants. Notre eau se gaspille souvent dans des réseaux d'aqueducs désuets. D'autre part, certains utilisateurs, dont les activités nécessitent un approvisionnement important en eau, tels les producteurs agricoles ou les entreprises écotouristiques, n'ont aucune garantie d'accès à l'eau. Par ailleurs, sur le plan économique, des millions de litres d'eau sont pompés quotidiennement de notre sous-sol par des embouteilleurs qui ne versent aucune redevance pour son utilisation commerciale.

Bref, malgré les beaux discours, notre eau est encore gérée à la petite semaine. Et nous sommes en 2005.

On s'entend évidemment sur l'importance de l'eau... même si tout le monde tire la couverture en fonction de sa vision des choses. Alors que les citadins veulent préserver les cours d'eau tels quels, les considérant comme notre patrimoine naturel, les gens des régions veulent s'en servir comme d'un levier pour la création d'emplois. Quant aux autochtones, ils considèrent les lacs et les rivières comme faisant partie des immenses territoires dont ils revendiquent l'usage.

> *Nous sommes dus pour un vaste débat de société. Nous devons assurer une gestion optimale de cette eau précieuse, partout sur notre territoire. Une richesse naturelle que nous devons conserver jalousement afin qu'elle reste accessible au plus bas coût possible pour tous les citoyens.*

Chacun a un point de vue qui peut se comprendre. Mais, résultat net, nous sommes bloqués.

Aucun consensus n'a été dégagé autour de l'eau. Nous sommes dus pour un vaste débat de société. Nous devons assurer une gestion optimale de cette eau précieuse, partout sur notre territoire. Une richesse naturelle que nous devons conserver jalousement afin qu'elle reste accessible au plus bas coût possible pour tous les citoyens. Un atout que nous devons exploiter judicieusement dans une optique de nouvelle prospérité et de revenus additionnels susceptibles d'aider à financer nos besoins accrus en services publics, notamment dans les régions.

L'or bleu peut nous ouvrir des portes insoupçonnées sur un meilleur avenir pour le Québec. Ne le laissons pas couler entre nos doigts.

35

36

LES RÉGIONS SONT PRÊTES À SE PRENDRE EN MAIN

Dans une bureaucratie, la dynamique fondamentale s'appuie sur la centralisation des décisions et l'établissement de normes blindées, celles que j'appelle les normes mur-à-mur. Or, à cause des énormes différences entre les régions – étendue du territoire, composition sociodémographique, particularités saisonnières liées aux industries présentes – l'établissement de normes crée un contexte qui freine l'expression du dynamisme régional plutôt que de l'encourager. En fait, on standardise ce qui n'est pas « standardisable ». Député d'un comté de région, je connais bien la situation impossible dans laquelle nous enferme la centralisation.

Nous, les Québécois, possédons un territoire aux dimensions démesurées, regorgeant de ressources naturelles et énergétiques absolument incroyables dont nous évaluons mal la richesse. Curieusement, ce sont souvent les gens d'ailleurs qui nous rappellent avec envie cet état de fait.

Nous avons tout intérêt, comme peuple, à nous assurer d'occuper pleinement ce précieux morceau de la planète qui nous appartient.

Nous ne sommes pas nombreux : environ sept millions, soit l'équivalent du tiers de la population du grand New York. Cela ne nous empêche pas d'être propriétaires d'un espace couvrant plus d'un million et demi de kilomètres carrés, une terre aussi vaste que la France, l'Allemagne, l'Espagne, la Suisse et l'Italie réunies, les pays les plus puissants de l'Europe de l'Ouest avec le Royaume-Uni. Bien qu'elles soient lourdement hypothéquées, nous possédons encore des ressources forestières importantes qui s'ajoutent à la force hydraulique et au potentiel récréotouristique de nos rivières, aux capacités éoliennes réparties un peu partout, à notre faune, nos terres agricoles, nos mines. Nous sommes dépositaires de richesses naturelles exceptionnelles et renouvelables.

Le revers de la médaille, c'est que notre développement régional s'est fait dans un mode de centralisation et sans vision à long terme. Les économies des différentes régions n'ont pas été diversifiées. On les a, en quelque sorte, « vidées », parfois même « pillées », sans jamais leur verser de redevances en retour. La Gaspésie, par exemple, aurait pu se doter des leviers nécessaires pour diversifier son économie et ainsi préparer son avenir.

On n'a jamais donné aux régions les moyens d'investir dans des entreprises de transformation ou d'autres secteurs d'activité qui auraient permis de préparer l'avenir.

À cause de cette gouvernance à courte vue, on n'a jamais donné aux régions les moyens d'investir dans des industries complémentaires, comme des entreprises de transformation ou d'autres secteurs d'activité qui auraient permis de préparer l'avenir. Pour revenir à mon exemple, le jour où le bois et le poisson ont commencé à manquer, les Gaspésiens se sont retrouvés devant rien, forcés d'aller quémander aux politiciens à Québec et Ottawa des solutions miracles. Pourtant, au point de départ, en combinant vision et imagination, cette région avait, de mon point de vue, assez de ressources pour assurer sa prospérité de façon durable. À tout le moins, pour faire mieux que le marasme économique dans lequel on l'a laissée s'embourber.

Pour ce qui est du développement des régions, nos gouvernements successifs ont lamentablement échoué. Paradoxalement, le Parti québécois, qui prône l'indépendance du Québec face au reste du Canada, a été le gouvernement le plus centralisateur, refusant de donner aux instances régionales les leviers leur permettant de prendre en main leur économie.

Malgré tout, je suis convaincu qu'on peut se relever. Si le Nouveau-Brunswick a pu se remettre sur la carte malgré une situation drôlement plus difficile que la nôtre, les régions du Québec peuvent certainement le faire. Il faut juste donner aux gens de ces régions les moyens de se prendre en main.

Je suis né, j'ai grandi et j'habite encore en région. Je connais la fierté de ces gens. Je sais comment certains professionnels du « mur-à-mur » font échec à leur dynamisme naturel. On ne peut plus se payer le luxe de laisser la gouverne du Québec à des adeptes de la centralisation qui croient tout connaître à partir de leur tour d'ivoire.

ENDIGUER L'EXODE DES POPULATIONS

On n'a pas su garder de masse critique de jeunes à l'extérieur des grands centres. Or, on le sait bien, sans l'apport d'une population plus jeune, plus dynamique et souvent plus créative, une région ne se renouvelle pas. Les projets naissent ailleurs que chez elle. Des entreprises ferment. La région, progressivement désertée, est condamnée à entrer dans un cercle vicieux : moins de familles, moins d'écoles, moins de services, des infrastructures moins entretenues, donc moins de possibilités d'attirer des nouveaux résidants ou de nouvelles entreprises.

On ne peut pas blâmer les jeunes. Tout d'abord, ils quittent leur région natale pour aller étudier en ville parce que c'est là que se trouvent la plupart des grandes écoles et les universités. Pendant quatre ans, parfois plus, ils prennent racine à Montréal, à Québec ou dans une autre ville. Ils y développent un réseau, souvent y fondent une famille. Bien sûr, l'attrait de la diversité en zone urbaine existe, mais la décision finale de retourner ou non dans sa région d'origine revient généralement à la question du travail. Rares sont ceux qui reviendront chez eux, sachant qu'ils doivent renoncer à tirer profit de leur diplôme chèrement obtenu, faute d'emploi.

Malheureusement, le mouvement prend de l'ampleur. Il s'accélère.

Un jour, les piliers de la région se rendent comptent que la saignée est importante. Des mesures doivent être prises pour l'endiguer. Un bras de fer s'engage alors avec les forces centralisatrices de Québec. Au nom de l'équité, la bureaucratie applique la loi du nivellement... par le bas.

Les régions s'appauvrissent, chacune de leur côté, emprisonnées dans une spirale descendante.

Pauvre bureaucratie ! Pauvres régions !

LA BUREAUCRATIE EST UN OBSTACLE

Les régions sont parmi les plus grandes perdantes du régime bureaucratique : une foule de décisions sont prises par des gens complètement coupés des enjeux propres aux réalités régionales. Dans cette dynamique, on assiste souvent à des situations où le sort d'une population toute entière, à court, moyen ou long terme, est décidé par des gens qui ne sont pas au fait des occasions qui se présentent, et dont les principales références proviennent des rapports de leurs mandataires, ceux dont la mission est de représenter, en région, la structure administrative.

Résultat : les intérêts des communautés sont souvent sacrifiés au nom de la sauvegarde du système.

Il ne s'agit pas de prêter des intentions malveillantes à des individus. Je suis convaincu qu'aucun sous-ministre présent ou passé n'a été partie prenante à une conspiration contre les régions. C'est le modèle bureaucratique qui, juste à cause de la dynamique qui l'anime, conduit à une centralisation à outrance et à l'application un peu aveugle de normes blindées qui, en bout de course, s'avèrent souvent néfastes pour des collectivités aux réalités diverses. En nivelant, on démontre un manque de souplesse : on en vient à imposer des normes ou des règles inapplicables qui ne tiennent pas compte des situations particulières.

Au gouvernement, on doit comprendre que rien n'est plus démotivant que cette dysfonction centralisatrice pour ceux qui, sur place, désirent prendre des initiatives parfois toutes simples, adaptées à la réalité quotidienne. L'émergence de nouvelles petites entreprises ou initiatives commerciales, dans les régions, est souvent bloquée par la bureaucratie.

Je n'arrive pas à saisir comment, avec son territoire immense, ses réalités diversifiées ainsi que sa population fière et indépendante, le Québec ait commis l'erreur monumentale de s'emprisonner dans une logique de moule bureaucratique. Il m'apparaît de plus en plus clair que les politiciens, parce que cela faisait leur affaire, ont avalisé la mise en place d'un système programmé pour tenir les régions en laisse. Devant eux, dans le cadre d'un véritable pèlerinage, défilent les gens des régions avec leurs projets. Par la suite, jouant les superhéros, ces politiciens font la tournée des régions à la veille des élections avec des annonces « providentielles ». La manne !

> *Le gouvernement du Québec est aussi centralisateur à l'égard des régions et des municipalités que le gouvernement fédéral l'est, traditionnellement, à l'égard des provinces.*

En fait, le gouvernement du Québec est aussi centralisateur à l'égard des régions et des municipalités que le gouvernement fédéral l'est, traditionnellement, à l'égard des provinces. Une approche centralisatrice qui appauvrit chaque jour un peu plus le Québec en décourageant l'initiative des leaders régionaux.

L'Action démocratique propose une approche favorisant l'autonomie des régions. Une décentralisation effective des pouvoirs vers les pôles régionaux. Les décideurs auraient en main tous les outils pour participer pleinement au développement du Québec en soutenant leur propre région.

L'ADQ ne se comportera pas comme le PQ l'a fait en refusant aux régions la marge de manœuvre qu'il réclame lui-même de la part du gouvernement fédéral dans ses propres revendications. Son manque de cohérence est flagrant. En 18 ans au pouvoir, le PQ n'a réussi qu'à augmenter davantage la dépendance économique des régions face au bon vouloir des politiciens centralisateurs et de leurs programmes-miracles à l'approche d'une élection. Un échec lamentable.

Quant au gouvernement libéral actuel, on n'en parle même pas. Il fait de « l'occupationnel » sans répondre à l'urgent besoin des régions qui se vident à vitesse « grand V ».

ON A LAISSÉ TOMBER LES RÉGIONS

Trois facteurs extrêmement négatifs – l'exode des jeunes, la surexploitation des ressources naturelles sans redevances et une bureaucratie excessive – constituent les principales causes de la véritable crise de décroissance qui sévit aujourd'hui dans la plupart des régions du Québec. Le manque de vision des vieux partis qui se sont succédés à l'Assemblée nationale nous place maintenant devant une évidence : au-delà des beaux discours, les gouvernements québécois, qu'ils soient rouges ou bleus, ont, dans les faits, laissé tomber les régions. Ils ont encouragé le pompage aveugle des ressources.

Parallèlement, ils ont commis de graves erreurs en voulant, comme j'en ai abondamment fait état dans un chapitre précédent, jouer les messies à la veille ou dans le cadre de campagnes électorales. Trop souvent en effet, ils ont sauvé ou mis en chantier des éléphants blancs, des projets coûteux, des gouffres financiers sans lendemain. Ils ont créé de fausses attentes chez les citoyens. Des milliers de gens optimistes et enthousiastes ont été amèrement déçus. Pire, ils se sont carrément sentis trahis lorsqu'ils ont compris comment on les avait bernés pour acheter leurs votes.

Dans des cas comme ceux-là, ce sont des régions entières qui ont perdu sur tous les plans : une économie en lambeaux, des espoirs légitimes déçus, sans compter le *leadership* régional démobilisé à répétition. Avec une vision gouvernementale pareille, pas besoin de catastrophes naturelles pour dévaster nos régions.

ON DOIT REVOIR LE MODÈLE QUÉBEC-RÉGIONS

Quel avenir peut-on espérer pour les régions du Québec ?

Pour ma part, j'aimerais que mes enfants aient la possibilité de vivre dans la région où ils auront grandi. Pas par obligation ou par simple attachement, mais parce qu'ils auront acquis la conviction que, pour eux, c'est le meilleur endroit où vivre et élever leur propre famille. On ne peut pas, on ne doit pas décider à la place de nos enfants, mais je serais triste de savoir qu'ils n'ont même pas eu le choix de rester en région parce qu'il n'y avait plus aucune perspective d'avenir ou de carrière pour eux. Voilà pourtant la triste réalité qu'ont vécue des milliers de familles dans les dernières décennies.

Cela explique pourquoi tant de gens en région sont prêts à déployer toutes leurs énergies pour rebâtir, outiller et enrichir leur milieu. Cependant, pour arriver à canaliser toute cette détermination, il faut revoir le modèle qui régit les rapports entre le gouvernement et les régions. Nous devrons considérer les régions du Québec comme autant de communautés autonomes capables de se développer, de se prendre en main et d'attirer les meilleurs éléments tout en s'inscrivant dans la cohérence d'un plus grand ensemble politique. Nous avons tout à gagner à remettre aux régions la responsabilité de leur propre développement. Les gens qui y habitent sont mieux placés que quiconque pour planifier et préparer leur réussite.

Si nous parvenons à faire en sorte que tous aient intérêt à ce que leur coin de pays réussisse, chacune des régions qui composent l'État du Québec fera un bond en avant. Nous en profiterons tous. Collectivement et individuellement.

Des régions plus fortes, un Québec plus solide

Pour s'assurer qu'elles puissent devenir plus autonomes dans une économie mondiale où la proximité des marchés est de moins en moins importante, il faudra mettre les régions à l'heure des technologies modernes et tirer avantage du mouvement de « délocalisation » des activités intellectuelles et des entreprises. Ce n'est qu'en s'adaptant à ce nouveau contexte mondial que les gens des régions tireront leur épingle du jeu. En investissant dans des infrastructures technologiques avancées, on pourra donner aux régions des moyens pour accueillir efficacement des usines, industries ou sociétés pour lesquelles la proximité des marchés n'est pas un enjeu.

Comme il faut des moyens financiers pour être en mesure de réaliser des projets et de diversifier des économies régionales, ce serait un geste tout naturel d'équité et de vision à long terme que de remettre aux régions, comme j'en ai traité précédemment, des redevances sur les ressources puisées sur leur territoire.

Il faut appliquer aux régions ce que le Québec exige du gouvernement fédéral. Un Québec fort doit passer par des régions dont l'économie est autosuffisante et prospère.

Si nous voulons faire du Québec tout entier un État dynamique et florissant, notre gouvernement doit développer, avec les régions, une vision claire de l'éventail des possibilités et des moyens à prendre pour déployer les différentes économies locales. Une approche systématique dont l'objectif serait que toutes les régions deviennent, chacune à leur façon, des modèles de réussite, de manière à ce que, chacun chez soi, à la grandeur du territoire, on puisse en arriver à connaître un nouvel élan, une nouvelle lancée d'énergie retrouvée.

Chaque région du Québec devrait redevenir, pour ses enfants, un endroit où ils auront envie de rester parce qu'ils y trouveront tout ce qu'il faut pour s'y installer et bâtir pour l'avenir.

36

37

QUÉBEC, CAPITALE NATIONALE ET PÔLE ÉCONOMIQUE

Je crois en une capitale forte, lieu premier de l'action gouvernementale. La ville de Québec est notre capitale nationale et il faut tout faire pour maximiser les retombées que peuvent générer ce statut sur Québec et sa région.

La ville de Québec n'est pas que cela. Elle constitue la septième plus grande agglomération urbaine au Canada, le deuxième pôle économique du Québec et la plus importante plaque tournante de distribution à l'Est de la métropole. Québec est aussi un lieu et une région du savoir, où la recherche et le développement fournissent de l'emploi à des milliers de gens, qu'ils soient professeurs, chercheurs ou techniciens. En fait, les citoyens de notre capitale politique sont au centre d'un carrefour appelé à prendre une importance grandissante au cours des prochaines décennies.

Québec a longtemps été l'une des principales villes industrielles du pays. Dans la première moitié du XIXe siècle, elle était l'une des trois principales portes d'entrée pour les immigrants en Amérique du Nord, avec Boston et New York : de 1815 à 1860, un million de nouveaux arrivants l'ont franchie avant de se diriger vers Montréal, le Haut-Canada ou les États-Unis. Je n'ai aucun mal à imaginer que ça grouillait d'activités et que bon nombre de commerçants et d'industriels y prospéraient.

Les choses ont changé. De nos jours, environ le tiers de la main-d'œuvre de la région de Québec est à l'emploi d'un ministère, d'un organisme public, parapublic ou municipal, ou encore d'une entreprise dont le principal client est l'État. Bien qu'une diversification ait commencé à se produire, notamment autour des entreprises liées à la nouvelle économie du savoir, les bases économiques de Québec restent encore vulnérables : la capitale émerge à peine de ses allures de ville mono-industrielle.

Dans un contexte qui entraînera inéluctablement une réduction progressive des dépenses gouvernementales, le dynamisme de la ville de Québec est fragile. Pourtant, Québec jouit d'une foule d'atouts qu'il serait absurde d'ignorer.

QUÉBEC N'A PAS SON PAREIL

Première ville érigée sur le continent nord-américain, rare agglomération urbaine décrétée joyau du patrimoine mondial par l'UNESCO, Québec est considérée comme l'une des plus belles villes du monde. Paisible et sécuritaire, elle offre à ses habitants une qualité de vie incomparable, un milieu de vie propice pour élever une famille. Au cœur d'un bassin régional de plus de 600 000 personnes, Québec regroupe la masse critique de services propres aux grandes villes sans faire subir à ses citoyens les affres qu'on connaît généralement dans les centres urbains importants. Avec son passé historique parmi les plus riches du continent et ses nombreux événements culturels, elle constitue également l'une des destinations touristiques les plus courues.

Québec présente donc des attraits remarquables pour ses citoyens et un endroit exceptionnel pour implanter une nouvelle entreprise.

D'autant plus qu'elle possède des atouts et des attributs de centres urbains généralement plus populeux. Je pense ici à ses collèges et universités, à ses centres de recherche et de formation, à son industrie de l'assurance et des services financiers, à son secteur florissant des technologies de pointe. J'ai aussi en tête ses attraits touristiques reconnus qui encouragent l'organisation de colloques et de congrès internationaux. Il ne faut pas oublier non plus sa vie artistique et culturelle variée, qui enrichit le quotidien de ses résidants. Tous ces facteurs comptent vraiment dans le choix d'une ville, qu'il s'agisse d'individus, de familles ou d'entreprises.

Pour l'avenir du Québec tout entier, la vitalité et le développement de sa capitale, pôle économique et plaque tournante de l'Est, sont des enjeux fondamentaux. Ils constituent un défi qui commande des résultats.

Sans rien enlever aux autres régions, il faut capitaliser sur toutes les occasions susceptibles de faire grandir la ville de Québec. C'est une question de vision d'ensemble et de synergie économique.

La métamorphose de l'économie de Québec : une priorité nationale

Le Québec a intérêt à ce que l'économie de sa capitale se diversifie, s'affirme comme créatrice dynamique d'un nouveau noyau de richesse collective et devienne, par conséquent, la locomotive pour les régions de l'Est.

Gardons toujours en tête que plus que jamais auparavant, le territoire des gens d'affaires, des organismes internationaux, des grandes entreprises et des producteurs, c'est le monde. Les chercheurs et les sociétés pharmaceutiques fondent des laboratoires là où c'est avantageux, notamment sur les plans de la fiscalité, de la productivité et de la qualité de vie. À qui profite leur présence ? D'abord à leurs pays hôtes. On connaît la suite : nouveaux investissements, créneaux industriels développés ou consolidés, retombées de toutes sortes. Toute cette effervescence a besoin d'être alimentée tant en matières premières qu'en produits de sous-traitance.

> *Pour l'avenir du Québec tout entier, la vitalité et le développement de sa capitale, pôle économique et plaque tournante de l'Est, sont des enjeux fondamentaux. Ils constituent un défi qui commande des résultats.*

Dans cette perspective, c'est non seulement la région de la Capitale-Nationale et sa voisine de Chaudière-Appalaches qui peuvent tirer profit d'une dynamisation de l'économie de Québec. C'est aussi la Gaspésie, la Côte-Nord, le Bas-Saint-Laurent, le Saguenay-Lac-Saint-Jean et même le Nord-du-Québec.

La diversification de l'économie de la région de Québec doit donc devenir une priorité nationale. Le gouvernement doit s'allier aux forces vives de la ville de Québec pour prendre le taureau par les cornes et présenter les atouts de notre capitale au reste de l'Amérique du Nord ainsi qu'à toute la planète.

On n'y pense pas toujours, mais les villes les plus dynamiques du continent sont en compétition constante pour attirer les investisseurs. Ce sont souvent les mêmes qui se battent pour convaincre tel ou tel développeur de s'installer chez elles. Aux yeux d'une entreprise, la ville qui offre le plus d'avantages gagne le gros lot : une usine, une unité de production industrielle, un centre de recherche, un club de sport professionnel, un siège social. Si Québec est choisie, toutes les régions qu'elle dessert en tirent profit : des emplois, des contrats pour des fournisseurs, un développement accéléré dans un secteur particulier... et des sous. Des retombées économiques. Un levier de plus. Si Québec perd la bataille, elle ne perd pas la guerre mais elle y laisse des plumes.

La ville concurrente qui a réussi à convaincre l'investisseur de s'installer chez elle présente la plupart du temps un profil voisin de celui de Québec. Une réalité qui risque d'attirer non seulement d'autres investisseurs, mais aussi quelques compétences de Québec même, des diplômés de ses propres écoles et universités.

Nous devons tout faire pour que la ville de Québec gagne les matchs auxquels elle participe contre les villes concurrentes. Tout échec de notre capitale contribue à faire reculer l'*ensemble* du Québec. Dans l'intérêt des citoyens et des familles de la capitale, des régions qui l'entourent, de Montréal et de tout le Québec, l'ADQ va pousser à fond pour son succès.

Si cette ville à la qualité de vie remarquable ne reprend pas la position qu'elle est toujours en mesure d'occuper, d'autres jeunes talents la quitteront pour aller vivre ailleurs, alimentant ainsi un exode de cerveaux et de compétences déjà considérable. Nous ne devons jamais le perdre de vue : l'État du Québec a le devoir de tout mettre en œuvre pour retenir sa main-d'œuvre. Pour la convaincre de rester, ses principaux centres d'activité ont l'obligation de faire en sorte d'attirer et de garder chez eux les créateurs d'emplois, en plus d'encourager fortement ceux et celles qui, parmi leurs citoyens, ont l'esprit d'initiative et la fibre *entrepreneuriale*.

DES INFRASTRUCTURES À DÉPLOYER

Dans le contexte de la nouvelle économie, la distance entre les centres de production et les marchés devient plus secondaire. Ce qui compte, c'est la performance des outils de communication. Québec présente, en ce sens, des avantages certains, grâce à ses nombreux centres de recherche. Tablons donc sur cette avance, conservons-la, consolidons-la pour faire de la région de la Capitale-Nationale un leader dans le monde de l'économie du savoir et de l'information.

En matière d'échanges commerciaux traditionnels, la ville de Québec est à la fois remarquablement située mais mal équipée. Bien qu'elle soit localisée à un carrefour stratégique des réseaux de transport routier, ferroviaire et fluvial, son seul accès vers un centre urbain plus important s'oriente vers Montréal. Pourtant, dans un rayon de moins de 500 kilomètres, se présente l'un des plus importants marchés du monde : le Nord-Est des États-Unis, là où vivent près de 55 millions d'habitants et où

Québec a tout intérêt à s'inspirer du succès économique de la Beauce en développant des liens de transport efficaces avec la Nouvelle-Angleterre.

sont concentrées plus de richesses que dans tout le Canada. Québec a tout intérêt à s'inspirer du succès économique de la Beauce en développant des liens de transport efficaces avec la Nouvelle-Angleterre, mettant ainsi en place un nouvel axe d'échanges commerciaux dont les retombées profiteraient à tout le Québec.

La capitale sert aussi de relais entre les provinces maritimes et le reste du Canada. Elle rayonne même sur certains États du Nord-Est des États-Unis. Traditionnellement au centre des échanges commerciaux de l'Est du Québec, elle dessert un bassin économique toujours plus grand. De là l'importance de développer de nouveaux liens et de consolider ceux qui existent déjà pour permettre à la ville de Québec d'améliorer sa position comme carrefour de l'Est du continent.

Québec – Montréal : en complémentarité plutôt qu'en concurrence

En 2005, la population du globe s'élève à six milliards et demi d'habitants. Plus du double de ce qu'elle était dans les années 50. Le nombre de villes qui sont passées de quelques dizaines de milliers d'habitants à plus d'un demi-million est incroyable, et la ville de Québec en fait partie. Mais il y a un hic, les démographes en ont fait le constat : sa population vieillit de façon accélérée, réalité démographique qu'une immigration extrêmement faible ne parvient même pas à ralentir.

Quand on prend le temps de regarder la situation sous un angle d'avenir, on constate rapidement que la ville de Québec a besoin d'un nouvel élan. Les citoyens de notre capitale vivent dans le plus important centre urbain à l'est de Montréal. Les deux villes sont essentielles à la vitalité de l'ensemble du Québec. Elles sont assez éloignées pour assumer des vocations distinctes mais assez proches pour entretenir des relations étroites. Leurs forces respectives leur permettent de travailler en complémentarité, dans les meilleurs intérêts de tout le Québec. Le gouvernement doit donc s'assurer d'apporter à chacune le soutien auquel elle est en droit de s'attendre. Et surtout, il ne doit pas tomber dans le piège de l'arbitrage d'un bras de fer aussi inutile que contre-productif entre les deux agglomérations.

Le Québec tout entier bénéficierait d'un nouveau partenariat, « Régions-Québec-Montréal », grâce auquel chacune des composantes jouerait en équipe et ferait valoir au maximum le rôle complémentaire qu'elle doit assumer pour rendre l'économie du Québec mieux adaptée aux nouvelles réalités du monde.

Oublions la concurrence entre les régions du Québec et leurs pivots économiques, un vestige des querelles de clochers d'antan. La mondialisation appelle à la collaboration.

Dans ce nouvel équilibre à atteindre, l'agglomération urbaine de notre capitale a tout à gagner, pour le plus grand bénéfice de tout le Québec.

38

Montréal, moteur économique du Québec

Montréal fourmille de gens. Deux millions sur l'île. Trois millions et demi avec les villes qui l'entourent. C'est une ville internationale, francophone et multilingue, riche d'une histoire de plus de 350 ans. Elle a été fondée à la même époque que New York, et ça se sent. Elles ont la même maturité, même si elles n'ont pas la même taille économique. La métropole du Québec peut compter sur une base solide de gens qui ont participé, dès leur naissance, à sa croissance, à son développement et à sa culture. À ces Montréalais s'ajoutent des gens venus de partout au Québec ainsi qu'une multitude d'hommes et de femmes arrivés de tous les continents. Montréal est un pôle culturel international. Vraiment.

Montréal est un carrefour économique, culturel et scientifique unique. Métropole exemptée des défauts d'une mégalopole, elle possède un secteur industriel fort et quatre universités. Montréal est aussi au centre d'une nouvelle économie qui émerge et d'une vie culturelle intense. Elle se particularise, entre autres, par un pôle de recherche scientifique de haut niveau.

Ce n'est pas du chauvinisme. En fait, ça nous montre seulement à quel point nous sommes bien armés pour entamer le troisième millénaire. Nous accusons peut-être certains retards, mais pas partout.

C'est en soi une force pour le Québec que de pouvoir compter sur une agglomération urbaine dynamique qui se distingue parmi les grandes villes du monde. Plusieurs États américains ou provinces canadiennes ne possèdent pas cette ville capable de rassembler la masse critique suffisante pour créer la prospérité économique. Nous, nous l'avons cette ville, et c'est notre responsabilité collective de lui donner les outils qui lui permettront de performer à l'échelle continentale et sur le plan international. Dans l'intérêt du Québec tout entier.

LE MOTEUR MONTRÉAL

De par sa capacité à constituer des masses critiques dans des secteurs d'activité stratégiques, Montréal permet au Québec de se positionner avantageusement sur l'échiquier économique et politique mondial. Sur ce plan, Montréal se mesure directement à Boston, Toronto et Philadelphie. Quand Boston gagne, le Massachusetts gagne. Quand Toronto gagne, l'Ontario gagne. Quand Philadelphie gagne, la Pennsylvanie gagne. Et quand Montréal gagne, c'est tout le Québec qui en bénéficie. Parce que les retombées des contrats, des investissements ou des projets que Montréal arrache aux autres grandes métropoles nord-américaines se répartissent partout dans nos régions.

Montréal tient donc un rôle d'attraction continental irremplaçable pour le Québec.

On y trouve une gamme de réalités qui ne se retrouvent nulle part ailleurs sur le territoire québécois. Elle est, par exemple, la première terre d'accueil pour les immigrants. Il en arrive des milliers chaque année. Le défi, pour nous, est de bien accueillir ces nouveaux citoyens du Québec, de faire en sorte qu'ils se sentent rapidement chez eux, qu'ils aient envie de s'intégrer à la société québécoise et, éventuellement, qu'ils s'y enracinent en y fondant une famille ou en y amenant la leur. Si nous avons vraiment la volonté d'ouvrir le Québec à l'immigration, nous devons le faire comme il faut. La langue française est la langue officielle du Québec et, donc, de Montréal. Nous devons les aider à l'apprendre et ne pas lésiner sur les moyens à consacrer pour y arriver.

Cette question de la langue prend toute son importance dans les écoles de Montréal. En 2005, la majorité des élèves de ses écoles du primaire sont d'origines étrangères. Dans certaines d'entre elles, ils représentent près de 90 % des élèves, et parfois même plus. Cette métamorphose de notre société, dans un laps de temps très court, constitue un défi de plus pour Montréal. D'ailleurs, l'école s'avère un lieu d'intégration par excellence : il faut voir évoluer la première génération des enfants de la loi 101 pour s'en rendre compte.

Montréal se distingue aussi, par la concentration de ses services sociaux et de santé, comme un lieu où un grand nombre de personnes trouvent refuge. Cette réalité engendre la problématique aiguë de la rareté des logements qui affectent de plein fouet des populations déjà fragiles.

> *En raison de son statut de principale porte d'entrée internationale du Québec, de sa nature cosmopolite et de sa taille à nulle autre pareille au Québec, Montréal vit une réalité tout à fait unique.*

Et comme Montréal est une île – une autre raison de la comparer à New York et à son île de Manhattan – la congestion routière exerce une pression négative sur sa capacité d'assurer son développement économique et de maintenir la qualité de vie de ses citoyens.

Montréal, devenue une vieille ville, a été, depuis plusieurs années, cruellement négligée. Ses infrastructures trahissent son âge et nécessitent maintenant des investissements massifs.

MONTRÉAL, UNE RÉALITÉ DISTINCTE À L'ÉCHELLE DU QUÉBEC

En raison de son statut de principale porte d'entrée internationale du Québec, de sa nature cosmopolite et de sa taille à nulle autre pareille au Québec, Montréal vit une réalité tout à fait unique. Les traditionnelles rivalités politiques entre Montréal et Québec, les tirages de couverture entre Montréal et des régions, toutes ces énergies perdues à nous chamailler entre nous doivent céder la place à une vision partagée du rôle fondamental de Montréal pour l'ensemble de la société québécoise. Nous n'avons tout simplement pas le choix.

Il est plus que temps d'en arriver à une nouvelle relation constructive entre Montréal, la région de la Capitale-Nationale et les autres régions administratives. Il y va de l'économie du Québec tout entier.

Montréal a toujours eu besoin du reste du Québec. Nous le savons bien. Grâce à sa position stratégique de porte d'entrée internationale, Montréal a toujours joué, notamment sur les plans économique et commercial, un rôle d'intermédiaire entre les différents États et provinces, d'une part, et le reste du Québec, d'autre part. Son économie est fortement appuyée sur cette réalité.

De leur côté, toutes les régions et la capitale nationale ont aujourd'hui besoin de Montréal et de ses infrastructures commerciales et industrielles qui créent un pont entre le Québec et le monde.

Masse critique permettant un choix énorme et une très grande disponibilité de biens et services, possédant l'aéroport international le plus important de l'Est du Canada après celui de Toronto, et des installations portuaires situées à la porte d'entrée du cœur industriel de l'Amérique du Nord, Montréal rend, depuis sa fondation, de grands services en approvisionnant les entreprises de partout au Québec. Sauf dans des cas rares, elles n'ont pas besoin de recourir aux approvisionnements internationaux. La plupart du temps, les biens venus de l'étranger sont disponibles à Montréal.

Montréal a besoin de tout le Québec derrière elle. Le Québec a besoin de Montréal. C'est une relation réciproquement gagnante qu'il faut mettre en valeur afin de faire contrepoids à une rivalité la plupart du temps stérile lorsque se décident des investissements gouvernementaux.

IL FAUT JOUER « GAGNANT-GAGNANT »

Il est possible de faire beaucoup mieux. Collectivement, nous avons le droit d'aller au bout de nos rêves, de réaliser notre plein potentiel. Pour cela, nous ne pouvons passer à côté de cette réalité géographique : Montréal représente la plus grande fenêtre du Québec sur le monde. À cause de son poids économique et démographique, la métropole est notre moteur économique. Nous devons faire en sorte qu'elle joue ces rôles à fond. Tout le monde, au Québec, va en profiter.

Trois points de vue d'une seule et même réalité du Québec d'aujourd'hui : des régions regorgeant de richesses potentielles, une capitale nationale témoin de l'histoire de la vie française en Amérique et gardienne de nos institutions publiques d'aujourd'hui, et Montréal, ville-phare de réputation internationale.

Débarrassons-nous des voiles inutiles que nous tissons nous-mêmes et qui freinent notre réussite à l'échelle du globe. Dotons-nous enfin de moyens pour accéder plus facilement aux richesses de la planète. Ouvrons-nous sans honte au dynamisme de la nouvelle économie mondiale.

Nous en tirerons des dividendes. Nos enfants nous diront merci.

38

LE QUÉBEC QUE JE VEUX POUR MES ENFANTS

39

UNE SOCIÉTÉ PENSÉE POUR LA FAMILLE

Tous ceux qui aiment le Québec partagent la peur de nous voir emprunter des avenues qui pourraient vulnérabiliser notre société et la faire glisser vers l'assimilation pure et simple au bloc nord-américain. Cette crainte ne date pas d'hier : toutes les générations l'ont eue avant nous et elles se sont battues avec force pour préserver notre identité.

POURQUOI SE BATTRE POUR L'AVENIR DU QUÉBEC SI CE N'EST POUR L'AVENIR DE NOS ENFANTS ?

Marie-Claude et moi sommes les parents d'une famille nombreuse selon les statistiques. Pourtant, nous sommes tout juste en mesure de nous remplacer pour la génération qui suivra. Une situation alarmante pour une société comme la nôtre. Malgré cela, bien peu d'attention est portée à cette réalité toute simple mais pas moins préoccupante.

La famille, en plus d'être le noyau essentiel d'une société, constitue la base de son renouvellement. Notre sort collectif en dépend donc largement. C'est un constat bien terre à terre mais qu'il faut toujours garder à l'esprit quand on pense à l'avenir à long terme de l'État québécois. Dans cette perspective, et c'est là une de mes convictions les plus fondamentales, l'épanouissement optimal des familles doit préoccuper tous ceux qui rêvent de voir notre peuple grandir et notre société prétendre à son plein potentiel. Il est d'ailleurs renversant de constater, je l'ai déjà dit, le peu d'intérêt du Parti québécois pour les questions de natalité alors qu'il se présente comme le champion de l'identité québécoise.

Y a-t-il assez d'enfants pour assurer l'avenir du Québec ? La question se pose très sérieusement. Elle m'interpelle à la fois comme militant et comme citoyen.

En 1999, le Québec a connu l'un des plus petits nombres de naissances du 20ᵉ siècle, soit moins de 75 000. Avec un taux de fécondité des femmes en âge de procréer à 1,45 enfant, il se trouve parmi les dix États dont le taux de renouvellement de population est le plus bas au monde. Comme il faut un taux de fécondité d'au moins 2,1 enfants pour que la société maintienne son équilibre numérique, si la tendance se maintient – et elle semble se maintenir ! – le

> *Y a-t-il assez d'enfants pour assurer l'avenir du Québec ? La question se pose très sérieusement. Elle m'interpelle à la fois comme militant et comme citoyen.*

Québec verra sa population diminuer dans moins d'une génération. En fait, notre taux de natalité est si réduit que pour assurer le remplacement des générations, on doit compter essentiellement sur l'immigration. Manifestement, il y a quelque chose qui cloche.

Je refuse de voir le Québec se faire avaler par le reste de l'Amérique du Nord ou d'assister, sans broncher, au vieillissement accéléré de notre population faute d'avoir su soutenir et encourager adéquatement les familles souhaitant avoir des enfants. Et j'insiste sur ce point : les familles *souhaitant avoir des enfants*. Car, évidemment, pas question d'un retour de la revanche des berceaux et à un appel systématique à la procréation. Autres temps, autres mœurs.

LA FAMILLE, PILIER DE NOTRE SOCIÉTÉ

Les jeunes couples d'aujourd'hui veulent des enfants mais le contexte dans lequel ils se retrouvent rend souvent ce projet difficile et décourageant. Trop d'entre eux reportent la décision d'avoir un enfant – ou encore y renoncent carrément – à cause des contraintes qui pèsent sur leur vie et sur lesquelles le gouvernement pourrait agir. Des exemples : le fardeau des dettes d'études, l'accès au marché de l'emploi, les listes d'attente pour les services de garde.

De plus, les experts s'entendent généralement pour dire que dans un contexte de dénatalité semblable, l'État a un rôle crucial à jouer pour favoriser l'éclosion de nouvelles familles. Même si les dernières années ont donné lieu à des débats sur le sujet, force est de constater que les deux vieux partis ont accouché de politiques familiales plus proches du marketing que de mesures réelles pour encourager les nouveaux foyers en émergence. Deux gouvernements successifs, emprisonnés dans leurs paradigmes dépassés et étouffés par des finances publiques à la dérive, se sont assurés de reprendre de la main gauche ce qu'ils prétendaient donner de la main droite. D'ailleurs, à 1,45 enfant par famille, les résultats de leurs politiques parlent d'eux-mêmes, non ?

Bref, si nous voulons que les jeunes ménages aient le goût de fonder une famille et prennent leur essor, il faut leur donner un signal clair :

l'État québécois doit considérer la famille comme un pilier et la placer au cœur de ses priorités.

LES PARENTS SONT LES MIEUX PLACÉS POUR CHOISIR

Tout contribuable québécois est appelé à payer ses impôts, donc à contribuer pour recevoir des services, notamment des services de garde. Pourtant, un grand nombre d'entre eux n'en profitent pas parce que l'État a bêtement choisi de leur en interdire l'accès. Comme ils sont tout de même obligés de faire garder leurs enfants, ces gens doivent débourser doublement. Qu'ont-ils fait de mal pour qu'on les traite de la sorte ? Est-ce là un modèle québécois d'aide à la famille ?

Je continue de croire que ce fut une grave erreur de mettre la hache dans presque toutes les mesures de soutien aux familles et de concentrer tout l'argent dans un système de garderies unique. Le gouvernement a complètement négligé les différences inhérentes à la situation de chaque cellule familiale : horaires de travail, nombre d'enfants à garder, choix personnels et désir de garder soi-même ses enfants. Dans la foulée, il a considérablement restreint la diversité de l'offre que la concurrence aurait générée. Il a même mis au monde un nouveau registre de listes d'attente. Un autre !

En somme, des dizaines de milliers de familles sont demeurées sur le trottoir et continuent d'être privées de ces services de garde, soit par manque de place, soit par incompatibilité des heures d'ouverture avec leur travail ou, tout simplement parce que, par exemple, l'un des conjoints a décidé de demeurer à la maison pour éduquer ses enfants.

L'ÉTAT NE DEVRAIT PAS SE SUBSTITUER AUX PARENTS

Voilà encore un exemple de l'État agissant comme celui qui « sait » mieux que nous ce qui est bon pour tous. Et plus grave, un État qui choisit de pénaliser certains choix de vie : si vous ne rentrez pas dans le moule que la bureaucratie a créé pour vous et vos enfants, si vous ne répondez pas aux critères du formulaire machin, alors, c'est bien dommage, vous perdez votre droit au soutien.

On connaît la suite dans le système gouvernemental de garderies. Rapidement, on a éprouvé les mêmes ratés que dans les autres monopoles d'État : coûts hors de contrôle, perte de diversité dans l'offre de service, grèves, bureaucratie qui s'alourdit et... listes d'attente. Chanson connue, n'est-ce pas ? Personne n'a bénéficié autant de cette « politique familiale » que les grandes centrales syndicales qui se sont vues offrir un magnifique créneau de nouveaux cotisants.

Contrairement à ce qu'ont entrepris les vieux partis, l'ADQ lutte depuis longtemps pour que l'État soutienne directement les parents, sans jamais tenter de se substituer à eux ni essayer de les remplacer. À nos yeux, les pères et mères sont toujours, à part quelques exceptions malheureuses,

> *L'ADQ lutte depuis longtemps pour que l'État soutienne directement les parents, sans jamais tenter de se substituer à eux ni essayer de les remplacer.*

les meilleurs juges en matière d'encadrement, de développement et d'éducation de leurs enfants. Les parents, ce sont eux. Pas l'État ! Le rôle de ce dernier consiste plutôt à élargir l'éventail de choix par des appuis financiers, fiscaux ou autres. Bref, si nous voulons plus de nouvelles familles, le gouvernement doit agir en offrant un soutien incitatif ouvert et flexible.

Quand la famille a besoin d'aide

L'enfant a besoin d'amour, bien sûr, mais aussi d'estime de soi et de modèles de vie. Dans la plupart des familles, malgré la folie du quotidien et les moments difficiles, on réussit à offrir aux enfants des conditions qui favorisent un départ heureux dans la vie. Mais ce n'est pas toujours le cas.

Dès leur entrée dans la vie, certains enfants font face à des écueils difficilement imaginables pour la plupart d'entre nous : l'abandon, les mauvais traitements ou les abus sexuels. Des situations dramatiques qu'ils doivent subir à leur corps défendant. Dans de pareilles circonstances, il faut agir, et promptement, pour les protéger et les rassurer. Dans la plupart des cas, la famille élargie et l'entourage immédiat demeurent, dans mon esprit, les premières ressources auxquelles il faut faire appel pour pallier l'horreur de la situation.

Au Québec, dans ce domaine comme dans bien d'autres, nous avons le réflexe de nous tourner vers le gouvernement dès que survient un problème le moindrement pénible. Dans cette foulée, nous avons créé la Direction de la protection de la jeunesse (DPJ) ainsi que les Centres jeunesse. L'intention était louable, mais il faut admettre aujourd'hui que ce système éprouve des ratés extrêmement préoccupants. L'approche bureaucratique a fait perdre de vue les valeurs familiales de base. On place les intervenants dans un contexte tel qu'on ne leur donne pas suffisamment de temps et de moyens pour tirer profit de

UNE SOCIÉTÉ PENSÉE POUR LA FAMILLE

la bienveillance inhérente à leur vocation pour aider et soulager leurs jeunes protégés en détresse. Pour beaucoup de ces enfants et adolescents, cela se conclut par une vie complètement bousillée par des déménagements à répétition ou par des périodes répétées d'isolement dans des conditions inacceptables.

Notre mémoire collective est décidément très courte. N'avons-nous pas été marqués par l'épisode peu reluisant des « enfants de Duplessis » ? J'entends à l'avance ceux qui me diront que ce n'est pas comparable. Et si c'était pire ? Si le pamphlet cinématographique de Paul Arcand, *Les Voleurs d'enfance*, a tant fait parler, s'il a monopolisé l'attention du public et des organismes sociaux pendant des semaines, c'est qu'il devait toucher à un point sensible. Le drame c'est que nous sommes peut-être en train de répéter l'histoire... mais selon les standards d'aujourd'hui. Le rapport annuel est sur papier glacé et les mots plus savants. La réalité brutale, c'est qu'on accepte, comme société, que des vies soient hypothéquées. Les signaux sont nombreux et répétitifs. Nous ne pouvons et ne devons pas permettre que des enfants soient ballottés sans arrêt d'une famille d'accueil à l'autre, qu'ils soient logés en deçà des standards des prisonniers... et que

> *C'est de la vie de nos enfants qu'il s'agit. Quand ils crient à l'aide, nous devons répondre à l'appel avec tout l'humanisme dont nous sommes capables. Une sensibilité impossible à atteindre à travers une approche bureaucratique parce que chaque être humain est différent.*

nous appliquions aux déficiences inévitables d'un système semblable une loi du silence perpétuant nos erreurs.

C'est de la vie de nos enfants qu'il s'agit. Quand ils crient à l'aide, nous devons répondre à l'appel avec tout l'humanisme dont nous sommes capables. Une sensibilité impossible à atteindre à travers une approche bureaucratique parce que chaque être humain est différent. Une société pensée pour la famille doit prendre les moyens pour s'acquitter de ses responsabilités. Nous devons aimer nos enfants inconditionnellement. Sinon, c'est notre devenir que nous renions.

Redonner aux parents la liberté de choix

L'alternative adéquiste a toujours consisté à donner aux parents un levier financier (à l'élection 2003, nous parlions de « bons de garde ») qui puisse être négociable contre une place en garderie, publique ou privée, pour ceux qui ont ce besoin, mais qui puisse aussi être échangeable contre une véritable allocation familiale si l'un des conjoints est à la maison. Je suis même convaincu qu'il faut rendre cette aide transférable aux grands-parents dans les familles où ce sont eux qui assument la garde. En somme, l'ADQ croit en une approche souple, respectueuse des choix et des réalités de vie de toutes les familles, et qui puisse se modifier, dans le temps, en concordance avec les changements de situation prévalant dans l'environnement familial ou sur le marché du travail.

Mais la responsabilité de l'État ne se limite pas seulement au soutien financier. Ça va beaucoup plus loin que ça. Je parle d'éducation, de santé, de culture et même des rapports que doivent entretenir les employeurs avec leurs employés qui sont parents. Et dans ces domaines, je crois que l'État a aussi un rôle de premier plan à jouer dans une société qui prend un virage famille. Il doit faire en sorte d'adopter des mesures susceptibles d'encourager les employeurs à accorder à leur main-d'œuvre des horaires flexibles, tant dans les quarts de travail que dans la répartition des journées de travail. Il doit encourager le télétravail afin de permettre aux parents de jeunes enfants de rester plus souvent auprès d'eux. Un gouvernement qui prend réellement le virage famille devrait obliger toutes les organisations soutenues par l'État à offrir des aménagements adaptés pour les jeunes familles et adopter une tarification familiale incitative pour tout produit ou service offert aux jeunes ménages.

Ce ne sont là que quelques pistes de gestes concrets que l'État peut poser pour peu qu'il veuille sérieusement favoriser la famille. Des avenues que fouillerait de façon systématique un gouvernement adéquiste en gardant toujours à l'esprit que les parents ont besoin de soutien. Et un soutien, ce n'est pas d'imposer une bureaucratie qui remplace les vrais parents, convaincue qu'elle est plus compétente qu'eux.

> **Un soutien, ce n'est pas d'imposer une bureaucratie qui remplace les vrais parents, convaincue qu'elle est plus compétente qu'eux.**

Il faut redonner aux parents la liberté de choix. Évitons le dérapage de l'État-providence vers « l'État parental » : les parents, je le répète, sont encore les mieux placés pour choisir l'éducation de leurs enfants. Le choix du type d'éducation, de garderie et de services qui conviennent à leurs enfants leur appartient à *eux seuls*, et ce, en fonction des critères qu'ils sont en droit de déterminer, par eux-mêmes, pour le mieux-être de leur famille. Il faut revaloriser le rôle des parents. Il est temps de donner aux pères et aux mères du

Québec les moyens de prendre leurs propres décisions et d'assumer leurs responsabilités. À ce que je sache, on n'a pas choisi, comme citoyens, de vivre dans un État totalitaire.

Une société pensée pour la famille doit privilégier des politiques qui favorisent l'émergence des jeunes ménages. Des politiques qui allègent le fardeau fiscal des familles comptant de jeunes enfants et qui facilitent la vie aux parents devant gérer à la fois leur carrière et une famille en plein essor. Ceux qui sont au pouvoir mais ne font rien de plus que ce qui a été dit jusqu'à maintenant se drapent dans de beaux discours. Les familles réclament plus que du vent et des mots : nous sommes en train de passer à côté d'une réalité fondamentalement importante pour notre peuple.

Jusqu'à maintenant, les gouvernements ont toujours sacrifié l'avenir de nos familles sur l'autel du marketing politique. Ils ont fait de l'étiquette « conciliation travail-famille » une expression vide pour faire croire qu'ils s'en occupent alors que, dans la réalité, ils ne posent aucun geste concret.

À mon avis, l'avenir du Québec passe par l'établissement d'une société basée sur la famille, pensée pour la famille, privilégiant tout ce qui peut aider les familles à s'épanouir. Cela aiderait tous ceux qui le désirent à fonder un foyer et favoriserait, par ricochet, un accroissement de la population et un équilibre entre les générations. Il ne s'agit pas que de chiffres mais de la vie. De la vie d'un peuple qui n'existe que s'il assure sa succession.

Un Québec – famille : pour sauvegarder notre identité

Dans le Québec que je veux pour mes enfants, la famille, qu'elle soit traditionnelle ou non, tient le premier rôle. Je rêve d'un Québec pensé famille, administré famille, planifié famille. Non seulement c'est possible, mais nous n'avons pas le choix : au cours des 30 dernières années, la population de l'Ontario s'est accrue de plus de 50 %, notamment grâce à l'immigration provenant du reste du Canada et du Québec et à la forte immigration internationale. En fait, selon Statistique Canada, le taux de croissance de l'Ontario est trois fois plus élevé que celui du Québec : il dépasse 1 % chez nos voisins tandis que le nôtre tourne autour de 0,3 %.

Nous devons réagir : poussée à la limite, une démographie qui recule mène une société à sa disparition. Au-delà de la simple loi du nombre, les enfants sont l'âme du peuple. Ils personnifient et incarnent l'espoir, notre motivation pour avancer et faire progresser notre société.

Un peuple qui n'aime pas ses enfants n'a aucun avenir.

39

40

Une génération doit léguer plus que ce qu'elle a reçu

D ans toute famille normalement constituée, les parents désirent léguer à leurs enfants plus et mieux que ce qu'ils ont reçu. Il s'agit là d'un réflexe instinctif à la fois puissant et très profond.

Au Québec, depuis l'époque de la Nouvelle-France, il y a toujours eu progrès et la génération précédente a toujours transféré davantage à la suivante : meilleures conditions sanitaires, infrastructures améliorées, jeunesse mieux formée, meilleur niveau de vie, etc. Or, depuis le début de la révolution industrielle il y a presque 200 ans, c'est la première fois qu'on se retrouve dans une situation où on ne sait pas si ce sera le cas.

En effet, et c'est exceptionnel dans l'histoire, on ne peut plus affirmer hors de tout doute que la nouvelle génération, sur le plan économique tout au moins, vivra mieux que la précédente. Même s'il est trop tôt pour affirmer qu'il y aurait un renversement de tendance à long terme, on assiste certainement à une forme d'arrêt, sinon de recul : pouvoir d'achat réduit pour la classe moyenne, système de santé et services sociaux déphasés par rapport aux nouveaux besoins et au vieillissement de la population, sans compter l'épuisement prématuré de certaines de nos plus importantes ressources naturelles.

Ainsi, en moins de temps qu'il n'en faut pour faire grandir une seule génération, nos gouvernements ont mis de côté les bonnes habitudes de nos ancêtres et ont entrepris de pelleter les problèmes vers l'avant : la dette a pris des proportions dangereuses et continue d'augmenter malgré un déficit zéro « officiel » ; les coûts de la santé dévorent une part grandissante du budget global de l'État et s'approchent de la barre exorbitante du 50 % ; le système d'éducation met plus du tiers de nos jeunes à la rue sans diplôme utile alors qu'on fonce à vive allure vers une « société du savoir » ; nos infrastructures ressemblent de plus en plus à des nids de poule et à des canalisations percées.

Malgré des signaux d'alarmes, les vieux partis continuent, élection après élection, à promettre tout et n'importe quoi, à engloutir des centaines de millions de fonds publics en dépassements de coûts de toutes sortes, sans égard à ceux qui paieront ultimement la note.

Malgré tous ces clignotants qui constituent autant de signaux d'alarme, les vieux partis continuent, élection après élection, à promettre tout et n'importe quoi, à engloutir des centaines de millions de fonds publics en dépassements de coûts de toutes sortes, sans égard à ceux qui paieront ultimement la note. On est tellement occupé à gagner la prochaine élection qu'on continue aveuglément à hypothéquer les prochaines générations. Quelle honte !

ARRÊTER D'HYPOTHÉQUER L'HÉRITAGE DES QUÉBÉCOIS

Gardiens de notre patrimoine collectif, les gouvernements ont misérablement failli à la tâche. En région, les ressources naturelles ont été dilapidées : les pêcheurs ont réclamé en vain pendant des années un suivi des stocks, il ne reste presque plus de morue ; les forêts québécoises donnent des signes évidents d'épuisement ; les compagnies minières ont vidé des montagnes de minerais avant de mettre les voiles. Dans la foulée, on a trop souvent amoché l'environnement : cours d'eau pollués, nappes phréatiques contaminées, sites d'enfouissement dangereusement inefficaces.

Depuis quelques décennies, donc, tous nos gouvernements, tant péquistes que libéraux, ont géré à courte vue, même ceux qui ont chanté haut et fort leur amour du pays. Faire partie du « concert des nations » pour les uns, vivre dans le « meilleur pays au monde » pour les autres. Des discours pour la galerie. En termes de résultats, on repassera. Ils sont désastreux. Le patrimoine québécois a été saccagé et ils ont laissé faire.

Ce n'est pas tout. Les vieux partis ont aussi hypothéqué l'État lui-même. On a, par exemple, pigé des milliards dans la caisse de la SAAQ. On a sous-capitalisé consciemment – et malgré des études actuarielles alarmantes – le Régime des rentes du Québec sans parler des frasques et des excès de la Caisse de dépôt et de placement dans l'administration de nos fonds de pension. Comble du cynisme, on oblige les générations qui montent à s'atteler pour payer les retraites de ceux qui quittent le marché du travail sans savoir si la Caisse de dépôt aura assez d'argent quand viendra leur tour.

Tout cela n'est pas très chic. On ne le ferait pas à nos propres enfants.

REDONNER ESPOIR À CEUX QUI NOUS SUIVENT

Pourquoi avons-nous fondé l'ADQ ? Le lecteur peut retrouver dans les derniers paragraphes une partie éloquente de la réponse.

L'approche de l'ADQ se veut à l'opposé de la déresponsabilisation systématique à laquelle on assiste actuellement. Nous croyons qu'il faut rappeler aux contribuables que nous sommes tous solidaires. Les responsabilités des gouvernements, ce sont nos propres responsabilités. En bout de course, c'est nous qui devrons payer. Alors, arrimons les générations ensemble pendant qu'il en est encore temps afin de trouver des solutions qui seront prometteuses pour tous.

Je suis un homme optimiste, sinon, je ne ferais pas de politique. Je suis sûr qu'avec de la détermination et de la confiance en nos moyens, nous saurons prendre les mesures qui nous permettront de retrouver la voie du succès et de la richesse. Nous avons une cause conjointe, un dénominateur commun : il s'appelle le Québec. Nous sommes tous responsables de préparer son avenir. Nous devons, sans tarder, entamer le virage qui nous permettra enfin d'entrevoir comment nous pouvons léguer à la prochaine génération plus que nous n'avons reçu.

Aucune génération n'a intérêt à ce que la situation se dégrade après elle. Mais la formidable puissance des *baby-boomers* qui ont littéralement construit le Québec d'aujourd'hui est en train de le déstabiliser. Et plus on attend, plus la situation s'envenime. Si on n'actualise pas notre État – la dégradation du système de santé en est un bon exemple – on se piège tous ensemble. Dans cette spirale de la régression, il n'y aura que des perdants.

Les aspirations de toutes les générations se ressemblent. Les jeunes d'aujourd'hui ne font pas exception à la règle. Comme leurs parents et grands-parents à leur âge, ils désirent un certain confort. Ils souhaitent élever des enfants dans la quiétude et en sécurité, et ils veulent être capables de réaliser leurs rêves. S'il y a une aspiration collective de la génération montante, c'est bien celle de ne pas répéter les erreurs du passé.

Conscients de leur environnement, les jeunes adultes se préoccupent de la gestion des ressources naturelles et de l'écologie. Soumis aux humeurs de l'économie et vivant souvent une situation financière relativement précaire, ils sont sensibles au gaspillage et à l'endettement. Et contrairement à ce que plusieurs pensent, loin d'être individualiste, la nouvelle génération a une vision à long terme et planétaire.

Nos compatriotes de 18 à 45 ans sont d'abord des humanistes. J'en suis et j'en suis fier.

Il ne nous reste plus qu'à poser les gestes qu'il faut pour transmettre à la prochaine génération un héritage digne de ce nom.

41

Faire du Québec
le meilleur endroit
pour se réaliser

L'économie du Québec, calculée en produit intérieur brut (PIB) par habitant, se situe parmi les 20 premiers pays industrialisés de l'OCDE, surpassant plusieurs pays d'Europe. Le Québec recèle donc un potentiel économique important que nos gouvernements ont réussi à nous faire oublier en nous taxant, retaxant et surtaxant. À telle enseigne que chaque année, plusieurs de nos meilleurs éléments quittent pour l'étranger. Et la plupart du temps, ils ne reviennent jamais. Ils se sont enracinés ailleurs.

Si le Québec n'entreprend pas un virage important au cours des prochaines années, trop de jeunes Québécois, filles comme garçons, se poseront en toute légitimité la question suivante à la veille d'entreprendre leur vie adulte : « Est-ce que je suis prêt à payer 20, 30 ou 40 % d'impôts de plus qu'ailleurs, à ramasser la facture des promesses électorales des années 70 encore impayées, à assumer ma part d'une dette gouvernementale énorme tout en n'ayant aucune assurance qu'il restera de l'argent dans la caisse pour un filet social quand j'arriverai à mes vieux jours ? »

Bilingues, en santé, éduqués – ayant parfois étudié à l'étranger –, libres de travailler ailleurs, nos jeunes les plus instruits et les plus productifs ont maintenant devant eux toute une panoplie d'options. Nous ne devons plus espérer les garder tous ici par défaut. Les plus doués reçoivent de plus en plus souvent des offres alléchantes de Toronto, de Calgary, de Vancouver, des États-Unis et d'ailleurs. Si le Québec ne devient pas une terre de promesses pour la jeunesse, trop de nos jeunes quitteront leur patrie. Tous ces départs entraîneront des conséquences énormes pour la société québécoise : des pertes affectives pour les familles et des pertes financières pour la collectivité qui aura payé pour la formation des jeunes adultes qui s'en iront, sans récolter les bénéfices générés par leur expertise. Rien ne frappe plus dur dans l'économie d'aujourd'hui que de perdre son capital humain.

> *Si le Québec ne devient pas une terre de promesses pour la jeunesse, trop de nos jeunes quitteront leur patrie. Tous ces départs entraîneront des conséquences énormes pour la société québécoise. Rien ne frappe plus dur dans l'économie d'aujourd'hui que de perdre son capital humain.*

Mes trois enfants ont chacun un tempérament et des goûts différents. Mon souhait, comme père, est que chacun d'eux puisse réaliser ses ambitions, mais ce que j'aimerais par-dessus tout, c'est qu'ils aient la possibilité d'y parvenir ici, au Québec, en demeurant près de Marie-Claude et moi, et du reste de la famille.

QUÉBEC, TERRE D'AVENIR

Je voudrais que le Québec puisse être l'endroit au monde qui réserve le meilleur avenir à mes enfants et mes petits-enfants, et qu'ils considèrent tout naturel que gagner leur vie ici, chez nous, n'est pas un second choix. Je rêve d'un Québec de prospérité et de réussite, un endroit plein de promesses pour la jeunesse en soif de réalisations. J'aimerais que la relève pousse en sachant bien que c'est ici « que ça se passe ».

J'imagine un Québec où les artistes pourront s'exprimer dans un milieu culturel vivant et fort d'un appui collectif des Québécois, où les scientifiques de haut niveau trouveront des occasions de voir leurs travaux s'incarner dans des produits créés à partir des résultats de leurs recherches, où des diplômés de la formation technique et professionnelle pourront trouver l'emploi à la mesure des défis qu'ils veulent relever. Un Québec où des artisans et des ouvriers pourront tirer leur épingle du jeu et vivre agréablement dans un contexte professionnel leur permettant de se réaliser.

Je rêve d'un Québec de prospérité et de réussite, un endroit plein de promesses pour la jeunesse en soif de réalisations. J'aimerais que la relève pousse en sachant bien que c'est ici « que ça se passe ».

J'espère aussi que pour les jours moins heureux, tous pourront se consoler à l'idée que le filet de services sociaux tissé depuis la Révolution tranquille aura tenu le coup en évoluant, et qu'il leur assurera de vivre et de vieillir dans la dignité. Et finalement, je souhaite pour tous, qu'à la fin du mois, il en reste encore assez sur leur chèque de paie pour qu'ils puissent s'offrir le confort qu'ils méritent plutôt que de vivoter en arrondissant leurs fins de mois avec un peu plus de travail au noir !

Il est grand temps de donner un coup de barre. Nous avons le potentiel. Il faut l'exploiter et arrêter de chercher à gagner du temps par des faux-fuyants. L'avenir peut nous sourire. Il suffit d'avoir l'audace de changer ce qui ne va pas et d'améliorer ce qui fonctionne à moitié.

Notre terre doit redevenir, pour mes enfants et pour tous les Québécois, le lieu où ils voudront s'enraciner. L'endroit qu'ils choisiront de préférence à tout autre.

Un Québec de présent et d'avenir.

41

42

L'AUTONOMIE :
LA CLÉ D'UN MEILLEUR AVENIR

En fondant l'ADQ, un groupe dont je fais partie a voulu donner aux Québécois un véhicule politique pour leur permettre de reconquérir leur pouvoir face à un État devenu omnipotent et interventionniste, omniprésent dans la vie quotidienne des Québécois. Face à des échecs évidents, il fallait remettre en question la prestation déficiente des services publics et proposer des solutions dans le cadre d'un modèle renouvelé, porteur de succès. Et il fallait bien sûr tracer une nouvelle voie pour que la quête d'autonomie du peuple québécois puisse trouver son chemin hors de la traditionnelle ornière de l'obsession souverainiste du PQ et de l'indéfendable *statu quo* du PLQ.

Bien au-delà des choix constitutionnels à l'origine de sa fondation, l'ADQ a vite tracé le contour des principes qui l'animaient : favoriser l'éclosion de la créativité et de l'initiative personnelle dans une ouverture aux nouvelles idées ainsi que dans une recherche incessante de justice et d'équité. Inspirés par ces valeurs, les dizaines de milliers de militants adéquistes mènent, depuis les débuts du parti, un combat qui s'articule autour d'un axe commun : l'autonomie.

Cette bataille, nous la menons dans la perspective d'une autonomie accrue du Québec dans l'ensemble canadien et nord-américain. C'est une façon différente d'envisager l'avenir du Québec avec détermination, en continuité avec la vision partagée par plusieurs premiers ministres d'appartenances politiques différentes.

C'est aussi un rejet des vieilles chicanes des dernières décennies polarisées entre les référendums à répétition des péquistes et l'*à-plat-ventrisme* historique des libéraux face au gouvernement fédéral.

> **Mais ce combat autonomiste, nous le menons aussi de l'intérieur. Dans une perspective de cohérence, nous faisons la promotion d'une plus grande autonomie des régions dans le Québec.**

Mais ce combat autonomiste, nous le menons aussi de l'intérieur. Dans une perspective de cohérence, nous faisons la promotion d'une plus grande autonomie des régions dans le Québec, afin qu'elles se prennent en main et qu'elles contribuent davantage à la richesse collective.

De la même façon, nous préconisons la plus grande autonomie possible des personnes. En effet, l'ADQ veut accroître la liberté de choix des Québécois en leur permettant de se soustraire à l'approche *contrôlante* de la « social-bureaucratie » et du sempiternel modèle québécois auquel nous ont habitués les vieux partis, un concept selon lequel l'État sait mieux que nous-mêmes ce qui est bon pour nous et pour notre famille. La vision autonomiste, c'est le refus d'une attitude paternaliste du gouvernement envers ses citoyens, ses régions ou ses municipalités. C'est faire le pari d'outiller les gens et les communautés pour qu'ils prennent leurs affaires et leur avenir en main plutôt que de les déposséder pour mieux décider à leur place.

L'AUTONOMIE : LA CLÉ D'UN MEILLEUR AVENIR

Tout comme je suis convaincu que le Québec peut être plus fort dans un ensemble canadien décentralisé qui nous laisse le contrôle de nos outils, nos pouvoirs et nos ressources afin de mieux s'occuper de nos affaires, je crois que ce raisonnement s'applique de la même façon chez nous, au Québec, en ce qui a trait à nos régions et même à nos citoyens.

J'affirme depuis des années que l'Action démocratique du Québec détient, avec sa position autonomiste, la clé d'un avenir plus florissant. J'en suis certain. Il m'apparaît indubitable que partager une vision autonomiste, c'est se porter individuellement et collectivement à l'assaut d'un développement économique à la fois ouvert et prometteur. Une situation où tout le monde gagne.

Cela dit, nous n'avons aucune permission à demander pour prendre nos affaires en main et décider de ce qui est mieux pour assurer notre essor collectif. Nous avancerons. C'est tout. Ceux qui essaieront de nous barrer la route devront *se tasser*.

PQ ET AUTONOMIE, DES VOIES DIVERGENTES

Le Parti québécois promet l'indépendance. Il tient un langage pompeux présumant être le seul à détenir le mandat de veiller sur notre avenir. Cet avenir, auquel les péquistes ont fait rêver les Québécois, leur a permis d'être élus en 1976, en 1981, en 1994 et en 1998. Un succès électoral indiscutable ! Mais après tant d'années au pouvoir, les péquistes ne peuvent plus éviter le bilan : en matière d'autonomie du Québec, ce parti nous a fait vivre échecs après échecs.

Les référendums perdants du PQ ont fait reculer nos pouvoirs dans l'ensemble canadien, menant même à la perte d'un droit de veto traditionnel et à l'adoption d'une constitution sans la signature du Québec. Au Québec même, l'État s'est centralisé autour d'une bureaucratie tentaculaire. Les régions sont plus dépendantes du gouvernement que jamais. Sous les régimes péquistes, les citoyens du Québec ont vu leurs libertés de choix se restreindre, la dette gouvernementale exploser, la vie de l'entrepreneur se compliquer, les taxes grimper, la classe moyenne se faire tordre jusqu'à l'asphyxie et les réglementations proliférer dans tous les secteurs d'activité. Et on ne peut passer sous silence leur échec à faire évoluer adéquatement le système d'éducation, le plus puissant moteur de l'autonomie des individus. Résultat net de quatre mandats de gouvernance péquiste : moins d'autonomie pour le Québec, pour les régions et pour les hommes et les femmes d'ici.

Pourtant orienté franc sud, le bilan péquiste nous a emmenés dans le Grand Nord ! Contradictoire et décevant pour un parti qui a été fondé pour porter un rêve d'indépendance...

Cela ne semble pas en voie de s'améliorer : le Parti québécois est toujours enfermé dans les mêmes modèles qu'il défendait dans les années 70 et nous promet, encore et toujours, un autre référendum. Y a-t-il un autre film à la télé ? Celui là, on l'a déjà vu deux fois, et il n'était pas drôle du tout.

Zappons, ça presse !

LE POUVOIR DE L'AUTONOMIE

Au cœur de la vision autonomiste de l'ADQ se trouve évidemment l'accroissement des pouvoirs du Québec, donc une augmentation de notre marge de manœuvre face au reste du Canada. Je l'ai déjà dit plusieurs fois, les ententes relatives au pacte confédératif de 1867 voyaient à respecter l'autonomie des provinces dans leurs champs de compétence. Paradoxalement, l'évolution des relations entre les provinces et un gouvernement canadien de plus en plus centralisateur nous a éloignés du concept initial. Or, un Canada qui centralise ses pouvoirs est absolument incompatible avec la réalité du Québec : la différence inhérente à notre « société distincte » – non reconnue par le reste du Canada mais non moins réelle pour autant – entre directement en conflit avec les efforts du gouvernement central pour contenir toutes les provinces dans un même moule, les « normes nationales » comme ils disent à Ottawa.

Nous avons en main tous les ingrédients de la réussite. Nous pouvons nous lancer à la poursuite d'un objectif tout aussi réaliste qu'ambitieux : gravir des échelons au plus vite pour tenter de rejoindre le peloton de tête économique des États d'Amérique du Nord.

Quoi qu'il en soit, au moment où plusieurs autres provinces – en général parmi les plus riches – partagent avec nous l'inconfort de voir le fédéral s'immiscer continuellement dans leurs affaires, le Québec peut maintenant compter sur des alliés pour renverser la vapeur. Car si le Québec peut gagner en adoptant une position autonomiste, plusieurs autres provinces ont déjà compris que leur intérêt peut aussi résider dans cette approche. Dans cette perspective, nous pouvons conclure des alliances. C'est à notre portée.

C'est toujours la force économique dominante qui réussit à faire résonner sa voix autour d'une table de négociation. On n'a qu'à penser à la position de l'Alberta dans le Canada d'aujourd'hui pour s'en convaincre. D'ailleurs, je rejette d'emblée la résignation défaitiste de ceux qui rangent le Québec perpétuellement parmi les provinces les plus pauvres du Canada, dans le peloton de queue de l'Amérique du Nord relativement à la richesse et au niveau de vie, mais premier toutes catégories sur le plan de la dette. Nous possédons des richesses extraordinaires, du talent, un esprit d'entreprise, un potentiel énergétique vert que peu d'États peuvent se vanter de posséder. Bref, nous avons en main tous les ingrédients de la réussite. Nous pouvons nous lancer à la poursuite d'un objectif tout aussi réaliste qu'ambitieux : gravir des échelons au plus vite pour tenter de rejoindre le peloton de tête économique des États d'Amérique du Nord.

Plus de richesse et moins de dette, voilà le programme auquel l'ADQ convie les Québécois avec la voie de l'autonomie.

Récupérer nos pouvoirs au maximum, mieux contrôler la gestion de nos ressources, affirmer notre autonomie par des gestes aussi simples que se doter d'une constitution québécoise et faire en sorte de ne remplir qu'une seule déclaration de revenus au Québec... nous pouvons prendre toute la place qui nous revient. Mettons un premier pied dans l'étrier, la suite viendra. Malgré la dérision programmée qu'affichent inévitablement nos détracteurs, la position autonomiste de l'ADQ est audacieuse. À tel point que personne ne l'a réellement défendue depuis le *Maîtres chez nous* de Jean Lesage et le *Égalité ou indépendance* de Daniel Johnson père.

Quoi qu'on en dise, j'ai la conviction qu'avec la détermination et le leadership d'un mandat populaire fort et qu'en unissant les Québécois plutôt qu'en les divisant, un gouvernement adéquiste sera en mesure de faire faire des gains d'autonomie réels pour le Québec face au reste du Canada.

L'AUTONOMIE DES RÉGIONS

En pleine tourmente constitutionnelle, lorsque les membres de la Commission Bélanger-Campeau sont revenus de leur tournée visant à prendre le pouls du Québec de l'après-Meech, ils ramenaient avec eux une surprise : la volonté des régions de se prendre en main en même temps que leur profonde frustration de vivre dans un Québec centralisé, où ils subissaient des politiques de *mur-à-mur* venues d'en haut.

Depuis des décennies, la décentralisation a été au cœur des promesses électorales de tous les partis, mais jamais aucun gouvernement n'a voulu sacrifier les petits royaumes de ses ténors. Conséquemment, le modèle bureaucratique centralisé n'a jamais été remis en question et tous les engagements solennels face aux régions se sont envolés. Au plus, les gouvernements ont créé des structures locales et écrit des grands documents d'orientation. Mais le gouvernement du Québec demeure encore aujourd'hui, en 2005, très centralisé.

Pourtant, quoi de mieux que de rendre les gens responsables de leur développement ? L'autonomie des régions, c'est faire en sorte d'outiller les instances régionales et locales pour qu'elles puissent assumer leur développement, autant en leur donnant les pouvoirs requis qu'en leur cédant les ressources financières qui doivent suivre. Cela s'applique à tout le territoire, incluant les grands centres urbains qui se retrouvent souvent bien à l'étroit dans le carcan du *mur-à-mur*.

L'autonomie, c'est aussi celle des personnes

L'Action démocratique en a fait l'un de ses principes fondamentaux : l'autonomie des individus est la plus solide assise d'un peuple fort et confiant dans ses moyens.

Se battre pour l'autonomie des personnes, c'est faire reculer deux plaies sociales : la pauvreté et l'omnipotence d'un État paternaliste. Ces deux fléaux enferment l'individu dans un univers bouché : la pauvreté restreint ses choix et possibilités tandis qu'un État paternaliste décide à sa place.

Pour moi, il est primordial de contrer ces obstacles. Il y va de l'avenir même de notre société.

Pour faire reculer la pauvreté, nous devons investir massivement dans l'éducation, tant en argent qu'en favorisant l'atteinte d'une rigueur jamais retrouvée malgré les réformes des dernières années. Nous devons également revoir nos stratégies visant une plus grande diplomation, que ce soit en fonction de la poursuite d'un meilleur équilibre filles et garçons ou dans l'atteinte d'un arrimage entre les besoins du marché du travail et la capacité de formation de notre système d'éducation.

Favoriser l'autonomie des individus commande également de faire preuve d'une détermination peu commune pour promouvoir un développement économique à la fois stratégique et combatif.
Quant à l'État paternaliste, l'ADQ a souvent dénoncé la situation qui prévaut à tous les niveaux de notre gouvernement, de quelque couleur qu'il soit. Il est primordial de redonner des choix aux personnes et aux

familles, que ce soit en santé, en éducation ou dans les programmes de soutien aux familles comme les garderies. Les listes de rationnement doivent faire place à une livraison de services efficace, le seul niveau acceptable pour des contribuables qui paient chaque jour un peu plus cher pour des services qu'ils attendent ou n'obtiennent tout simplement pas, dans plusieurs cas !

L'AUTONOMIE, PORTEUSE D'AVENIR

Quand l'ADQ parle d'autonomisme, c'est de toute une vision de société qu'il est question. Parce que l'approche autonomiste s'applique à sortir des relations traditionnellement stériles de dominant-dominés entre les différents niveaux de gouvernance de notre société – une recette qui a fait la démonstration de son inefficacité devant les défis de l'économie actuelle – pour entrer dans une nouvelle ère de synergie et de coopération. Un monde où les individus, leur milieu, les régions dans lesquelles ils évoluent, bref tous les partenaires impliqués trouvent leur avantage réciproque dans de nouvelles façons de faire.

Appliquée à la gestion interne de l'État québécois ou à nos relations avec le reste du Canada, la quête autonomiste débouche inévitablement sur un nouveau paradigme qui porte la capacité de nous amener sur la voie d'une prospérité collective retrouvée.

Voilà ma vision de l'autonomie, une clé pouvant nous permettre d'accéder ensemble à de nouveaux sommets. Le moyen privilégié pour nous donner la capacité d'offrir aux générations qui nous suivront le Québec d'avenir que nous voulons pour nos enfants.

ÉPILOGUE

U n jour ou l'autre dans la vie, on se trouve à la croisée des chemins. Les jeunes y font face quand arrive le moment de choisir leurs études collégiales ou universitaires. Des rencontres, des gens marquants, des voyages ou des expériences de vie sont d'autres éléments qui peuvent modifier le cours de leur existence.

En 1993, j'avais la possibilité de poursuivre mes études en économie au *London School of Economics*, lettre d'admission et bourse d'études en poche, ou de rester au pays pour m'engager à fond dans la politique, c'est-à-dire dans la fondation de l'ADQ. Si j'avais opté pour Londres, je ne sais pas où je serais à l'heure actuelle, mais nous n'aurions jamais partagé ces moments à travers ce livre.

J'ai choisi la politique. Mes convictions ont pris le dessus.

À ce moment-là, l'ADQ n'existait pas. Ce n'était qu'un projet. Mais après avoir quitté le Parti libéral dans la période survoltée de l'après-Meech, je sentais que Jean Allaire, moi-même et des centaines d'autres Québécois avions en main l'occasion de faire bouger des choses. Il y avait de quoi être motivé à rester en politique.

Je ne regrette aucun de mes choix.

POLITIQUE ET VIE FAMILIALE

La politique n'est pas un métier. C'est une mission plus ou moins longue qui exige une disponibilité quasi totale de ceux et celles qui s'y engagent.

À mon avis, la politique commande quotidiennement une mise à jour de ses connaissances sur une foule de dossiers, et des prises de position claires, même quand des nuances s'imposent. Un politicien doit aussi aimer voyager. Savoir s'entourer. Être capable de composer avec toutes les réalités, même celles qu'il aimerait mieux éviter parce que contraires à ses valeurs. Ces valeurs, justement, qu'il risque de perdre s'il se coupe trop de la vie de M. et Mme Tout-le-monde.

En tant que parent, je me réserve des périodes obligatoires consacrées aux miens parce que je tiens à rester étroitement connecté à la réalité. Je l'ai déjà dit, j'ai toujours voulu faire cohabiter harmonieusement vie de famille et obligations professionnelles. Rien de tel pour mettre de côté mes préoccupations que de me lancer dans la popote et de concocter une nouvelle recette assisté d'un de mes enfants dans le rôle de l'aide-cuisinier. Dans le même ordre d'idées, le temps des Fêtes et le mois de juillet sont des périodes sacrées pour la vie familiale. Marie-Claude et moi voyons aussi à nous réserver de temps à autre de petites pauses : une escapade de quelques jours, la visite de musées ou une soirée autour d'un repas finement concocté arrosé d'une bonne bouteille, par exemple, histoire de nous ressourcer. Mais la politique étant une mission, s'il y a urgence, on ne doit jamais être tellement plus loin que le cellulaire.

Et puis, de toute façon, notre esprit tourne toujours autour des enjeux collectifs, des problèmes et des solutions. En politique, on ne prend pas toujours ses décisions dans une salle de conférence, entouré de conseillers ou de grands bonzes. Il m'est arrivé d'imaginer des projets de loi ou un angle d'attaque pour la prochaine période de questions pendant que je m'occupais des fleurs de ma plate-bande ou en roulant sur l'autoroute 20. Faire de la politique active, c'est accepter d'avoir la tête toujours pleine de problèmes à résoudre, autant de défis qui nous habitent aussi longtemps qu'on n'a pas trouvé de solutions.

RESTER BRANCHÉ POUR COMPRENDRE LES ASPIRATIONS DES GENS

On ne peut pas prendre les bonnes résolutions si on est incapable de se mettre à la place des gens. Le gouvernement veut fermer l'école d'un village ? C'est plus facile de prendre cette décision-là quand on est juché tout au faîte d'une tour d'ivoire. Ce l'est beaucoup moins lorsqu'on a gardé contact avec la population qui nous a conduits là. Il faut garder l'équilibre entre vie normale, vie familiale et vie politique. La politique exige qu'on ait une vie saine. Lorsqu'un député ou un ministre démissionne au milieu d'un mandat et qu'il annonce aux journalistes, derrière le micro, qu'il veut reprendre contact avec sa famille, c'est généralement vrai. La politique peut bouffer une vie si on ne fait pas attention. L'homme ou la femme qui cède à la pression peut en venir à perdre son équilibre. Les décisions qu'ils prennent dans ces conditions peuvent avoir des conséquences néfastes pour toute la société. On ne confiera sûrement pas à un pilote les commandes d'un avion si on le soupçonne d'être sur le point de perdre les pédales.

La population élit des gens pour qu'ils gouvernent leur État pendant quatre ans. C'est tout un honneur... et c'est en même temps une lourde responsabilité. Il est donc de leur devoir de s'assurer de rester bien branchés sur les préoccupations de leur électorat. Car si ces élus ne vivent pas en communion avec leurs électeurs, s'ils s'enferment dans une bulle, comment peuvent-ils vraiment saisir les besoins et les aspirations de ce peuple qu'ils sont censés représenter ? Ils auront beau être pleins de bonnes intentions, ça ne passera pas.

Il y a maintenant dix ans que j'ai été, en l'espace de quelques mois, propulsé à la tête de l'ADQ puis élu pour la première fois député de la circonscription de Rivière-du-Loup. Je sens de plus en plus que les Québécois veulent arrêter les chicanes des dernières décennies et regarder vers l'avenir avec plus d'optimisme. Je les entends dire de plus en plus qu'il faut se serrer les coudes pour faire face aux nouveaux défis avant que d'autres, plus malins, ne prennent la place avant nous.

AVOIR LE COURAGE DE NOS CONVICTIONS

Les Québécois désirent reprendre la voie d'une prospérité retrouvée. Ils jouissent toujours d'un territoire « trois fois grand comme la France », même si on en a pillé quelques ressources. Ils ont encore la chance de vivre sur un continent paisible où tous les rêves sont encore permis. Ils ont une culture qui leur est propre. Ils sont bilingues, souvent trilingues et parfois polyglottes, un atout dans notre ère des communications. Leur terre est accueillante et les immigrants sont prêts à s'intégrer à la collectivité, à faire partie du « nous », et à construire un monde meilleur pour nos enfants et nos descendants.

Nous avons de grands atouts en main. Parallèlement, nous avons d'immenses défis à relever. Nous avons ce qu'il faut, il ne nous reste qu'à regarder nos problèmes bien en face et à les résoudre le plus rapidement possible avant que la situation ne se dégrade trop.

Tout est question d'avoir ensemble le courage de nos convictions. Le reste suivra.

C'est pour partager les miennes et celles de mon parti que j'ai commis ce bouquin. J'espère que ces pages auront pu en inciter d'autres à joindre le mouvement et à s'impliquer avec nous dans l'action politique.

Je souhaite enfin qu'il ait pu apporter un éclairage nouveau sur mon cheminement et la vision qui m'a animé pendant ces dix-huit ans d'engagement pour le Québec.

Une nouvelle
génération d'idées

UN VÉHICULE POLITIQUE LIBRE DE TOUTE ATTACHE

Nous avons fondé l'Action démocratique du Québec afin de créer un véhicule politique tout à fait neuf, exempt de dettes morales ou autres, quelles qu'elles soient, donc libre de toutes attaches, capable de réunir des forces de changement autour de valeurs que les partis existants avaient abandonnées.

Ce sont ces valeurs qui ont su unir des milliers de citoyens depuis plus d'une décennie sous la bannière adéquiste. C'est ce qui fait de l'ADQ un parti ancré dans le présent et tourné vers l'avenir, ouvert et inclusif, répondant à la volonté de nombreux Québécois de sortir des modèles connus, usés et dépassés.

Pour échapper aux éternelles chicanes constitutionnelles qui nous ont trop longtemps divisés et où nous nous sommes retrouvés embourbés dans de véritables ornières idéologiques, l'Action démocratique offre aux Québécois une nouvelle voie politique porteuse d'avenir où l'affirmation mature, responsable et décidée de la société distincte du Québec prend le dessus sur les positions paralysantes des partis traditionnels qui occultent ainsi des débats de société pourtant criants d'urgence.

Aujourd'hui, les adéquistes, des hommes et des femmes progressistes venus de tous les horizons, rêvent d'un État autonome ouvert sur le monde, un Québec qui offrirait à ses citoyens un milieu de vie où l'initiative serait valorisée et où la réussite – sociale, artistique, sportive, personnelle ou économique – serait un objectif partagé, encouragé et honoré.

Voici donc, en résumé, les valeurs qui sont à la base et animent chaque jour un peu plus l'effort colossal des milliers de militants de l'Action démocratique du Québec pour offrir aux Québécois une toute nouvelle voie politique, un parti branché sur la réalité actuelle, qui soit le reflet fidèle de leurs aspirations. L'expression mûre et responsable d'un État autonome du Québec s'affirmant positivement dans la dynamique nord-américaine et planétaire.

L'AUTONOMIE

Plus d'autonomie pour le Québec dans l'ensemble canadien, plus d'autonomie pour les régions dans le Québec et plus d'autonomie pour les citoyens partout au Québec : à tous les niveaux, les adéquistes croient au renforcement de l'autonomie. C'est en plaçant la liberté de choix des citoyens et les valeurs autonomistes au cœur de notre action que nous croyons être en mesure de faire sortir le Québec de son modèle bureaucratique centralisé.

LA FIDÉLITÉ PREMIÈRE AU QUÉBEC

Les militants de l'ADQ tiennent à défendre et à promouvoir les intérêts du Québec et envisagent tous les enjeux identitaires ou constitutionnels d'un point de vue québécois. Une fidélité première inaliénable au Québec qui doit néanmoins se vivre avec souplesse et pragmatisme pour être en mesure de s'adapter au contexte et pour éviter des affrontements improductifs avec nos voisins et partenaires.

LA RESPONSABILITÉ DEVANT L'AVENIR, UNE VISION À LONG TERME

Pour les adéquistes, il faut arrêter le transfert de l'endettement public ou des conséquences d'une gestion laxiste des ressources sur le dos des Québécois de demain. Le document fondateur de l'ADQ, préparé sous la supervision éclairée de Jean Allaire, s'intitulait *Un Québec responsable*, un titre faisant clairement appel à un changement de cap radical dans l'approche politique traditionnelle. Et surtout, il faut cesser cette vieille tactique irresponsable qui revient tous les quatre ans, par laquelle on hypothèque impunément toute une génération à venir dans l'ultime tentative d'acheter une élection.

LA FAMILLE, AU CŒUR DU PROJET DE SOCIÉTÉ

Les adéquistes ont placé la famille au cœur de leur projet de société. La famille d'aujourd'hui a changé. Mais qu'elle soit traditionnelle, monoparentale ou reconstituée, elle reste et demeurera le noyau de base de la société. Il faut ajuster les politiques d'encouragement et les services de soutien à ces nouvelles réalités.

L'ÉDUCATION, L'AVENIR DE NOS ENFANTS

Pour les adéquistes, l'accès pour tous à une éducation et à une formation de qualité constitue la base même du succès d'une société. Il s'agit d'un des secteurs névralgiques requérant des investissements publics importants puisque l'avenir même de nos enfants en dépend.

RESSOURCES NATURELLES, SAVOIR, SAVOIR-FAIRE ET ESPRIT D'ENTREPRISE, PORTEURS DE RICHESSE

Le Québec et ses régions possèdent des ressources naturelles remarquables. Montréal est reconnue comme une des villes les plus riches en compétences de l'économie mondiale du savoir et du savoir-faire. Les adéquistes voient en ces forces un potentiel économique extrêmement porteur qui peut s'épanouir et générer de la richesse si nous savons les arrimer à la capacité entrepreneuriale des Québécois.

LES BESOINS DES CITOYENS DEVANT CEUX DES GROUPES DE PRESSION

Pour l'ADQ, il est fondamental de laisser la parole à l'ensemble des citoyens plutôt que d'être un véhicule au service de groupes de pression, quelle que soit la justice de leur cause. Nous refusons de prendre en otage les besoins de la classe moyenne – que d'aucuns ont nommé « majorité silencieuse » – pour servir des intérêts particuliers ou ceux de puissants lobbys. Pour l'Action démocratique du Québec, le respect des besoins du citoyen est une condition *sine qua non* à l'élaboration et à l'adoption des lois et des politiques. Les adéquistes ont fait de ce principe une valeur qui doit rester au-dessus de tout.

UNE JUSTICE ACCESSIBLE ET ÉQUITABLE POUR TOUS

Dans le projet adéquiste, chaque citoyen doit pouvoir vivre quotidiennement en sécurité, avec l'assurance qu'une justice accessible et équitable pour tous a toujours prépondérance sur la *Loi du plus fort*.

TRANSPARENCE, RIGUEUR ET PARCIMONIE DANS LA GESTION DES FONDS PUBLICS

Pour les adéquistes, la comptabilité gouvernementale doit refléter la réalité, tout comme les recommandations du vérificateur général doivent s'appliquer plutôt que d'être sans cesse repoussées, d'année en année. Transparence, rigueur et parcimonie doivent devenir les règles de gestion de l'État québécois. On doit appliquer la même frugalité pour chaque dollar de taxes et d'impôts confié au gouvernement que celle dont les citoyens font preuve dans leur budget personnel. Chaque dollar a été durement gagné, il doit être judicieusement dépensé.

SOLIDARITÉ ET OUVERTURE ENVERS TOUS LES QUÉBÉCOIS

Le Québec nouveau doit se bâtir avec tous ses citoyens. Pour les adéquistes, le nous québécois est totalement inclusif. Ainsi, un gouvernement de l'ADQ portera comme valeur fondamentale le principe d'égalité et de justice entre tous les citoyens, quel que soit leur âge, leur origine ou leur statut. En conséquence, il verra notamment à favoriser l'accueil et l'intégration harmonieuse des immigrants qui ont choisi de faire du Québec leur nouvelle patrie.

UNE REPRÉSENTATION PLUS DÉMOCRATIQUE POUR LES CITOYENS

Comme son nom même le porte, l'ADQ appuie son action sur des valeurs démocratiques fondamentales. En conséquence, son gouvernement fera en sorte que le système de représentation soit plus démocratique, au-delà des calculs favorisant l'un ou l'autre des partis. Dans cette perspective, nous apporterons les modifications nécessaires à la loi électorale, à la loi sur le financement des partis politiques et aux règlements de l'Assemblée nationale, afin que nos institutions reflètent plus fidèlement la volonté démocratique des Québécois, qu'elles soient plus efficaces et qu'elles puissent regagner la crédibilité dont elles ont besoin pour l'avancement de notre société.

REBÂTIR LA CONFIANCE DU CITOYEN ENVERS LE GOUVERNEMENT

Pour l'ADQ, l'intégrité des institutions parlementaires et gouverne-mentales, des représentants de la population et des gestionnaires de fonds publics doit être sans faille. Tous les garde-fous nécessaires doivent être en place, toutes les mesures doivent être prises pour assurer une probité totale dans l'administration publique. Il faut rebâtir le lien de confiance du citoyen envers le gouvernement, une confiance qui s'est malheureusement effritée à coup de scandales et de gouffres financiers.

L'ADQ, UNE NOUVELLE GÉNÉRATION D'IDÉES

Autonomie, fidélité première au Québec, responsabilité devant l'avenir et vision à long terme, replacer la famille au cœur du projet de société québécois, assurer l'avenir de nos enfants grâce à un meilleur système d'éducation, s'appuyer sur nos ressources naturelles, notre expertise dans la nouvelle économie du savoir et du savoir-faire ainsi que sur notre esprit d'entreprise, faire passer les besoins des citoyens devant ceux des groupes de pression, privilégier un système de justice accessible et équitable pour tous, mettre de l'avant la transparence, la rigueur et la parcimonie dans la gestion de nos fonds publics, accueillir avec solidarité et ouverture tous les Québécois quel que soit leur âge, origine ou statut, mettre en place une représentation plus démocratique pour les citoyens de partout au Québec et rebâtir leur confiance envers le gouvernement...

Voilà toute une série de valeurs fondamentales que l'ADQ veut mettre de l'avant pour promouvoir un nouveau contrat politique appuyé sur les idées, le talent et la force créatrice de représentants issus d'une nouvelle génération d'idées.

LES GRANDES DATES DE L'ADQ

1991

Mars 1991

Adoption du *Rapport Allaire* par le Parti libéral du Québec réuni en congrès.

1992

29 août 1992

Le Parti libéral met de côté le *Rapport Allaire* au profit de l'Entente sur le renouvellement de la constitution canadienne conclue entre les premiers ministres fédéral et provinciaux lors de la Conférence de Charlottetown.

23 septembre 1992

Avec un groupe de dissidents, Jean Allaire et Mario Dumont forment *Le Réseau des Libéraux pour le NON* qui fait campagne contre l'Entente de Charlottetown.

26 octobre 1992

Référendum. La population du Québec rejette l'Entente de Charlottetown.

Fin novembre 1992

Jean Allaire et Mario Dumont quittent le PLQ.

1993

Janvier 1993

Jean Allaire et Mario Dumont rassemblent autour d'eux des personnes venant de toutes les régions du Québec et de tendances politiques diverses pour former le groupe Réflexion Québec. Devant l'impossibilité de réfléchir librement au sein des vieux partis et l'incapacité de ceux-ci de se mettre à l'écoute des aspirations des Québécoises et des Québécois, Réflexion Québec se donne comme objectif de proposer des solutions novatrices susceptibles de nous rassembler dans un projet commun.

Septembre 1993

Réflexion Québec publie les résultats de ses travaux dans le document *Un Québec responsable*, diffusé à 60 000 exemplaires.

Octobre 1993

Action Québec prend le relais de Réflexion Québec et amorce une tournée nationale afin de présenter *Un Québec responsable*.

Novembre 1993

Ouverture d'un local permanent pour Action Québec sur la rue Papineau, à Montréal. Il deviendra par la suite le premier Secrétariat général de l'ADQ.

Décembre 1993

Suite à la tournée d'Action Québec, la décision est prise de fonder un nouveau parti politique auquel pourraient s'identifier les Québécoises et les Québécois déçus des vieux partis.

1994

18 janvier 1994

Reconnaissance officielle de l'Action démocratique du Québec comme parti politique par le Directeur général des élections du Québec.

2 mars 1994

Élu député libéral dans Iberville en 1989, Yvon Lafrance devient le premier député de l'Action démocratique du Québec à l'Assemblée nationale, lui qui était devenu député indépendant le 9 février. Il ne se représentera pas en 1994.

5 et 6 mars 1994

Congrès de fondation de l'Action démocratique du Québec à Laval. Jean Allaire est élu chef.

Avril 1994

Jean Allaire se retire pour des raisons de santé. Mario Dumont lui succède.

12 septembre 1994

Élection générale au Québec. Mario Dumont devient le premier député élu sous la bannière de l'Action démocratique du Québec, dans le comté de Rivière-du-Loup, remportant près de 55 % des voix. Dans l'ensemble du Québec, l'ADQ présente des candidats dans 80 circonscriptions et récolte 6,5 % des voix.

1995

10 janvier 1995

L'ADQ rend publics les grands axes de la position constitutionnelle qu'elle mettra de l'avant devant les Commissions sur l'avenir du Québec dans le document *Partenaires d'une nouvelle union Québec-Canada*.

Janvier - février 1995

Après avoir fait accepter par le gouvernement ses cinq conditions, l'ADQ siège aux commissions sur l'avenir du Québec. Chacune des commissions régionales compte un commissaire de l'ADQ, et plusieurs instances locales présentent un mémoire à la commission de leur région. Mario Dumont participe aux commissions régionales à titre de commissaire itinérant de même qu'à la Commission nationale.

26 mars 1995

L'ADQ tient à Québec une journée de réflexion qui réunit l'exécutif national, les commissaires siégeant sur les commissions régionales, les membres des diverses commissions du parti et des représentants des associations de circonscriptions afin de revoir sa position constitutionnelle à la lumière des préoccupations exprimées devant les commissions régionales sur l'avenir du Québec.

27 mars 1995

L'ADQ présente le mémoire *Un référendum pour progresser* à la Commission nationale sur l'avenir du Québec.

5 mai 1995

L'ADQ rend public le document *La nouvelle union Québec-Canada, institutions et principes de fonctionnement*, qui explique le fonctionnement et les nouvelles institutions qui devront être mises en place dans le cadre de la nouvelle union que propose l'ADQ.

10 et 11 juin 1995

L'ADQ tient à Sherbrooke son premier conseil général sous le thème de *L'Éducation*. Le Conseil général ratifie l'entente constitutionnelle conclue entre l'ADQ, le Parti québécois et le Bloc québécois, en vue du référendum, et décide que l'ADQ mènera une campagne autonome au sein du Comité national pour le OUI.

19 et 20 août 1995

C'est sous le thème *L'avenir nous appartient, passons à l'action* que la Commission des Jeunes discute d'éducation lors de son congrès de fondation. Éric Boisselle en est le président.

30 octobre 1995

Référendum sur l'avenir du Québec. Le « non » l'emporte. L'ADQ accepte immédiatement le verdict populaire.

1996

14 mars 1996

L'ADQ rend public le document *Une question de bon sens*, qui propose une série de mesures visant à revoir la gestion et l'intervention gouvernementale.

27 et 28 avril 1996

L'ADQ tient à Drummondville son conseil général sous le thème *L'État du citoyen*. Jean Dion est élu président du parti.

16 mai 1996

L'ADQ présente le mémoire *Réforme de la Loi électorale : Restaurer la confiance*, à la Commission des Institutions de l'Assemblée nationale.

2, 3, 4 août 1996

C'est sous la présidence de Patrick Robitaille que la Commission des jeunes tient son congrès *La Famille d'aujourd'hui, le Québec de demain* à Rivière-du-Loup.

19 et 20 octobre 1996

On discute de relance de l'économie et d'assainissement des finances publiques à l'occasion du Congrès de l'ADQ à Saint-Jean-sur-Richelieu sous le thème *Un virage essentiel... pour un Québec en marche*. Sylvain Frenette est alors élu président de la Commission des jeunes.

1997

13 février 1997

La Commission des jeunes dépose un mémoire dans le cadre d'une consultation de la Commission des Affaires sociales sur la réforme de la Sécurité du revenu.

Mai et juin 1997

Tenue de quatre colloques régionaux sur la justice et la sécurité publique. Ces colloques servent à préparer les fondements thématiques du Conseil général prévu pour l'automne suivant.

16 juin 1997

Présentation, à Québec du document *Un vent de changement*, qui fait la synthèse des différentes positions adoptées par l'ADQ lors de ses congrès et conseils généraux.

15 et 16 novembre 97

Conseil général de l'ADQ à Sainte-Foy sous le thème *Changeons le cours de la justice*. On y adopte des propositions qui visent à améliorer le système de justice et de sécurité publique.

1998

19 mai 1998

Dépôt, par Mario Dumont, du projet de loi 393 intitulé *Loi modifiant le Code du travail* qui vise à contrer la prolifération des clauses orphelins. Ce dépôt entraîne, entre autres, la tenue d'audiences d'une Commission parlementaire sur le sujet.

6 juin 1998

Colloque « Jeunes » à Montréal. L'organisation électorale et la thématique du prochain conseil général sont les principaux thèmes traités.

10 juin 1998

Dépôt du mémoire *Sortir des sentiers battus* dans le cadre des audiences de la Commission des institutions sur la déclaration de Calgary.

1er septembre 1998

La Commission des jeunes dépose un mémoire intitulé *Corriger les abus du passé... Pas sur le dos des jeunes SVP !* dans le cadre des audiences de la Commission de l'Économie et du Travail qui se penche sur la question des clauses orphelins.

12 et 13 septembre 1998

Conseil général à Mirabel sous le thème *Les défis de la nouvelle génération*. On y adopte des propositions sur la famille, les nouvelles réalités du marché du travail, le développement de l'économie du savoir et la dégradation du tissu social. Réal Barrette est élu à la présidence du parti. Ce conseil général marque également le quatrième anniversaire de l'élection de Mario Dumont comme député de Rivière-du-Loup.

21 octobre 1998

Dépôt de trois projets de lois par Mario Dumont : les projets de lois 397, *Loi modifiant la Loi sur le soutien du revenu et favorisant l'emploi et la solidarité sociale*, 398, *Loi modifiant la Loi sur les services correctionnels* et 399, *Loi sur la proposition québécoise de paix constitutionnelle*.

30 novembre 1998

Élection générale. Le comité électoral est sous la direction de Jean-Simon Venne. Excellente performance de l'ADQ qui présente, pour la première fois de son histoire, une équipe complète de 125 candidats. Mario Dumont est réélu dans son comté. Sa performance lors du débat des chefs, a constitué un point fort de cette campagne. L'ADQ obtient l'appui de près de 500 000 Québécois, soit près de 12 % des électeurs qui se sont prévalus de leur droit de vote.

1999

16 et 17 octobre 1999

Lors de son conseil général, l'Action démocratique du Québec lance *On nous ment c'est NET*, la première campagne politique sur l'internet. L'ADQ fait valoir que le Parti québécois n'honore pas ses engagements électoraux vis-à-vis des jeunes et elle encourage ceux-ci à expédier des courriels aux parlementaires via un site dédié qui réexpédie un message à chacun des 70 parlementaires au pouvoir. Plus de 200 000 courriels sont ainsi acheminés sur une période de deux semaines.

20 octobre 1999

Marie Grégoire et Marc-André Gravel déposent un mémoire dans le cadre de la Consultation sur la réduction de l'impôt des particuliers. Intitulé *Fiscalité : stimuler la croissance de façon responsable*, le document propose notamment une réduction du fardeau fiscal, une reconnaissance des travailleurs autonomes et une réforme des mesures de soutien au revenu.

Novembre 1999

En réponse au Rapport Proulx : *Laïcité et religions, perspective nouvelle pour l'école québécoise*, l'Action démocratique du Québec dépose un mémoire intitulé *Respecter le libre choix des parents et de leurs enfants*. Ce mémoire, présenté par Cédric Pautel, prône la *déconfessionnalisation* des écoles, tout en conservant le choix des cours d'enseignement religieux ou moral.

Décembre 1999

Claudette Carrier succède à Jacques Hébert à la direction du Secrétariat général de l'ADQ. Ex-directrice générale du Regroupement des cabinets de courtage d'assurance du Québec (RCCAQ), elle devient ainsi la première femme à administrer un parti politique au Québec.

2000

15 février 2000

Guy Laforest et Jacques Gauthier, tous deux de la Commission politique, déposent un mémoire au nom du parti, dans le cadre de la Commission parlementaire sur le projet de loi 99 (*Loi sur l'exercice des droits fondamentaux et prérogatives du peuple québécois et de l'État du Québec*). Ce document relève l'importance de redonner aux citoyens le vrai pouvoir au Québec.

1er et 2 avril 2000

Sous le thème *Objectif 2002*, le troisième congrès de l'ADQ, à Saint-Hyacinthe, est l'occasion pour les membres du parti de procéder à une révision en profondeur du programme.

Les résolutions adoptées par les quelque 400 membres présents sont regroupées autour de quatre grands thèmes, identifiés comme des enjeux majeurs pour l'avenir du Québec : la Solidarité intergénérationnelle, l'Économie, l'Héritage aux générations futures et les Perspectives d'avenir pour tous les Québécois. Les travaux visent à proposer des avenues pouvant conduire le Québec sur la voie de la prospérité ainsi qu'à redonner aux Québécois la possibilité de rêver et de croire en un avenir meilleur.

Les membres élisent Isabelle Marquis à la présidence. Quant au résultat du vote de confiance envers Mario Dumont, il donne un appui massif au chef dans une proportion de 96,9 %, dans le cadre d'un vote secret.

Le président de l'association de l'ADQ de la circonscription de Frontenac, Daniel Lamothe, est honoré au cours du congrès en devenant le premier récipiendaire du prix Jean-Allaire. M. Lamothe se voit décerner le prix en raison de son engagement envers le processus démocratique et plus particulièrement pour sa contribution au développement de l'Action démocratique du Québec.

Mai 2000

Parce que l'Action démocratique du Québec croit qu'il est plus que temps de remettre l'initiative aux citoyens du Québec, Mario Dumont dépose à l'Assemblée nationale le projet de loi 192 sur les initiatives populaires.

Septembre 2000

L'Action démocratique du Québec dépose deux mémoires résumant certains volets de son programme. Ainsi, le mémoire *Garantir des soins de santé de qualité : pour mieux préparer l'avenir du Québec* est déposé devant la Commission d'étude sur les services de santé et les services sociaux. De même, la consultation publique sur la politique de reconnaissance et de soutien de l'action communautaire est l'occasion de présenter le document intitulé *Le milieu communautaire : un acteur essentiel au développement du Québec*.

21 et 22 octobre 2000

Au terme des travaux de son conseil général tenu à Alma, l'ADQ se dote de la plus audacieuse plate-forme à n'avoir jamais été votée au Québec en matière de développement régional. Toutes les résolutions visent essentiellement à faire des régions des territoires politiques de développement, équipés des ressources humaines et des outils décisionnels et financiers nécessaires pour assurer ce développement.

2001

Février 2001

Début de la consultation des membres par le Comité constitutionnel sur l'avenir politique et constitutionnel du Québec, en vue du Conseil général des 2 et 3 juin 2001.

7 mars 2001

Isabelle Marquis, présidente du parti, Jean Allaire, chef fondateur de l'ADQ, ainsi que André Larocque, porte-parole du Parti en matière de démocratie, déposent un mémoire devant la Commission de la représentation électorale du Québec. Ce mémoire, intitulé *L'objectif avant les moyens, la représentation avant la carte, les citoyens avant les partis*, demande à la Commission d'interpréter de manière large son mandat et de réclamer auprès de l'Assemblée nationale une révision du mode de scrutin, afin que les Québécois soient réellement représentés par leurs institutions.

16 mars 2001

Guy Laforest, président de la Commission politique, de même que Brian Gibbs membre de la même commission, déposent un mémoire intitulé *Politique linguistique : la nécessité d'une approche globale*, dans le cadre de la Commission des États généraux sur l'avenir de la langue française. L'ADQ prône en cette matière une approche intégrée, sans réaménagement législatif majeur, visant la prédominance du français dans le respect du multiculturalisme.

14 Mai 2001

L'Action démocratique du Québec présente le rapport de son Comité constitutionnel. Dans un document intitulé *Faire enfin gagner le Québec*, le comité, présidé par Jacques Gauthier, propose une démarche de renforcement en deux temps : d'abord permettre au Québec de se tenir debout en travaillant à unir les Québécois et les Québécoises plutôt qu'à les diviser, puis tendre la main à nos partenaires afin de faire valoir énergiquement et efficacement les intérêts et les besoins d'autonomie du Québec.

2 et 3 juin 2001

Tenue du conseil général de l'Action démocratique du Québec à Drummondville sous le thème *Faire enfin gagner le Québec*. Les militants sont appelés à mettre à jour la position de l'ADQ sur l'avenir politique et constitutionnel du Québec.

2002

15 avril 2002

Election d'un deuxième député adéquiste à l'Assemblée nationale lors d'une élection complémentaire. En effet, François Corriveau devient le député de la circonscription de Saguenay en obtenant plus de 47 % des voix exprimées.

1er et 2 juin 2002

Les militants adéquistes se réunissent à Rivière-du-Loup dans la circonscription de leur chef afin d'entreprendre une réflexion sur la santé. Les 350 adéquistes présents établissent ainsi les bases d'une grande tournée de réflexion qui les mènera à la préparation d'une plate-forme en matière de santé. Cette dernière devra être adoptée lors du prochain congrès des membres.

17 juin 2002

Élection de trois nouveaux députés adéquistes dans le cadre d'une vague d'élections complémentaires. Marie Grégoire est élue dans Berthier, Sylvie Lespérance dans Joliette, et François Gaudreau, dans Vimont. Ils représenteront donc leur circonscription à l'Assemblée nationale sous la bannière adéquiste. Pour sa part, Jocelyn Fradette, candidat adéquiste dans la circonscription de Lac Saint-Jean, traditionnellement acquise au PQ, passe bien près de causer la surprise de la soirée en talonnant son adversaire péquiste qui le battra par moins de 700 voix.

Août et septembre 2002

Le comité Santé de l'ADQ met en branle une tournée de consultation sur la santé qui tiendra des rencontres dans chacune des régions du Québec.

5 et 6 octobre 2002

Plus de 1000 adéquistes participent au congrès de l'ADQ qui se déroule à Drummondville. Ils adoptent ce qui deviendra la plate-forme adéquiste en matière de santé. Guy Laforest est élu président du parti lors des élections qui ont lieu au cours du week-end. Le prix Jean-Allaire est décerné à Marc Laporte.

2003

8 et 9 février 2003

La Commission des jeunes de l'ADQ tient son congrès à l'Université de Montréal sous le thème *Le changement... maintenant !*

1er mars 2003

Sous la présidence de Stéphane Laforest, l'ADQ tient son Conseil préélectoral où est adoptée la plate-forme intitulée « Pour un changement responsable ».

14 avril 2003

Élection générale au Québec. Le Parti libéral forme un gouvernement majoritaire. L'Action démocratique du Québec recueille 18,18 % des votes – plus de 700 000 électeurs – et fait élire quatre députés : Janvier Grondin, Marc Picard, Sylvie Roy et Mario Dumont. En 1998, l'ADQ avait recueilli 11,81 % des votes et fait élire un seul député. En 2003, l'ADQ est la seule formation politique qui voit son appui populaire augmenter par rapport à 1998, aux dépens des libéraux et péquistes qui perdent la confiance de centaines de milliers d'électeurs.

14 juin 2003

L'ADQ tient son Conseil général sous le thème *Écouter, s'entendre et bâtir*. À cette occasion, les militants s'accordent pour amorcer une réflexion sur la vie militante et les moyens d'adapter les structures organisationnelles à la nouvelle réalité vécue par l'ADQ.

Septembre 2003

Pour faire suite à l'engagement qu'il avait pris vis-à-vis des militants lors du dernier conseil général, Mario Dumont entame une tournée de toutes les circonscriptions du Québec afin de rencontrer les membres de l'ADQ au sein des différentes organisations.

1er et 2 novembre 2003

C'est sous le thème *Agir aujourd'hui avec demain en tête* que les militants adéquistes se réunissent à Québec (Sainte-Foy) afin de discuter des impacts du choc démographique. L'enthousiasme des militants présents confirme que l'ADQ est de retour sur les rails et qu'elle fourbit déjà ses armes en vue de la prochaine élection générale au Québec.

2004

20 septembre 2004

Élections complémentaires dans quatre circonscriptions du Québec. Dans Vanier, l'adéquiste Sylvain Légaré l'emporte avec une majorité quasi absolue sur ses deux principaux adversaires. L'ADQ compte désormais cinq députés.

25 et 26 septembre 2004

L'ADQ tient son congrès à Drummondville, le premier depuis l'élection générale du 14 avril 2003. Le thème : « 10 ans, voir grand pour le Québec ». Des centaines de militants adoptent officiellement, à cette occasion, la position autonomiste de l'ADQ. Yvon Picotte succède à Guy Laforest à la présidence du parti et Mario Dumont reçoit un vote de confiance sans équivoque de la part des membres présents. On se prépare déjà à la prochaine élection générale. Jacques Gourde reçoit le prix Jean-Allaire.

2005

23 et 24 avril 2005

Le Conseil général de l'ADQ tenu à Saint-Georges-de-Beauce traite de développement économique et de sécurité publique sous le thème *Autonomiste, fier et prospère*.

22 juin 2005

La Commission des jeunes de l'Action démocratique du Québec présente avec fierté un mémoire intitulé *Créer l'union pour obtenir la force* dans le cadre de la Consultation relative à l'établissement de la Stratégie d'action jeunesse 2005-2008.

19 et 20 novembre 2005

À Boucherville, l'ADQ tient le 15e Conseil général de son histoire, sur les thèmes de la justice, de la sécurité publique et de la santé.

Achevé d'imprimer en novembre 2005, Marquis Imprimeurs inc., Montmagny (Québec)

© 2005, Éditions Les Sociétaires, www.lessocietaires.com
211 Place de la Concorde, Lavaltrie (Québec) J5T 1B3